LOUCURA
E
OBSESSÃO

Divaldo Pereira Franco

LOUCURA
E
OBSESSÃO

Pelo Espírito
Manoel P. de Miranda

Copyright © 1988 *by*
FEDERAÇÃO ESPÍRITA BRASILEIRA – FEB

12ª edição – 16ª impressão - 1 mil exemplares – 9/2025

ISBN 978-85-7328-679-3

Todos os direitos reservados. Nenhuma parte desta publicação pode ser reproduzida, armazenada ou transmitida, total ou parcialmente, por quaisquer métodos ou processos, sem autorização do detentor do *copyright*.

FEDERAÇÃO ESPÍRITA BRASILEIRA – FEB
SGAN 603 – Conjunto F – Avenida L2 Norte
70830-106 – Brasília (DF) – Brasil
www.febeditora.com.br
editorial@febnet.org.br
+55 61 2101 6161

Pedidos de livros à FEB
Comercial
Tel.: (61) 2101 6161 - comercial@febnet.org.br

Adquirindo esta obra, você está colaborando com as ações de assistência e promoção social da FEB e com o Movimento Espírita na divulgação do Evangelho de Jesus à luz do Espiritismo.

Dados Internacionais de Catalogação na Publicação (CIP)
(Federação Espírita Brasileira – Biblioteca de Obras Raras)

M6721	Miranda, Manuel Philomeno de (Espírito)
	Loucura e obsessão / pelo Espírito Manuel Philomeno de Miranda; [psicografado por] Divaldo Pereira Franco. – 12. ed. – 16. imp.– Brasília: FEB, 2025.
	294 p.; 21cm.
	ISBN 978-85-7328-679-3
	1. Loucura. 2. Espiritismo. 3. Obras psicografadas. I. Franco, Divaldo Pereira, 1927–2025. II. Federação Espírita Brasileira. III. Título.
	CDD 133.93
	CDU 133.7
	CDE 80.02.00

Manoel P. de Miranda

Sumário

Loucura e obsessão 9
1 – Programação de novas tarefas 15
2 – Esclarecimentos necessários 19
3 – As consultas 28
4 – O drama de Carlos 38
5 – Sombras e dores do mundo 47
6 – Destino e sexo 57
7 – Fenômeno auto-obsessivo 70
8 – A grandeza da renúncia 81
9 – Novas luzes para a razão 93
10 – Apontamentos adicionais 104
11 – Técnicas de libertação 113
12 – Confronto de forças 126
13 – Revelação libertadora 136
14 – Nefasta planificação desarticulada 147
15 – O passado elucida o presente 159
16 – Libertação pelo amor 172
17 – Terapia desobsessiva 183
18 – O despertar de Aderson 194
19 – Socorro de libertação 207
20 – Processo desencarnatório 219
21 – Comentários preciosos 230
22 – Reflexões salutares 242
23 – Expiação e reparação 251
24 – O trágico desfecho 260
25 – Socorro de emergência 269
26 – Experiências finais 279

Loucura e obsessão

No aprofundado estudo da etiopatogenia da loucura, não se pode mais descartar as incidências da obsessão, ou predomínio exercido pelos Espíritos desencarnados sobre os homens.

Constituindo o mundo pulsante além da vida material, eles se movimentam e agem conforme a natureza evolutiva que os caracteriza.

Tendo-se em vista o estágio atual de crescimento moral da Terra e daqueles que a habitam, o intercâmbio entre as mentes que se encontram na mesma faixa de interesse é muito maior do que um observador menos cuidadoso e menos preparado pode imaginar.

Atraindo-se pelos gostos e aspirações, vinculando-se mediante afetos doentios, sustentando laços de desequilíbrio decorrente do ódio, assinalados pelas paixões inferiores, exercem constrição mental e, às vezes, física naqueles que lhes concedem as respostas equivalentes, resultando variadíssimas alienações de natureza obsessiva.

Longe de negar a loucura e as causas detectadas pelos nobres pesquisadores do passado e do presente, o Espiritismo as confirma, nelas reconhecendo mecanismos necessários para o estabelecimento de *matrizes*, pelas quais a degenerescência da personalidade ocorre, nas múltiplas expressões em que se apresenta.

Assinalamos, com base na experiência dos fatos, que nos episódios da loucura, ora epidêmica, a obsessão merece um capítulo especial, requerendo a consideração dos estudiosos, que poderão defrontar com extraordinário campo para a investigação profunda da alma, bem como do comportamento humano.

De Wilhelm Griesinger a Kraepelin, a Bleuler, desde Pinel a Freud, de Ladislas von Meduna a Sakel, a Kalinovsky, a Adolf Meyer, passando por toda uma elite de cientistas da psique, sem nos esquecermos de Charcot e Wundt, largos passos foram dados com segurança para a compreensão da loucura, suas causas, sua terapêutica, abrindo-se espaços para os modernos psiquiatras, psicólogos e psicanalistas.

Não obstante, a doença mental permanece como um grande desafio para todos aqueles que se empenham na compreensão da sua gênese, sintomatologia e conduta...

Allan Kardec, porém, foi o extraordinário psicoterapeuta que melhor aprofundou a sonda da investigação no desprezado capítulo das obsessões, demonstrando que nem toda expressão de loucura significa morbidez e descontrole dos órgãos encarregados do equilíbrio psicofísico dos homens, com vinculações de natureza hereditária, psicossocial etc.

Demonstrou que o Espírito é o herdeiro de si mesmo, dos seus atos anteriores, que lhe plasmam o destino futuro, do qual não se logra evadir.

Provando que a morte biológica não aniquila a vida, facultou ao entendimento a penetração e a solução de verdadeiros enigmas desafiadores, que passavam, genericamente, como formas de *loucura*, que são, certamente, de natureza diversa do conceito acadêmico conhecido.

Em razão disso, o homem não pode ser examinado parcialmente, como um conjunto de ossos, nervos e sangue, tampouco na acepção tradicional dualista, de alma e corpo, mas, sob o aspecto pleno e total de Espírito, perispírito e matéria...

Como Espírito participa da realidade eterna; pelo perispírito vincula-se ao corpo e, graças ao corpo, vive no mundo material.

É o perispírito o órgão intermediário pelo qual experimenta a influência dos demais Espíritos, que pululam em sua volta aguardando o momento próprio para o intercâmbio em que se comprazem.

Quando estes Espíritos são maus e encontram a guarida que as dívidas morais instalam na futura vítima, aí nascem as obsessões, a princípio sutis, quase despercebidas, para, logo depois, se agigantarem, assumindo a gravidade das subjugações lamentáveis, e, às vezes, irreversíveis...

Quando são bons, exercem a salutar interferência inspirativa junto àqueles que lhes proporcionam sintonia, elevando-os às cumeadas da esperança, do amor, e facultando-lhes o progresso bem como a conquista da felicidade.

O conhecimento do Espiritismo propicia os recursos para a educação moral do indivíduo, ensejando-lhe a terapia preventiva contra as obsessões, assim também, a cura salutar, quando o processo já se encontra instaurado.

Mesmo nos casos em que reconhecemos a presença da loucura nos seus moldes clássicos, deparamo-nos sempre com um Espírito, em si mesmo doente, que plasmou um organismo próprio para redimir-se, corrigindo antigas viciações e crimes que, ocultos ou conhecidos, lhe pesam na economia moral, exigindo liberação.

Kierkegaard, o filósofo dinamarquês, em uma conceituação audaciosa, afirmou que "louco é todo aquele que perdeu tudo, menos a razão", enfocando o direito que desfruta o alienado mental, de qualquer tipo, a um tratamento digno, tendo sua razão para encontrar-se enfermo.

Nos comportamentos obsessivos, as técnicas de atendimento ao paciente, além de exigirem o conhecimento da enfermidade espiritual, impõem ao atendente outros valores preciosos que noutras áreas da saúde mental não são vitais, embora a importância de que se revista. São eles: a conduta moral superior do terapeuta — o doutrinador encarregado da desobsessão —, bem como do paciente, quando este não se encontre inconsciente do problema; a habilidade afetuo--sa de que se deve revestir, jamais esquecendo do agente desencadeador do distúrbio, que é, igualmente, enfermo, vítima desditosa, que procura tomar a justiça nas mãos; o contributo das suas forças mentais, dirigidas a ambos litigantes da pugna infeliz; a aplicação correta das energias e vibrações defluentes da oração ungida de fé e amor; o preparo emocional para entender e amar tanto o hóspede estranho e invisível, quanto o hospedeiro impertinente e desgastante no vaivém das recidivas e desmandos...

A cura das obsessões, conforme ocorre no caso da loucura, é de difícil curso e nem sempre rápida, estando a depender de múltiplos fatores, especialmente, da renovação, para melhor, do paciente, que deve envidar esforços máximos para granjear a simpatia daquele que o persegue, adquirindo mérito com a ação pelo bem desinteressado em favor do próximo, o que, em última análise, torna-se em benefício pessoal.

Vulgarizando-se a loucura como a obsessão, cada vez mais, e ora em caráter epidemiológico, faz-se necessário, mais generalizado e urgente, um maior conhecimento da terapia desobsessiva, desde que a psiquiátrica se encontra nas hábeis mãos dos profissionais sinceramente interessados em estancá-la.

Como o surto das obsessões está a exigir atenção crescente, reunimos, neste livro, alguns casos que nos convidaram ao estudo, inclusive um de comportamento sexual especial, acompanhando-os em um Núcleo do sincretismo afro-brasileiro, onde encontramos a presença do amor de Deus e a abnegação da caridade cristã, conforme os ensinamentos de Jesus.

Reconhecendo, porém, a superior missão de Consolador que cumpre ao Espiritismo executar, conforme a segura e sábia conduta doutrinária apresentada nas obras de que Allan Kardec se fez o excelente missionário, não podemos negar os benefícios que se haurem em todas as células religiosas de socorro, especialmente naquelas em que o intercâmbio mediúnico e a reencarnação demonstram a imortalidade da alma e a Justiça divina, passo avançado para conquistas mais ricas de sabedoria e de libertação.

Partindo de experiências mais primárias no campo do mediunismo, este abre-se para a iluminação espiritista, enquanto se tornam celeiros de esperança, espargindo bênçãos necessárias para aqueles que lhe buscam o concurso.

Agradecendo ao Dr. Bezerra de Menezes e aos nobres amigos espirituais que mourejam, anônimos, no socorro aos infelizes mais infelizes, que são os alienados pela loucura ou pela obsessão, e os seus algozes, exoramos as bênçãos do Terapeuta divino, que é Jesus, em favor de todos nós, Espíritos imperfeitos que reconhecemos ser.

Manoel P. de Miranda

Salvador (BA), 16 de junho de 1986.

1 – Programação de novas tarefas

Quando a desencarnação me tomou o corpo, encontrava-me profundamente interessado em estudar certos comportamentos alienados das criaturas humanas sob a meridiana luz do Espiritismo.

Dedicando-me, na Terra, às experiências mediúnicas, durante algumas décadas, nelas encontrara celeiros de esclarecimentos para um sem-número de interrogações que me bailavam na mente.

Constatara a excelência da terapêutica desobsessiva, recuperadora, dirigida a Espíritos profundamente enfermos, que se renovavam, e acompanhara complexos problemas da loucura, que defluíam de conúbios obsessivos de longo curso, cujas origens remontavam a reencarnações anteriores, quando se instalaram as matrizes da justa infeliz.

Ao mesmo tempo, sempre me despertaram a atenção as comunicações de entidades que se apresentavam com modismos singulares, atadas às lembranças do sincretismo religioso que viveram, assumindo posturas que me pareciam esquisitas, preservando, nos diálogos, os vocábulos africanistas e tomando atitudes que eram remanescentes dos atavismos animistas dos quais procediam.

Confabulando, por diversas vezes, com José Petitinga, o inspirado diretor da nossa Casa Espírita, examinávamos juntos tais questões com respeito e interesse, deixando espaços para futuros estudos e mais amplas apreciações desses comportamentos.

Loucura e obsessão

Passado o período de adaptação a que fui submetido, na Esfera nova, reintegrado no serviço de autoiluminação e de auxílio fraternal, passei a colher maior soma de informações, anotando experiências que ora me capacitavam a uma cuidadosa apreciação dos mecanismos dos cultos afro-brasileiros, tanto quanto de certas crendices e superstições tão do gosto das gentes de todos os países, que preservam esses hábitos e se lhes dedicam à divulgação.

Com a Doutrina Espírita eu aprendera que a revelação da verdade é sempre gradativa, e que, de período em período, missionários do amor e da sabedoria se reencarnam com o objetivo de promover o progresso cultural, científico, social e, especialmente, religioso dos homens, procurando libertá-los das amarras com a retaguarda, com a ignorância...

Mesmo com esse conhecimento, constatava que, não obstante as sábias diretrizes da Revelação Espírita, permanecem as práticas primitivas de muitos cultos, alguns extravagantes, outros semibárbaros, e mais outros ainda, envoltos em *mistérios*, em pleno período de glórias da Ciência e da tecnologia.

Os largos anos de meditação e pesquisa dos fenômenos anímicos e mediúnicos facultaram-me equilibrada apreciação dessas manifestações socioantropológicas, mediante as quais incontáveis criaturas, de ambos os lados da vida, cultuam Deus conforme suas possibilidades intelecto-morais e comportamentais.

Assim, não me furtei a realizar investigações *in loco*, em variadas escolas de fé religiosa, convicto de que "fora da caridade que não há salvação", conforme prescrevera Allan Kardec, e não pela forma da crença ou do culto a que se aferra o indivíduo.

Outrossim, a necessidade de melhor identificar a fronteira divisória entre os episódios psicopatológicos e os obsessivos levou-me também a frequentar manicômios, hospitais psiquiátricos vários, no período referido, constatando que sempre

Programação de novas tarefas

é o Espírito encarnado o agente responsável pelos distúrbios que padece, numa como noutra área da saúde mental.

Porque acompanhasse de perto o meu interesse nesse setor, e graças aos constantes programas de aprendizado em sua companhia, como instrutor amorável que é, o Dr. Bezerra de Menezes, sempre que os seus muitos compromissos lhe permitiam, quando defrontando tarefas desse porte, notificava-me, oferecendo-me a oportunidade de estar ao seu lado, observando as técnicas postas em prática para a liberação dos enfermos, tanto quanto levando-me aos núcleos de fé onde são praticados os diferentes cultos animistas, com o respeito e a consideração que nos merece toda crença e toda expressão de liberdade humana, particularmente no setor das confissões religiosas esposadas.

Graças a esse intercâmbio, com objetivos de pesquisa e aprendizado, surgiu-me excelente ocasião para seguir o nobre mentor e participar, por algum tempo, de atividade socorrista, tendo em vista o drama de um jovem portador de esquizofrenia, cuja mãezinha era possuidora de expressivos títulos de merecimento.

De formação católica, a senhora Catarina Viana, após a desencarnação do esposo Empédocles, vira o filho Carlos mergulhar lentamente em aparente processo de psicose-maníaco--depressiva, que se foi agravando, com o tempo, até cair numa terrível situação diagnosticada como catatonia, após ter vivido diversas fases de desequilíbrio mental, sem que os cuidadosos tratamentos psiquiátricos, com constantes internações hospitalares, houvessem conseguido solucionar, ou, pelo menos, amenizar-lhe a situação.

Mãe abnegada, era uma religiosa convicta que buscava consolo e apoio na fé abraçada, sem que, não obstante, pudesse entender a áspera provação que a aturdia, devastando a saúde e a vida do filho.

Toda terapia acadêmica utilizada redundara inócua, e o rapaz de 20 anos, oito dos quais padecendo a enfermidade que o

Loucura e obsessão

empurrava pelo declive da loucura, aparentemente não tinha possibilidade de retorno ao equilíbrio...

Apesar do diagnóstico desesperador, a genitora jamais aceitara o fato como consumado, não considerando o filho como irrecuperável. Insistia sempre em novas tentativas com a confiança que possuem os heróis verdadeiros.

Nesse ínterim, quando os recursos médicos nada mais podiam propiciar de favorável ao moço, já com evidentes sinais de cansaço, pessoas amigas insistiram com a senhora para que buscasse socorro espiritual mediante consulta a um cavalheiro muito conhecido na comunidade em razão de *trabalhos de libertação mediúnica* a que se dedicava, utilizando-se de práticas estranhas e resultados positivos.

A dama relutara muito em fazê-lo, em face das suas convicções doutrinárias. No entanto, diante dos inúmeros exemplos que lhe foram trazidos ao conhecimento, após orar e entregar-se a Deus, resolveu-se a consultar o medianeiro, acompanhada de dedicada amiga, que se dizia praticante do culto por ele desenvolvido.

Este seria, portanto, o ponto de partida para nossos novos estudos, por sugestão do Dr. Bezerra, que se encontrava interessado em auxiliar a família, cujo problema já era do seu conhecimento...

Ao receber o convite do amorável amigo para a tarefa especial, fui tomado de grande júbilo, e, com a mente esfervilhante de sadia curiosidade pelas questões a examinar, segui o abnegado servidor da caridade ao recinto que nos seria, por algum tempo, verdadeiro laboratório de estudos espirituais.

2 – Esclarecimentos necessários

A casa modesta, para onde nos dirigimos, transpirava agitação em ambos os planos da vida. Situada em bairro afastado do bulício da cidade, atraía expressivo número de interessados.

Pessoas, denotando grande sofrimento na face angustiada ou expectante, sentavam-se em uma sala enfeitada com bandeirolas presas a fios esticados, à guisa de decoração popular, como se fora uma cobertura móvel que a brisa da noite agitava suavemente.

Espíritos vadios se aglomeravam nas imediações, bulhentos e ociosos, enquanto outros, em grupos de pequeno número, demonstravam os propósitos malfazejos, em conciliábulos a meia-voz, exteriorizando a animosidade de que se faziam portadores.

Odores de incenso e vela misturavam-se aos de ervas aromáticas que ardiam em vários recipientes com brasa, espalhados pelos diferentes cômodos.

Crianças, em algazarra impertinente, brincavam na rua estreita.

Tudo se apresentava com singularidades especiais.

O benfeitor advertira-me quanto à conduta mental que ali devia ser mantida, de modo a não me surpreender com nada que me chegasse à observação. Apesar disso, as surpresas sucediam-se continuamente, em face do inusitado dos acontecimentos.

Loucura e obsessão

Pude observar também que a consulente apresentava-se constrangida, receosa, embora o desembaraço da amiga, que se encontrava à vontade, no meio que lhe era bastante familiar. Poupando-se a choques ou dissabores evitáveis, a senhora mantinha-se em clima de oração, buscando refúgio no colóquio psíquico com a divindade.

Um relógio antigo, de pêndulo, assinalou vinte horas. Houve breve rebuliço, logo acompanhado de um silêncio ansioso, prenunciando algum fato importante.

Nesse momento, procedente do interior doméstico, surgiu um cavalheiro de pouco mais de quarenta anos, visivelmente mediunizado, que convidou alguns circunstantes a que passassem à sala contígua, onde já se encontravam outros convidados e membros do grupo.

Percebi que estes últimos, como o senhor em transe, trajavam bata e calças brancas, tanto quanto as senhoras vestiam-se de trajes alvinitentes, sobre os quais se notavam colares de várias cores.

Foi feito um círculo diante de um altar fartamente decorado, no qual se misturavam figuras da hagiolatria católica com outras deidades para mim desconhecidas, e onde ardiam velas impassíveis.

Música dolente foi entoada ao ritmo de instrumentos de percussão, um tanto ensurdecedores, e logo depois, a uma só voz, todos do círculo cantavam no mesmo tom hipnótico que os sons cadenciados impunham.

Em seguida, o cavalheiro que comandava a atividade, após algumas contorções e estertores, deu início a outra música, saudado por palmas que, a partir desse momento, passaram a acompanhar os *pontos* que se sucediam.

Diversos médiuns começaram, então, a entrar em transe em face do ambiente saturado pelas vibrações rítmicas e iniciaram os movimentos que, automaticamente, se imprimiam aos corpos, que começaram uma dança característica, pelos meneios e evoluções típicos.

Esclarecimentos necessários

Observei que expressivo número de participantes, em razão dos fatores ali propelentes e condicionadores, experimentavam o fenômeno anímico da sugestão que os dominava, descontrolando-se alguns, em crises de natureza vária, atendidos pelo chefe do grupo e por outros auxiliares que se mantinham lúcidos e a postos para tanto.

Alguns fenômenos catalogados no quadro da histeria ali se apresentavam, propiciando descargas emocionais que faziam o paciente afrouxar os nervos e diminuir as tensões sob riscos compreensíveis.

Noutros se destacavam as explosões do inconsciente, em catarse liberadora dos conflitos nele soterrados, e emergentes nos sintomas de várias enfermidades que os afligiam.

Em muitos sensitivos, porém, era patente a incorporação mediúnica, algo violenta, controlada, no entanto, pelos participantes mais adestrados.

Explicou-me o diligente condutor que se tratava, conforme os dispositivos da crença, de um labor de *descarrego* das forças negativas, de *limpeza* psíquica e espiritual, seguindo a tradição africanista já bastante depurada ante o processo de evolução do culto entre pessoas mais esclarecidas e em fase de crescimento e progresso cultural.

— Outros grupos há — elucidou solícito — mais primitivos e concordes com o estado espiritual das criaturas. Para cada faixa de evolução remanescem crenças e cultos próprios para as suas necessidades, como é natural. A escala das variações é ampla, em relação aos grupos e aos indivíduos, os quais jamais se encontram ao desamparo. Como o progresso é conquista de cada um, e a violência, a imposição rude não vigem nos códigos divinos, é necessário que em toda parte se expresse o auxílio superior e que os mais esclarecidos estendam apoio e estímulo aos que permanecem na retaguarda do conhecimento. Ninguém chega ao cume de um monte sem vencer o vale e as anfractuosidades da rocha, no esforço de ascender.

Loucura e obsessão

Os amigos que aqui se reúnem buscam auxílio para a paz e socorro para os problemas em que se debatem. Ignorando o valor do esforço e as sábias Leis de Causalidade e Justiça, já revelam uma compreensão clara a respeito da imortalidade e da comunicabilidade do Espírito, apesar de desconhecerem o limite das possibilidades e dos recursos dessas entidades, que a morte apenas libertou do casulo físico. Lentamente, porém, se irão apercebendo da realidade, e com maior facilidade apreenderão os códigos que regem a Vida, na qual todos nos encontramos mergulhados.

Observemos, portanto, as experiências que aqui se desenrolam, com espírito crítico de respeito aberto à aprendizagem pelo estudo e reflexão.

Enquanto prosseguiu o culto, acompanhado por dois auxiliares, o cavalheiro dirigiu-se a um pequeno compartimento atrás do altar e sentou-se.

A entidade que o incorporava fora mulher na última existência, e, apesar da aparência, que poderosa autoideoplastia lhe modelava, era-me possível perceber que se tratava de uma pessoa procedente da raça branca, assumindo postura e enunciando-se conforme as características ambientais.

Iniciava-se a parte dedicada às consultas.

O médium, em estado sonambúlico, encontrava-se semidesligado do corpo físico, que se fazia comandado pela comunicante.

Ante a minha curiosidade sadia, Dr. Bezerra veio em meu auxílio, explicando:

— Antenor, o instrumento que nos chama a atenção, vem de um passado lastimável. Arbitrário, foi cruel senhor de escravos, aqui mesmo, no Brasil, proprietário de largos tratos de terra que cultivou com mãos de ferro, espoliando vidas compradas pelas infelizes moedas que possuía. Fez-se temido e detestado, granjeando inimigos a mancheias... A desencarnação fê-lo defrontar inúmeras das vítimas, que se lhe tornaram algozes tão inclementes quanto ele o fora, que o não

Esclarecimentos necessários

pouparam a martírios demorados por mais de meio século, nas regiões inferiores, onde expungiu pela dor grande parte dos males antes perpetrados.

"Recambiado à reencarnação nos braços de uma antiga vítima, foi atirado fora com a maior indiferença. Mãos caridosas o recolheram, embora sem mais amplos recursos para o educar, movidas pelo sentimento da compaixão, que o tempo transformou em acendrado amor. Ao atingir a maioridade, perseguido pelos adversários, tombou em rude e penosa obsessão, da qual se recobrou a peso de muita aflição de sua parte e dedicação da genitora adotiva, que o levou a um núcleo de atendimento espiritual, onde eram mais comuns as comunicações de ex-escravos, graças aos vínculos existentes entre os antigos senhores e estes, ora em intercâmbio de reabilitação.

"Não foi fácil a pugna para o obsesso, tomado por crises de loucura iniciadas com cefalalgias violentas, que o levavam a convulsões de aparência epiléptica, culminando na apatia quase total, quando subjugado pelos cobradores."

Após uma pausa oportuna, prosseguiu:

— A obsessão é *virose* de vasta gênese, muito desconhecida entre os estudiosos da saúde física e mental. Suas sutilezas e variedades de manifestação têm ângulos e complexidades muito difíceis de ser detectados pelos homens, em face da dificuldade de penetrar-lhe nas profundezas geradoras do problema.

"Quando em lucidez, a mãezinha exortava Antenor ao bem, elucidada a respeito do mal que o afligia e da necessidade de ele dedicar-se à mediunidade benfazeja, resgatando, assim, os erros do passado, pelo amor e ajuda aos que deixara em aflição.

"A pouco e pouco, o moço se permitiu conscientizar da grave responsabilidade, e, orientado com carinho, entregou-se à prática do mediunismo.

Loucura e obsessão

"Marceneiro de profissão, vive do serviço honesto, com o qual sustenta a esposa e dois filhos, dedicando quatro noites por semana aos trabalhos que a fé o impele a realizar. A mãezinha já desencarnou, após haver cumprido com o santificante sacerdócio de receber como sua a carne alheia, e hoje o ajuda com carinho do *lado de cá*. Você a conhecerá ainda esta noite, diligente quanto ela é, na ação de auxiliar os necessitados que aqui vêm, aprestando-se, jovial e humilde, a retribuir em mil a concessão que recebeu em favor do filho pelo coração."

A entidade generosa havia sido informada a respeito da nossa visita, e, por isso mesmo, determinara a um trabalhador espiritual que nos recebesse, "fazendo as honras da Casa" e colocando-se à disposição para qualquer esclarecimento ou determinação.

Fomos informados de que aquela era uma noite reservada a consultas de pessoas estranhas ao trabalho, que vinham em busca de caridade.

A palavra caridade assumia ali o significado profundo de apoio e socorro moral quanto espiritual, não obstante a maioria dos consulentes acorresse ao núcleo buscando solução para os problemas do cotidiano, que os próprios indivíduos criam por ignorância, rebeldia ou intemperança...

Portadores de obsessões graves eram trazidos para receber auxílio, ao lado de outros enfermos que eram tratados mediante recursos da flora medicinal, *receitados* por antigos indígenas que se dedicavam ao mister.

Diversos indivíduos vinham em busca de conselhos e orientações para problemas de comezinha importância, que, no entanto, os atormentavam. Faltando-lhes o claro discernimento para compreender as situações mais embaraçosas e o apoio emocional de familiares e amigos lúcidos, não tinham outra alternativa, senão a de buscar socorro junto à bondade dos médiuns e Espíritos abnegados, dedicados a esse labor.

Verdade é que a generosidade e a solidariedade fraternal ali estavam presentes, servindo ao amor com doação total.

Esclarecimentos necessários

Numa época de escassa abnegação entre os homens, cujo egoísmo enlouquece, serviços de tal monta constituem providência superior que diminui os sofrimentos humanos, canalizando a esperança no rumo do bem.

O encarregado para o nosso assessoramento informou-nos que aquele grupo recebia o amparo superior de veneranda entidade que, na Terra, envergara o hábito sacerdotal, notabilizando-se pela ação da caridade junto aos enfermos da alma e do corpo, de quem cuidara com exemplar devotamento, prosseguindo, no Além-túmulo, a dar assistência, especialmente junto a casas daquele gênero, que se multiplicavam na razão direta das crescentes necessidades humanas.

Periodicamente, em data adrede estabelecida, ele vinha em pessoa visitar o trabalho, quando, reunidos os servidores habituais, eram feitas avaliação e nova programação para as futuras atividades.

O labor, ali, prolongava-se por mais de quinze anos, e as atividades de benemerência desenvolvidas haviam promovido o Grupo, que se libertava a pouco e pouco das práticas iniciais mais primitivas, que o tempo alterara.

— Agora — concluiu o informante — já se estudavam as lições de *O evangelho segundo o espiritismo*, de Allan Kardec, num esforço bem dirigido para moralizar e esclarecer os frequentadores.

"Aos primeiros tentames houvera surgido um movimento de reação por alguns membros mais embrutecidos, inspirados pelos seus mentores que se aferravam às práticas mais grotescas, fiéis ao atavismo ancestral. Marcados por antigos rancores, dos quais não se haviam libertado, intentaram impedir a implantação da ideia nova, afirmando a desnecessidade da cultura, que não passava de 'capricho de brancos demagogos'.

"É que não se olvidaram das perseguições que sofreram por parte de pessoas que se afirmavam cristãs e que no Evangelho se diziam apoiar.

Loucura e obsessão

"A inspiração do benfeitor e a firme resolução de Antenor encerraram as discussões em contrário, abrindo espaço para a evangelização de uns como de outros, encarnados ou despojados da matéria. A partir de então o clima psíquico daquela agremiação modificara-se para melhor, atraindo novos cooperadores desencarnados, que se afeiçoavam à tarefa de moralização dos homens."

Um auxiliar de Antenor saiu do pequeno compartimento para trazer o primeiro consulente.

Nesse momento, deu entrada, no recinto, uma senhora desencarnada de aspecto agradável, cuja face exteriorizava diáfana claridade. Sorrindo, acercou-se de Dr. Bezerra e saudou-o com efusão de júbilos, dizendo:

— Seja bem-vindo, amigo de Jesus. Nossa Casa se engalana para recebê-lo.

Impedindo que ela se alongasse em referência encomiástica, com um sorriso afável, apresentou-nos, solícito:

— Irmã Anita, o nosso Miranda visita esta nossa Casa pela primeira vez, interessado em anotar oportunos conhecimentos em benefício próprio, a respeito das atividades aqui desenvolvidas. Estamos acompanhando uma dama aflita, que vem à consulta, na tentativa de encontrar solução para a enfermidade do filho...

— É-nos muito grato receber novos amigos — respondeu a senhora, com visível expressão de afeto espontâneo.

"Nossa Casa é um laboratório vivo de experiências humanas, onde o amor é o poderoso reagente para a equação dos problemas que nos chegam. Creio que os amigos se referem à mãezinha do Carlos..."

Não me pude furtar à surpresa ante a tranquila identificação da personagem cujo drama nos interessava.

Antes que me alongasse em interrogações mentais, o benfeitor auxiliou-me a entender a ocorrência, complementando:

— A irmã Anita, conforme lhe disse antes, é a mãe adotiva do nosso Antenor. Dedica-se a sindicar, numa primeira

Esclarecimentos necessários

análise, quais os problemas que afligem os visitantes, ouvindo os seus acompanhantes e informando-se dos seus infortúnios. Ato contínuo, de acordo com a problemática de cada um, toma as providências iniciais, destacando cooperadores para auxiliá-los, na condição de protetores incipientes, que se adestram na ciência de ajudar.

"Sabemos que todos nos encontramos sob a Misericórdia divina e que Espíritos superiores zelam por nós. Não obstante, a teimosa ignorância e sistemática rebeldia fazem que as criaturas se afastem da proteção que lhes é ministrada, gerando campo vibratório que dificulta a captação dessa ajuda. Como os bons Espíritos jamais abandonam os seus pupilos, são estes que, refratários ao amor e à humildade, cerceiam-lhes as possibilidades socorristas de que carecem. Como aqui lidamos com forças mais concordes çom o campo espiritual no qual muitos estagiam, mais fácil se torna a *submissão* e sintonia com aqueles que passam a acompanhá-los."

Como silenciasse, a senhora Anita adiu:

— Utilizamo-nos de Espíritos ainda vinculados às vibrações materiais, que, apesar de pouco conhecimento, anelam por servir e crescer na direção do bem. A sua presença ao lado dos encarnados evita ou dificulta que os comensais psíquicos habituais — exceto nos casos de obsessão — retornem à ação deletéria ou prossigam no intercurso da perturbação. Como é compreensível, diversos obsessores e Espíritos perversos respeitam algumas práticas e rituais, como consequência da ignorância das leis universais, cedendo espaço à ação renovadora das suas vítimas. É claro que, em todos os empreendimentos de beneficência e socorro ter-se-ão sempre em vista os fatores do merecimento quanto do esforço pessoal, porquanto, não havendo privilégios que distingam as criaturas, funciona, acima de tudo, a justiça, atenuada pela misericórdia do amor.

Mal enunciara a última palavra, adentrou-se a primeira consulente.

3 – As consultas

A cliente encontrava-se bastante nervosa e envolta em uma nuvem escura, que era resultado das ideias cultivadas e do intercâmbio psíquico mantido com os comensais desencarnados que a acompanhavam. Alguns deles deram entrada com a *hospedeira* mental na saleta, onde a aguardava a entidade orientadora.

Utilizando-se de linguagem típica, na qual se faziam presentes muitos chavões africanistas, esta saudou a visitante, deixando-a à vontade para a entrevista.

Sem maior delonga, traindo os sentimentos inferiores que a animavam, a mesma foi diretamente ao assunto:

— Tenho um problema que me mortifica e para o qual venho buscar uma rápida solução, estando disposta a pagar o que seja necessário...

Petulante, fazia-se arbitrária, na exigência que se permitia propor.

Sem qualquer reação, na sabedoria decorrente do atendimento contínuo aos desesperados, sofredores mais infelizes, o Espírito nada disse, facultando que a extravagante se desvelasse.

— Estou informada — prosseguiu com empáfia — das necessidades desta Casa e posso oferecer ajuda monetária, desde que tenha atendida a minha pretensão.

E como o silêncio continuasse, por parte da interlocutora, abordou a questão, prosseguindo:

— Desejo solução num caso de amor, que ora responde pela minha vida. Será vitória ou desgraça, a minha ou outra vida, porquanto não tenho forças para prosseguir

As consultas

conforme está ocorrendo. Tive a desdita de apaixonar-me por um homem casado. Pior do que isso: que diz amar a esposa e filhos, e que é feliz no lar... A dificuldade de tomá-lo para mim me enlouquece. Tentei o impossível e o infame me despreza, atirando-me na face o amor que devota à minha rival. Desejo um *trabalho* que o afaste da outra e conceda-me a vitória; para tanto, darei a alma ao demônio, se necessário, pois que, sem esta vitória, a loucura ou o crime serão as minhas únicas alternativas, matando-me ou levando-me a matá-la...

Não pôde prosseguir, pois que prorrompeu em violento pranto.

Encontrava-me perplexo com o que acabara de ouvir. Já havia esquadrinhado a alma humana em vários aspectos, no entanto, esta angulação trágica mascarada pelo nome do amor, na qual o supremo egoísmo e a alucinação da luxúria predominavam, colheu-me de improviso.

Aturdida, na alucinação que cultivava, aquela criatura odiava a mulher honesta, mãe e esposa abnegada, apenas porque lhe não podia perturbar o lar, arrastando o esposo e pai ao adultério, à desdita. E cega, no propósito doentio, cultivava a ideia do crime, em qualquer direção que seguisse!

Antes que me alongasse em conjecturas descaridosas, caindo na censura severa, o prudente Dr. Bezerra admoestou-me com benevolência, chamando-me a atenção para a companhia espiritual que a inspirava.

Dei-me conta de que dois seres perversos lhe dominavam o comportamento quase por inteiro. Um deles, de aspecto repelente pela vulgaridade em que se apresentava, excitava-lhe o desejo, comprimindo-lhe, habilmente, certa região do aparelho genésico, enquanto o outro lhe transmitia *clichês* mentais, muito bem elaborados, em que ela se via nos braços do eleito, sendo expulsa pela esposa que lhe surgia bruscamente, interrompendo o idílio licencioso... A pobre debatia-se em sofreguidão entre as duas sensações, de lubricidade e de frustração, entregando-se ao tresvario...

— A nossa irmã está enferma da alma — acentuou o mentor amigo. — Além disso, padece de estranha e grave obsessão vampirizadora, que lhe exaure as energias, despedaçando-lhe os nervos. Envolvamo-la em vibrações de afeto e de piedade, aguardando as providências iniciais que serão tomadas aqui.

Nesse comenos, a comunicante ergueu o médium e pôs a destra sobre a cabeça da desconsolada mulher. Após descarregar-lhe energias refazedoras e interromper a compressão perturbadora que lhe impunha o vulgar perseguidor, conseguiu, também, com a aplicação correta de bionergia nos centros coronário e cerebral, diluir as ideoplastias que o outro fomentava, transmitindo um pouco de renovação à enferma que, momentaneamente livre das influências terríveis, por pouco não foi acometida por um vágado.

Concluída esta primeira operação, a hábil entidade falou, no linguajar próprio:

— O seu problema tem solução fácil, que está em você mesma... Não é a esposa do seu namorado uma rival de sua pessoa, antes, você é a serpente que lhe ronda o ninho, preparando-se para destruí-lo. O homem honesto, que não a ama, age bem e merece respeito, não sujeição psíquica ou constrição perturbadora, a fim de atender-lhe a um capricho de mulher alucinada, que perdeu o rumo...

Era a primeira vez que eu escutava uma advertência espiritual expressa em termos tão enérgicos. A autoridade que a voz branda exteriorizava e a irradiação que dela emanava impunham consideração, e a consulente necessitava de um cautério moral para a ulceração que lhe vencia as carnes da alma.

— O dinheiro não compra tudo — prosseguiu no mesmo tom. — Embora auxilie na aquisição de alguns bens e responda pela solução de várias dificuldades; quase sempre, mal utilizado, é causa de desditas e misérias que se arrastam por séculos naquele que o malversa como nas suas vítimas.

As consultas

"Aquilo que você denomina amor, é paixão selvagem, capricho, que decorre do não ter conseguido, que logo perde o valor depois da posse breve. Além disso, ninguém pertence a outrem; todos são instrumentos da Vida, em viagem longa de crescimento para Deus... As ações geram reações semelhantes e sempre produzem *choque de retorno*. O mal que pretende contra essa família não a atingirá, porquanto as suas vítimas em potencial estão ligadas ao bem, possuem o hábito salutar da prece, que as resguarda das perturbações nefastas. São cumpridoras dos deveres que abraçam, vibrando, emocionalmente, em faixa superior, que as protege das agressões selvagens que você lhes desfere através dos petardos venenosos do ódio. Nenhum *trabalho maléfico* afetará a estrutura doméstica dessas criaturas, porque a sombra não afugenta a luz, nem o crime se apresenta com cidadania legal diante da honradez. 'Somente lobos caem em armadilhas para lobos', afirma o refrão popular. O mesmo sucede em relação àqueles a quem você pretende perseguir, utilizando-se de recursos ignóbeis, que iriam gerar desventura para você mesma, desde que ninguém foge à ação da própria consciência. E quanto a negociar a alma com o demônio, você já o fez, na sua revolta, pois que ele está dominando-a e chama-se egoísmo cego, que a desarticula totalmente."

Silenciou, por breves momentos, a fim de permitir à ouvinte apreender todo o conteúdo do esclarecimento, para logo continuar:

— O seu problema, real e grave, é a falta de discernimento a respeito de como comportar-se diante das lutas, para conseguir a paz. A primeira regra que deve ter em mente é: *Nunca fazer aos outros o que não desejar para si mesma*, conforme ensinou Jesus, e procurar, como efeito, realizar todo o bem possível em favor do seu próximo, de modo que o bem, por sua vez, passe a fazer parte da sua existência, como um fenômeno natural e transformador. Isto a ajudará a não ambicionar o que não tem direito e a saber receber o que lhe é de melhor para o seu progresso espiritual e eterno. Posteriormente, você necessitará de um tratamento desobsessivo, a fim de libertar-se da parceria degradante a que tem feito jus e que a vem explorando nos seus mais caros sentimentos de criatura humana e especialmente de mulher que anela por um esposo e um lar, que Deus lhe concederá, oportunamente, porém, em outras bases, de amor e de equilíbrio. Comecemos, agora, a fazer o *trabalho* solicitado, não conforme você veio em busca, mas de acordo com a sua necessidade de urgência.

A entidade atraiu, a um dos médiuns que lhe assessorava o labor, o Espírito vampirizador da área sexual da paciente, levando-a à incorporação diante dela, e doutrinando-o conforme as circunstâncias...

Era uma ação totalmente inusitada para mim. As elucidações apresentadas, apesar da linguagem forte, estavam perfeitamente concordes com os códigos da Doutrina Espírita e seguiam a linha do pensamento evangélico, estabelecendo uma psicoterapia de alto valor para a enferma, que ouvira com atenção todo o enunciado. A técnica de atendimento ao desencarnado, as beberagens e banhos que foram receitados como complementação, fugiram às diretrizes a que me acostumara e aceitara por compatíveis com a razão.

Não foi necessário recorrer à ajuda do mentor que, prestamente, veio em meu amparo, esclarecendo:

— Consideremos a Terra de hoje um campo de batalha, no qual a dor campeia desenfreada e as emergências se multiplicam, no que tange às áreas de socorro. Como há escassez de médicos e hospitais especializados, os pacientes são atendidos conforme as possibilidades ambientais. Enquanto os poucos médicos realizam cirurgias impostergáveis, enfermeiros e auxiliares, em ambulatórios improvisados, dão atendimento aos casos de menor gravidade ou mesmo aos que não podem ser removidos, até posterior solução mais adequada... Nas circunstâncias, portanto, não é feito o ideal, o melhor, mas sim o possível, o que está ao alcance. O importante é não deixar

As consultas

que se percam as vidas que periclitam, e, se possível, evitar-se que os mutilados e em desespero, por falta de assistência, compliquem a própria situação.

"Transfiramos a questão para a área espiritual. Apesar da claridade mental que domina grande número de pessoas nas várias escolas do Espiritualismo em todas as suas expressões e do Espiritismo em particular, são escassos os homens dispostos ao serviço da vera fraternidade e da caridade em ação libertadora. Discute-se muito e realiza-se pouco. Perde-se largo tempo em verbalismo inoperante, em detrimento da iluminação e do esclarecimento de consciências. Fracionam-se os grupos, vencidos pelas vaidades culturais e paixões pessoais, em prejuízo da solidariedade muito apregoada e pouco vivida... Nenhuma censura, porém, de nossa parte. A citação é para ilustrar que, enquanto muitos discutem como distribuir víveres, em banquetes faustosos, numa época de fome, milhares morrem por total escassez de alimentos. É o que sucede neste setor espiritual.

"Aprendemos com Allan Kardec, e a experiência o demonstra, especialmente para nós outros desencarnados, quanto à ineficácia de certas práticas fetichistas e quejandos.[1] Como a morte não muda a ninguém, sabemos que aqueles que conviviam com determinados cultos a que se afervoravam ou cujas práticas temiam mais do que respeitavam, ante a

---

[1] Nota do autor espiritual: "551. *Pode um homem mau, com o auxílio de um mau Espírito que lhe seja dedicado, fazer mal ao seu próximo?*
"Não; Deus não o permitiria."
553. *Que efeito podem produzir as fórmulas e práticas mediante as quais pessoas há que pretendem dispor do concurso dos Espíritos?*
"O efeito de torná-las ridículas, se procedem de boa fé. No caso contrário são tratantes que merecem castigo. Todas as fórmulas são mera charlatanaria. Não há palavra sacramental nenhuma, nenhum sinal cabalístico, nem talismã, que tenha qualquer ação sobre os Espíritos, porque estes só são atraídos pelo pensamento e não pelas coisas materiais."
[*O livro dos espíritos*, de Allan Kardec]

desencarnação não alteraram a forma íntima de ser, permanecendo vinculados aos atavismos que lhes dizem respeito.

Católicos, protestantes e outros religiosos, após a morte, não se tornam espiritistas ou conhecedores da realidade ultratumular; ao revés, dão curso aos seus credos, reunindo-se em grupos e igrejas afins. É natural, portanto, que os originados das crenças derivadas do sincretismo afro-brasileiro continuem ligados às suas ideações religiosas. Enquanto não luz a verdade em mais amplos círculos de libertação espiritual, devemos valorizar o esforço de abnegados seareiros do amor, na ampliação dos horizontes da saúde, da paz e da fraternidade entre os homens, 'onde quer que se encontrem'."

— E quanto aos banhos e beberagens? — animei-me a questionar.

Sem enfado, o nobre amigo respondeu:

— A água, em face da sua constituição molecular, é elemento que absorve e conduz a bioenergia que lhe é ministrada. Quando magnetizada e ingerida, produz efeitos orgânicos compatíveis com o fluido de que se faz portadora. Assim, é crença ancestral que os banhos teriam o efeito de retirar as energias deletérias que os poros eliminam, e quando a água recebesse a infusão de ervas aromáticas e medicinais propiciaria bem-estar, revitalizaria o campo vibratório do indivíduo. Sabemos, no entanto, que mais importante do que quaisquer práticas e ritualismos externos, a ação interior, mental, comportamental responde pela realidade psíquica do homem e opera a sua legítima recuperação. Como, porém, nem todos estagiamos na mesma faixa de evolução, cabe-nos compreender e respeitar outras experiências que atingem imenso grupo de criaturas e as beneficiam, em razão do componente emocional que oferecem, a fim de que sejam logrados os resultados positivos. À medida que irão crescendo, esses indivíduos libertar-se-ão das fórmulas, adotando a forma correta e transcendente para encontrar a felicidade que todos buscamos.

As consultas

"No que tange às beberagens, algumas destituídas dos cuidados que requer qualquer produto para ser ingerido, não podemos ignorar o valor da fitoterapia, de resultados excelentes em inúmeros problemas da saúde. As medicinas alternativas, que estão encontrando consideração, mesmo entre os estudiosos mais ortodoxos, resultam de larga experiência humana e de diversas delas nasceram o que ora consideramos científico, acadêmico. A flora medicinal foi a grande protetora dos nossos avoengos que nela encontraram recursos saudáveis para muitos dos males que os afligiam e, posteriormente, submetidas à ação dos laboratórios, dela extraíram incontáveis substâncias de ação rápida e eficaz."

Porque se calasse, notei que o atendimento chegava ao fim e a cliente, embora entristecida, sem a revolta inicial, conduzia a salutar indução do conselho, que lhe iria servir de apoio para uma mudança de comportamento. Recomendada a retornar, estava, naquele momento, sem os exploradores espirituais, o que lhe facultaria meio para meditar e assumir diferente atitude mental.

Os seus perseguidores haviam sido *convidados* a permanecer no recinto.

Notei que, após a advertência severa, a benfeitora acenara, com boa dose de psicologia humana, a perspectiva de um lar risonho e sem atropelos afetivos para a necessitada, que mais fixou esta esperança, que agora acalentaria, liberando-se vagarosamente da paixão mórbida.

O próximo candidato trazia o semblante sulcado por funda marca de dor.

Vinha rogar auxílio para conseguir um emprego, que lhe desse segurança e apoio para o lar. Estava em aflição e sentia-se fracassado. Já não sabia o que fazer.

A gentil mensageira ouviu-lhe o rosário de dores com bondade e exortou-o à renovação, ao entusiasmo, aconselhando-o à perseverança e à confiança em Deus. Falou-lhe da genitora desencarnada, que o conduzira até ali, na condição de perene Anjo da guarda, buscando dissuadi-lo das ideias deprimentes que o assaltavam. O homem, surpreendido com a feliz informação, comoveu-se, recordando-se daquela que lhe fora uma luz acesa na existência, que a morte lhe havia arrebatado e a vida agora lhe devolvia.

Aplicados recursos restauradores, ei-lo que saiu com novas disposições e de alma renovada, agradecendo a Deus.

A seguir, veio trazida uma jovem senhora que se queixava de distúrbio sexual, defluente da frigidez que a atormentava e estava a destruir-lhe o lar. Era mãe de um casal de crianças, que afirmava adoráveis. Amava o esposo, que estava *perder*, em razão do desconforto que experimentava por ocasião do conúbio sexual. Suplicava ajuda...

A caridosa servidora do bem confortou-a, a princípio, auxiliando-a a fazer um *relax*, e infundiu-lhe confiança na Misericórdia de Deus, que de ninguém se olvida.

Discorreu sobre as suas longas vigílias noturnas, demonstrando conhecer-lhe o drama, os seus temores e lágrimas, por fim, as discussões que deveriam terminar, e que se vinham agravando nos últimos tempos, pelas quais ambos os cônjuges se magoavam, por falta da sinceridade de um diálogo amigo, honesto...

Elucidou que o seu distúrbio se originava do comportamento infeliz que mantivera em existência pregressa, quando se deixara seduzir pelo noivo e fora levada a um aborto criminoso. Após outros deslizes morais, recolhera-se à vida religiosa, na qual, por mágoa do mundo, passara a ter uma conduta de castidade, detestando o sexo e submetendo-se a rudes silícios entre pensamentos de ódio e revolta que lhe foram perturbando a função genésica.

Moça atraente, terminou por perturbar o leve equilíbrio do confessor, que lhe expôs a torpe paixão de que se viu objeto, culminando por enredarem-se ambos num escândalo que

As consultas

as circunstâncias de então abafaram. Ele foi transferido de cidade, enquanto ela se deixou consumir pelo horror, numa atitude contemplativa, na qual a mente, fixada à desdita, gerou a disfunção ora apresentada.

Reencarnando-se, reencontrou o religioso para, no matrimônio, se reajustarem, ao lado dos filhinhos, um dos quais ela expulsara antes...

Cabia-lhe reeducar a mente, receber assistência fluidoterápica, orar e renovar-se, a fim de, com o auxílio do tempo, recompor a situação.

Devidamente informada e com perspectivas de paz, retirou-se, comovida.

Agora era trazida à consulta aquela a quem acompanhávamos.

Dominando as emoções e o receio, acercou-se do médium em transe e, sem saber como portar-se, recordou-se do Evangelho e saudou:

— A paz de Deus esteja nesta Casa.

A mensageira agradeceu com palavras de ternura e o colóquio teve início.

4 – O drama de Carlos

Desnecessário dizer que, na sala contígua, continuava o culto, ao som das palmas e dos instrumentos de percussão, durante o qual as comunicações mediúnicas prosseguiam ruidosas, incessantes.

Estimulada à narração do problema, a viúva referiu-se à sua condição de católica e, para ser honesta consigo mesma, informou que receava estar pecando.

A interlocutora espiritual, muito conhecedora dos conflitos humanos e apiedada da ignorância dos homens a respeito da Vida, ripostou, afável:

— Deus é o Pai Criador e está presente em todos os setores da sua criação. Do contrário, não seria onipresente, conforme declaram todas as crenças religiosas. O pecado tem origem no mal que se pratica, jamais no bem que se busca. Esteja, desse modo, tranquila, e prossigamos.

— Trata-se do meu filho Carlos — aclarou a consulente —, que é portador, segundo os médicos, de uma doença denominada esquizofrenia catatônica, considerada incurável. Criança boa, sempre foi triste o meu filho único. Notei-lhe alguns sinais estranhos, por ocasião da puberdade, isolando-se dos amigos e mais se tornando silencioso. A princípio acreditei que melhorasse com o tempo.

No entanto, o seu rendimento escolar foi decrescendo, a ponto de desinteressar-se pelos estudos, quase que totalmente.

Com a morte do pai o caso se agravou e, mesmo com a assistência médica cuidadosa a que foi submetido desde os primeiros sintomas, encontra-se hoje desenganado, em deplorável condição. É possível imaginar-se o meu sofrimento, adicionado à viuvez. Não me fosse a fé religiosa em que me apoio, e receio que não suportaria a carga de aflição, em face da ambivalência de comportamento do meu rapaz, nas diferentes fases por que passa...

As lágrimas de dor lhe aureolavam as palavras, demonstrando a veracidade do sofrimento macerador.

Naquele momento vimos adentrar-se no compartimento dois enfermeiros, que traziam um jovem em estado de sono, por desdobramento parcial do corpo físico, e um cavalheiro desencarnado, que pude identificar como sendo o seu progenitor.

Convidado a examinar o paciente, nosso Dr. Bezerra de Menezes auscultou-lhe os registros psíquicos, mergulhando nos arquivos perispirituais, elucidando que o diagnóstico psiquiátrico era exato, embora luzisse uma esperança com que o Amor sempre defere os requerimentos das almas necessitadas.

Em breves palavras explicou à mentora do grupo o que se passava, remontando à última reencarnação do rapaz, quando a arbitrariedade e o despudor levaram-no ao desregramento e ao abuso da transitória autoridade de que desfrutava, perturbando a paz de muitas pessoas e chafurdando no abuso do sexo.

Reencarnando, manteve a consciência de culpa, autopunindo-se, mediante perturbação na área da afetividade e conflitos outros no trânsito da adolescência, quando lhe ficaram impressos os graves delitos que agora expungia.

Adicionando-se à autorreparação que a consciência endividada lhe impunha, alguns adversários espirituais se lhe vinculavam, como cobradores impenitentes, em particular uma jovem negra de aspecto feroz, com singulares deformidades faciais, denotando-lhe o processo de monoideísmo degenerador, centralizado na vingança.

Loucura e obsessão

Referidos adversários, dando-se conta de que o seu antagonista fora conduzido àquele recinto, chegaram empós, facilitando uma anamnese espiritual mais completa.

Tratava-se, como se depreende facilmente, de um quadro muito sério, em razão das suas múltiplas implicações.

O genitor abraçou a esposa, que lhe percebeu a presença, de forma intuitiva e como decorrência do bem-estar e tranquilidade que a dominaram. Agora ela *sabia* que estava agindo com acerto, naquela busca de ajuda para si própria e para o filho.

Inteirada do panorama espiritual do esquizoide, a entidade, mais uma vez revelando sabedoria, filtrou a informação recebida, transmitindo somente o que a cliente podia assimilar.

— O menino — referiu-se com segurança — está sob superior amparo, que zela por todos nós, em justo processo de resgate de faltas graves.

— Mas, que eu saiba, ele não cometeu qualquer deslize que justifique este sofrimento — apressou-se a mãezinha a esclarecer.

— Certamente, que não o fez na atual existência corporal. O homem, porém, não realiza apenas uma experiência física, no seu processo de evolução. Etapa a etapa, o Espírito cresce, adquirindo sabedoria, como um aluno diligente, classe a classe, conquista conhecimentos. O tempo *sem-fim* da Eternidade não é vencido de um salto. Assim, lentamente, todos nós, pelo processo da reencarnação, adquirimos os valores de enobrecimento que um dia nos tornarão ditosos. A dor e o sofrimento resultam dos *acidentes comportamentais*, quando o homem exorbita do livre-arbítrio e faz-se verdugo de si mesmo, visto que, agindo erradamente, impõe-se a ele a necessidade da reparação e da reconquista do tempo malbaratado no erro...

"Não se surpreenda, a irmã, com esta informação. Jesus não disse tudo no seu tempo, já que não havia entendimento para as suas palavras. Muitas verdades Ele velou com alegorias e símbolos, e outras deixou para que fossem ditas no

O drama de Carlos

momento próprio, pelo Espírito Consolador, que prometeu enviar e que já chegou, estando a libertar as consciências da ignorância e do erro..."

— E quem é esse Espírito Consolador? — indagou, interessada, a mãe de Carlos.

— É o Espiritismo, que se encontra na Terra para moralizar os homens, com o esclarecimento da verdade que liberta e salva. Quando se entender a missão verdadeira do Espiritismo, mudar-se-ão as paisagens morais, sociais e evolutivas do planeta, graças à transformação dos seus habitantes para melhor.

Participávamos do diálogo mentalmente, e anuíamos *in totum* com o esclarecimento apresentado.

— E haverá algum tratamento adequado para o meu filho, além do que vem recebendo? — indagou a senhora confiante.

— Naturalmente que sim — respondeu convicta a entidade. — Iremos providenciar alguns trabalhos, que denominamos de desobsessão, no suceder dos dias, de que lhe daremos ciência, tentando remover os fatores mais perniciosos que lhe pesam na economia moral, passando depois a outros processos de reparação necessários.

"Hoje ele receberá o primeiro concurso dessa natureza, iniciando-se o esforço em seu favor, cujos resultados só o Pai de misericórdia pode prever. A nós nos cumpre tentar sempre, ajudando sem cessar."

Ato contínuo, estabeleceu um programa-roteiro que D. Catarina deveria atender, ali retornando nos dias assinalados, até quando Carlos estivesse em condições de igualmente vir.

A senhora ficou exultante. Agradeceu com efusão as diretrizes que lhe foram apresentadas e afastou-se, não sem antes oscular a destra do médium, em atitude de carinho para com a mensageira do bem.

Vi Dr. Bezerra envolver Carlos em fluidos de restauração de energias, aprofundando-lhe o sono, de modo que não sofresse a constante agressão que lhe era infligida pelos

Loucura e obsessão

inimigos desencarnados que o surpreendiam nos desprendimentos parciais, especialmente pela mulher, acusadora e vingativa.

Imediatamente, os cooperadores que o trouxeram, com diligência, atendendo o benfeitor reconduziram-no ao lar.

Porque se apresentasse favorável a oportunidade, indaguei ao amigo espiritual:

— Haveria, no caso Carlos, algum fator orgânico que respondesse pelo seu quadro esquizofrênico, além daqueles espirituais, identificados, no academicismo psiquiátrico, como de natureza psicogênica?

— Sem dúvida — respondeu-me solícito. — Como sabemos, a esquizofrenia é enfermidade muito complexa nos estudos da saúde mental. As pesquisas psiquiátricas, psicanalíticas e neurológicas têm projetado grande luz às terapêuticas de melhores resultados nas vítimas dessa terrível alienação. No entanto, há ainda muito campo a desbravar, em razão de as suas origens profundas se encontrarem ínsitas no Espírito que delinque. A consciência individual, representando, de algum modo, a cósmica, não se poupa, quando se descobre em delito, após a liberação da forma física, engendrando mecanismos de autorreparação ou que lhe são impostos pelos sofrimentos advindos da estância do Além-túmulo.

"Afetando o equilíbrio da energia espiritual que constitui o ser eterno, a consciência individual imprime, nas engrenagens do perispírito, os remorsos e turbações, os recalques e conflitos que perturbarão os centros do sistema nervoso e cerebral, bem como os seus equipamentos mais delicados, mediante altas cargas de emoção descontrolada que lhe danificam o complexo orgânico e emocional.

"Noutras vezes, desejando fugir à sanha dos inimigos, o Espírito busca o corpo como um refúgio, no qual se esconde, bloqueando os centros da lucidez e da afetividade, que respondem como indiferença e insensibilidade no paciente de tal natureza.

O drama de Carlos

"Eugen Bleuler, sem demérito para os demais pesquisadores das alienações mentais, foi quem mais penetrou nas causas da esquizofrenia, do ponto de vista científico, concluindo que a mesma é 'uma afecção fisiógena, mas com ampla superestrutura psicógena'. Nessa 'estrutura psicógena' situamos os fatores cármicos, de procedência anterior ao berço, que pesam na consciência culpada..."

Dando-me margem a *digerir* a explicação, o amigo silenciou por breves minutos, logo ampliando os conceitos:

— O esquizofrênico, segundo a escola bleuleriana, não tem destruída, conforme se pensava antes, a afetividade, nem os sentimentos; somente que os mesmos sofrem dificuldade para ser exteriorizados, em razão dos profundos conflitos conscienciais, que são resíduos das culpas passadas. E porque o Espírito se sente devedor, não se esforça pela recuperação, ou teme-a, a fim de não enfrentar os desafetos, o que lhe parece a pior maneira de sofrer, do que aquela em que se encontra. Nesses casos, pode-se dizer, como afirmava o ilustre mestre suíço, que a esquizofrenia se encontra no paciente, de forma *latente*, pois que, acentuamos, é-lhe *imposta* desde antes da concepção fetal. Razão essa que responde pelas sintomatologias neuróticas, produzindo alterações da personalidade que se vai *degenerando* em razão dos mecanismos de culpa impressos no inconsciente. Assim, não é raro que o paciente fuja para o *autismo*...

"Rigidez, desagregação do pensamento, ideias delirantes, incoerência são algumas alterações do comportamento esquizofrênico, originadas nos recessos do Espírito que, mediante a aparelhagem fragmentada, se expressa em descontrole, avançando para a demência, passando antes pela fase das alucinações, quando reencontra os seus perseguidores espirituais que ora vêm ao desforço. Sejam, portanto, quais forem os fatores que propiciam a instalação da esquizofrenia, no homem, o que desejamos é demonstrar que o Espírito culpado é o responsável pela alienação que padece no corpo, sendo as suas causas atuais consequências diretas ou não do passado.

"No caso de Carlos, houve alteração neurológica, por ação do perispírito no sistema extrapiramidal, resultando na alteração de alguns reflexos tendinosos, conforme se observa na rigidez da pupila. Da mesma forma, ocorreram distúrbios neurovegetativos, na série vagotônica... A conhecida 'mão catatônica', úmida e fria, com cianose, sem pressão coordenada, igualmente faz parte do quadro do nosso paciente. Além desses, naturalmente, ocorrem nele os distúrbios metabólicos como defluência do estado geral que padece."

Houve nova pausa, a fim de elucidar-me mais especificamente quanto ao drama em estudo. Assim, reunindo argumentos simples para o meu alcance, deu curso às explicações, informando:

— Como veremos mais tarde, a ação perturbadora do nosso pupilo foi muito grave em razão do uso desordenado do sexo, tombando em degenerescência glandular, que lhe afetou os testículos, facultando o surgimento de uma fibrose perniciosa, bem como de uma atrofia dos tubos seminíferos daqueles órgãos, em face de uma deficiente produção do hormônio gonadotrópico do lobo anterior da hipófise.

"Vemos aí a mente espiritual — consciência de culpa — interferindo na constituição orgânica e dando curso às etiopatogenias detectadas pelos cientistas nas suas nobres investigações.

"A ação obsessiva, por parte dos cobradores desencarnados, contribui para o baixo consumo de oxigênio, a anemia secundária e outros distúrbios que são registrados nos pacientes esquizoides e que, em Carlos, são habituais, porque a ingestão dos fluidos perniciosos intoxicam-no, levando os órgãos a funcionamento alterado, inclusive à lentidão do fluxo sanguíneo com *ingerência fluídica* no sistema enzimático do organismo...

O drama de Carlos

"De qualquer forma, colhido pelas malhas da rede que teceu com os fios da perversidade, o nosso defraudador das leis retorna ao educandário abençoado para recompor o esquema de equilíbrio e ordem que vigem em toda parte. Foi muito sábia a mentora amiga, propondo, em primeiro ato, a desobsessão, para depois serem aplicadas outras fluidoterapias ao lado da medicamentosa e da psicoterapia que a Doutrina Espírita pode propiciar com excelentes resultados, a depender de fatores vários como do próprio paciente, quando possa optar pela ocupacional, dedicando-se ao serviço de benemerência e de abnegação em favor do próximo, pelo qual granjeará méritos que influirão na regularização das suas dívidas, pela diminuição dos seus débitos. Não devemos, como é sabido, agasalhar ideias otimistas exageradas, quanto à recuperação da saúde mental do nosso doente, considerando, sobretudo, que a estada, na Terra, é apenas breve período no programa da vida. Não é importante que os resultados de qualquer cometimento espiritual sejam manifestos salutares, enquanto se esteja no corpo, de acordo com o desejo imediatista das criaturas humanas, cuja visão da realidade é unilateral e limitada. Estamos construindo para a eternidade e o nosso compromisso de realização não tem limite de tempo, nem se subordina a espaços de interesses afetivos, pessoais. Encontramo-nos engajados na tarefa de edificação do bem nas almas, lançando os alicerces do mundo novo de amanhã, sem pressa, mas sem receio ou negligência. O presente é nossa oportunidade para agir, enquanto o amanhã é de Deus."

Silenciou o prestimoso guia, e eu me encontrava extasiado.

Naquele recinto humilde, longe dos brilhos enganosos da fatuidade e da presunção, entre espíritos mais aferrados às impressões físicas e mais imantados às necessidades materiais, fulgia peregrina luz de amor e realizava-se um labor respeitável, no qual se confundiam as dádivas do Alto com as necessidades mais imediatas das criaturas.

Enquanto dialogávamos, diversos consulentes eram atendidos conforme as necessidades que os afligiam.

A noite avançava. Faltava ainda um jovem, que foi introduzido no recinto, apresentando-se muito angustiado, em razão do tormento que o assinalava.

Havia, nele, mágoa e constrangimento, que não conseguia ocultar.

Interessei-me pelo seu estado e aproximei-me para auscultar-lhe melhor a alma sob a anuência do Dr. Bezerra, sempre abnegado.

O moço não chegara aos 20 anos, no entanto, exteriorizava ondas sucessivas de dor moral, o que me sensibilizou de imediato.

Sem saber como dirigir-se à entidade que o recebia, permaneceu em silêncio externo, enquanto a mente excitada derramava os clichês do seu dia a dia, impressos com vigor.

Num exame perfunctório pude apreender-lhe o motivo da agitação interior, identificando as personagens que se moviam na sua tela mental, produzindo-lhe tormentos sem nome.

Sensível, estava travando uma luta que envolve um número incontável de criaturas terrenas, no processo de reeducação em que se encontram incursas, por impositivo da evolução.

O seu problema era-me conhecido e já o houvera examinado em uma outra obra.[2] Como, porém, cada ser é um *universo* à parte e cada experiência constitui alentador capítulo no livro das existências, acompanhei a sua narração ante a orientadora espiritual, que deu início à conversação com elevado respeito pelo jovem sofredor.

---

[2] N.E.: Divaldo P. Franco, *Nos bastidores da obsessão*, cap. 8.

5 – Sombras e dores do mundo

O trânsito de entidades vinculadas aos serviços da instituição era expressivo.

Operários do socorro fraterno movimentavam-se, ágeis, atendendo os adversários de alguns dos presentes, e, enquanto se executavam rituais específicos, havia alterações de atitudes e promessas de renovação dos mesmos, sob protestos de honesto esforço pessoal.

Muitos dos Espíritos para ali conduzidos eram membros de esdrúxulos cultos, que conservavam além do corpo, em regiões circunvizinhas à Terra, onde terríveis obsessores treinavam-nos para os lôbregos processos de vingança.

O vampirismo desenfreado constituía recurso de sustentação dos filiados à grei hedionda, na qual, mediante fenômenos de ideoplastia, de telementalização e hipnose, se consumavam programas da mais vil qualidade, enredando desencarnados entre si e criaturas domiciliadas no corpo, que mantinham comércio mental com essas cruéis extravagâncias.

Oportunamente, visitáramos alguns desses Núcleos onde a hediondez superava tudo que a imaginação em desequilíbrio pudesse conceber... Ali estagiavam, à noite, sob coação, diversos indivíduos encarnados, que as drogas alucinavam — a elas conduzidos por sutilezas de inspiração perniciosa produzida por comparsas do Além — e que, no contubérnio existente, encontravam estímulo para a divulgação, na Terra, dos estereótipos dos desconcertos morais e emocionais, que as suas expressões artísticas canalizavam.

Loucura e obsessão

Posturas exóticas, música estridente e primitiva, gestos selvagens e caracterizações aberrantes, em açodamento às manifestações do sexo ultrajado, naqueles redutos se originavam, recambiados para os palcos do mundo, em bem urdida propaganda para alcançar as mentes juvenis desarmadas dos recursos defensivos, a estimular-lhes os instintos, anulando-lhes os mecanismos da razão...

Ases da informática moderna, que lideram larga faixa de desavisados, pelos veículos da comunicação de massa, solicitando mais ampla, sempre infinita liberdade para o vulgar, o agressivo, o servil, eram, por sua vez, vítimas desses severos títeres do Mundo Espiritual inferior, que se locupletavam na rapina de energia daqueles que se lhes vinculavam, espontaneamente.

Campeões do cinismo, sempre vanguardeiros da corrupção e da insensibilidade para com os valores éticos da vida, técnicos na ironia e no menosprezo às conquistas da moral e da justiça, eram frequentadores habituais, por sintonia psíquica, daqueles grupos, em que renovavam experiências sórdidas, retornando, depois, ao corpo, sempre ansiosos e insatisfeitos pelo vivido, padecendo irrefreável avidez pelo novo gozar.

Mulheres, que se guindavam à popularidade, aclamadas pela coragem dos seus depoimentos e pela conquista de posições igualitárias às do homem, maquiladas e exibindo falsa felicidade decorrente de triunfos que as amargavam interiormente, eram serviçais dos mesmos Núcleos, onde se submetiam a terríveis processos de abastardamento moral, dominadas por mentes soezes que as exauriam, obrigando-as ao prosseguimento dos espetáculos torpes, nos quais atraíam maior número de símiles para o alargamento da faixa das aberrações. A maioria delas, certamente, trocaria toda a ilusória notoriedade de que desfrutava, caso fruíssem a segurança de um lar, de um afeto, de uma família, que combatiam como instituições falidas, por mágoa insufocada de os não possuir...

Sombras e dores do mundo

Recordamo-nos de uma dessas criaturas que vimos, num dos seus programas hebdomadários, na televisão, invectivando contra a moral, que chamava decadente, e exibindo indivíduos paranoides, atormentados de vário tipo, para espetáculos grotescos, com que divertiam os *jurados* e o grande público, igualmente ansioso pelo fescenino e brutal, esplendendo beleza no corpo, mas cujo ser interior, alterado por deformidades que lhe imprimiam a mente e o conúbio obsessivo, chegou a chocar-me. Veio-me à mente a trágica história do *Retrato de Dorian Gray*, e o seu macabro pacto com Mefistófeles. Não estaria, ali, o panorama real da composição dramática imaginada por Oscar Wilde?

Aqui, no grupo dedicado ao bem, desfilavam seres macerados pela dor e outros que se comprariam em infligi-la, em condições, todavia, mui diversas.

Não se aplicavam as técnicas da persuasão pelo esclarecimento intelectual e pelo amor puro, por falta de recursos momentâneos; antes eram utilizados os métodos do choque emocional e da força mental a que se submetiam aqueles que, da vida, somente reconhecem e respeitam essa escala de valores. Não nos cabia o direito de ajuizar quanto aos recursos utilizados, tendo em vista que há terapêutica balsamizante, de cautério e cirúrgica, de acordo com a manifestação da doença e com as resistências do paciente...

Inegavelmente, tratava-se de uma colmeia de ação positiva, na qual o amor, dentro da capacidade de assimilação local, era a tônica geral, pois que se trabalhava pelo bem e pela felicidade de todos.

Espíritos, que se submetiam a outros mais brutais, em servilismo hipnótico e apavorado; seres, que se sentiam dominados por criaturas, às quais se comprazium atender; entidades, que se criam geradas apenas para o mal, perpetuamente a ele destinadas, recebiam conveniente assistência e amparo, recuperando uns e predispondo outros renovação, todos num processo de crescimento vagaroso, porém, estável e eficiente.

Loucura e obsessão

Os recursos do bem — como era bom sempre constatá-lo! — são inesgotáveis, e apresentam-se em qualidade superior ao que, por falta de mais completa designação, chamamos mal.

A aparente vitória deste último é resultado da transitória sintonia daqueles que tateiam nas sombras da ignorância, ainda não alcançados pelas luzes do discernimento, ou primários nas experiências da evolução, mais instinto que inteligência, mais sensação que emoção, a quem nos cumpre atingir, abrindo-lhes espaços para o crescimento das aptidões superiores que lhes dormem ou já lhes lucilam no imo.

Felizmente, cresce o número dos que se sentem atraídos para a verdade, saturados dos prazeres que exaurem desmotivados dos jogos da violência, e tristes, insatisfeitos com as conquistas de que dispõem, cujo saldo são o desencanto, a amargura, a frustração.

Havendo descoberto a outra face da vida, vislumbrada a claridade esplendorosa do amor que deflui da conquista de si mesmos, já não se compadecem com os hábitos anteriores, neles somente encontrando o vazio e o desconforto, em substituição às antigas alucinações do prazer e do gozo...

Sem dúvida, o homem sai do estreito túnel dos interesses limitados, guiado pela luz que já entrevê, à frente, chamando-o para o dia exuberante que o aguarda.

O paciente, que defrontava a benfeitora espiritual pela primeira vez, podia ser catalogado entre aqueles que se encontravam em luta por um lugar ao sol, disputando a oportunidade de ser feliz fora dos padrões em voga.

Não obstante a juventude, sentia fastio pelos prazeres que se lhe tornaram um estigma íntimo, a afligi-lo de dentro para fora.

— Sou uma alma em frangalhos! — desabafou, por fim, abrindo-se com total confiança. — Se continuo nesta marcha, nesta dubiedade de comportamento, vivendo duas formas de ser, enlouquecerei, se é que já não me encontro

Sombras e dores do mundo

transpondo o portal do desvario. Há momentos em que não tenho discernimento para saber o que é certo ou o que se encontra errado, o que devo ou não fazer. A escala de valores está confusa na minha mente, em grave transtorno de avaliação. Venho pedir ajuda.

Eu notara que no intervalo de silêncio, quando os clichês mentais se lhe sobrepunham à aparência, ele fora submetido à assistência fluídica de modo a poder liberar-se dos agentes contristadores que o encarceravam no conflito.

Porque a bondosa mentora permanecesse com um sorriso gentil, bailando-lhe nos lábios, que infundia confiança, o moço expôs, indagando:

— Será que eu sou um Espírito feminino domiciliado num corpo masculino?

"Toda a minha vida até aqui é um permanente delírio. A minha psicologia difere da minha fisiologia, minhas aspirações entram em choque com a minha forma.

"Desde criança, eu preferia que me chamassem Lícia, a Lício, que é o meu nome. A última forma me chocava, enquanto a primeira me produzia deleite. Ao espelho, despido, sempre me estranhei, passando a detestar o que eu apresentava sem sentir, anelando pelo que experimentava emocionalmente, sem possuir. As formas do corpo produziam-me estranheza... Foi, porém, na puberdade que os meus sofrimentos se agravaram, na escola, no lar, em toda parte. Eu era uma pessoa dupla: a real, era interior, enquanto que a aparente, era a visível.

"Todas as minhas recordações estão assinaladas por referências femininas e os meus interesses sempre giraram nessa órbita. A inocência não me deixava entender a variedade de sentimentos, essa dicotomia comportamental. Ainda não me assaltavam preferências físicas, já que tudo acontecia num plano ideal, platônico, se posso dizer, sem outros comuns ingredientes humanos..."

Loucura e obsessão

A mente do jovem repassava as suas lembranças, que se corporificavam diante dos nossos olhos.

Ele titubeou um pouco, ante uma recordação forte, que assinalava novo e penoso período da sua existência.

Percebendo-lhe a indecisão, a amiga espiritual estimulou-o à narrativa com palavras de entendimento, pois que isto lhe faria bem.

— Quando eu contava 10 anos — recordo-me bem, como se estivesse a acontecer novamente —, um irmão de mamãe, que morava no interior, portanto, meu tio, veio fazer faculdade em nossa cidade, e nosso lar foi-lhe aberto, confiante, hospitaleiro. Eu o conhecera rapidamente, desde quando, muito antes, fora visitar meus avós, levado por meus pais e em companhia dos meus dois irmãos maiores: um menino e uma menina. Naquela ocasião, senti-me encantado com ele, bondoso e delicado, que brincava conosco. Ao retornar à minha casa, aquela primeira impressão foi-se diluindo com o tempo. Agora, porém, fora um choque reencontrá-lo, não obstante a minha pouca idade. Ele, todavia, pareceu-me o mesmo, porquanto dava-me preferência e acariciava-me com insistente dedicação. Suas mãos fortes e seus dedos vigorosos passeavam com ternura sobre minha cabeça, deslizando entre meus cabelos encaracolados... Osculava-me a face e foi-me dominando emocionalmente. Apesar de eu não saber distinguir um de outro sentimento, experimentava grande bem-estar ao seu lado e corria sempre em busca da sua companhia.

Novamente Lício aquietou-se, medindo as palavras que deveria utilizar. Logo depois continuou:

— Dói-me recordá-lo, em razão dos sentimentos controvertidos que me abatem...

"Um dia, com palavras dóceis, que eu não alcançava, levou-me à sedução, à ação nefasta devastadora que me prossegue afetando. Sem saber discernir, era uma *brincadeira*, um *segredo de amor*, que manteríamos, conforme deu-me instrução para uso pessoal e junto à família. Com o tempo adaptei-me e, envergonho-me de confessá-lo, passei a amá-lo, se é que um adolescente, naquele período, sabe o que é o amor.

"Em casa, em face da confiança da família e ao descuido educacional, jamais transpirou o drama que ali se desenrolava conosco.

"Por mais de três anos vivemos essa terrível aventura, que se interrompeu quando ele concluiu o curso e foi exercer a profissão noutra cidade. Desnecessário dizer que a sua partida foi um desespero para nós ambos, que parecíamos não suportar o que ia acontecer. Impossibilitados, porém, de encontrar outra solução, o tempo selou o nosso destino com a separação. Mantivemos correspondência frequente, como ocorre nos idílios interrompidos pela distância física, e, como tais, o desfecho ocorreu, como era natural, seguindo as Leis da Vida... Ele encontrou uma jovem, a quem passou a amar realmente, deu-me ciência do fato e casou-se com ela.

"Eu estava com 15 anos. Adicionei à dor moral, outra, decorrente do vício a que me acostumara... Sem orientação, sem coragem de buscar apoio e diretriz com quem me pudesse ajudar, e temendo não os encontrar, após noites indormidas e lutas tenazes contra a ideia do suicídio que se me fixava como única solução, tombei em novas, frustrantes e arrasadoras experiências que me magoaram profundamente, dilacerando-me o coração e a dignidade interior. Concluo que, mesmo as criaturas mais vis do chamado contexto social, possuem a sua dignidade, suas áreas emocionais de honra, fronteiras resistentes, últimas a se perderem na guerra das paixões dissolventes, antes da derrocada total... Quando estas são ultrapassadas, nada mais resta porque lutar: é o fim, a entrega ao aniquilamento, a morte interior da vida, e a criatura se torna um cadáver adornado quando logra manter a aparência, porém, apenas cadáver que respira...

Loucura e obsessão

"Por fim, vive-se hoje um momento em que quase todos afirmam a necessidade de cada um ser por fora aquilo que é por dentro. Assumir a sua realidade íntima, viver e gozar conforme as suas necessidades, e só! Isto, porém, não me convence. Há algo dentro de mim que repele a degradação, a promiscuidade, a morte dos objetivos que a vida possui. Creio em Deus e na alma, razões que me afligem a consciência, ante os tormentos que me assaltam. Valeram, indago-me, os parcos minutos de *relax* e prazer em relação aos dias e noites de ansiedade e incerteza? E depois, quando a morte advier, sempre penso, o que acontecerá, como será?

"Some-se, a isso, que a lembrança do meu tio não se aparta de mim. Amo-o e odeio-o. Não voltei a vê-lo, embora, não há muito, ele tentasse, por carta que eu não respondi, uma reaproximação. Ele, agora, é pai. Como conciliar tal comportamento? No entanto, ele não me sai dos sonhos, nem das recordações que me enternecem e infelicitam.

"Eis por que aqui estou pedindo socorro, a vós que tendes a visão da imortalidade, a sabedoria dos problemas humanos. Soube que, talvez, um *trabalho* de vossa parte me pudesse aliviar o sofrimento, já que não creio seja possível arrancá-lo de mim, por entender que sou um ser feminino numa forma masculina, graças a um sortilégio da Divindade, que não consigo entender. O que sei, é que necessito de uma tábua qualquer de salvação, mesmo que imaginária, qual náufrago que, em se debatendo na procela, se agarra a uma navalha que lhe dilacera as carnes, mas que é a única possibilidade de salvação ao seu alcance."

Um grande silêncio caiu no compartimento, no qual se ouviam as ânsias da alma sofrida, pedindo socorro.

A cantoria monótona, as palmas e os sons dos surdos rítmicos pareciam muito longe, não interferindo na psicosfera ambiente. Várias entidades que envergaram a epiderme negra, assinaladas pela bondade e nobreza de propósitos, ali

Sombras e dores do mundo

presentes, comoveram-se, tanto quanto nós, com a narração de Lício.

Uma onda de simpatia geral nos envolveu a todos.

O nobre Dr. Bezerra, que acompanhava a experiência a desdobrar-se diante de nós, interveio em meu favor, explicando:

— Caro Miranda, a situação em que estagia o nosso querido irmão alcança número muito maior de criaturas, na Terra, como no Além, do que se possa imaginar... Contam-se aos milhões, no mundo, padecendo conflitos desta natureza, que ainda não encontraram compreensão adequada, nem estudo conveniente das doutrinas que lhe investigam as causas, procurando soluções. Por enquanto, travam-se lutas entre a coarctação e a liberação do comportamento daqueles que estagiam nas áreas conflitantes do sexo. Os apologistas da proibição aferram-se a códigos morais caducos e impiedosos, nos quais a pureza é sinônimo de puritanismo, e os outros, que lideram o esforço em favor dos direitos da funcionalidade aberta, primam pela agressão moral, pela alteração de valores, pela imposição da sua conduta, nivelando todos os indivíduos em suas carências afetivas e estruturais, proclamando a hora da promiscuidade e da chalaça. Apresentam-se muitos indivíduos que se deixam conhecer, como motivo de escárnio, em vez de lutarem pela conquista igualitária de espaço; ou de risota, ostentando deformidades que resultam dos comportamentos alienados, pedindo generalização dos costumes nos quais a conduta enfermiça deveria tornar-se padrão para todos.

"O respeito e a linha de equilíbrio devem viger no homem, em qualquer compromisso de relacionamento estabelecido. Enquanto, porém, o sexo mantiver-se na condição de *produto* para venda e a criatura permanecer como *objeto* de prazer, a situação prosseguirá nos seus efeitos crescentes, mais amplos e dolorosos do que aqueles que se digladiam em nossa

Loucura e obsessão

sociedade consumidora e inquieta. É natural que ressalvemos as exceções valiosas e nobres que há em todos os campos e áreas de ação da Humanidade."

Nesse ínterim, a nobre mentora daquele grupo ergueu o médium, numa atitude que me pareceu habitual, pois que se repetiu por várias vezes durante as consultas, pôs a destra sobre a cabeça de Lício e, talvez para amenizar os impactos fortes da narração, disse-lhe em linguagem simples e carinhosa:

— De fato, os seus cabelos anelados são sedosos e muito agradáveis ao tato. São uma dádiva de Deus, ante o crescente número daqueles que os perdem desde muito cedo... Mais belos, porém, do que os pelos que se modificam com o tempo e morrem, são os seus propósitos, meu filho, a sua inteireza moral, apesar de todas as dilacerações sofridas.

"Vamos orar primeiro, enquanto lhe aplicamos recursos balsamizantes, refazentes, para iniciarmos o *trabalho* de que necessita."

Um bem-estar imenso se espraiava pela sala.

A entidade compassiva, utilizando-se da técnica do passe longitudinal com pequenas variações, demonstrando, porém, profundo conhecimento dos centros captadores de força, no corpo e no perispírito, operou, dispersando, a princípio, as construções mentais perniciosas e desencharcando-lhe o psiquismo de fluidos prejudiciais, para, logo após, recompor-lhe o equilíbrio, mediante a doação de energia, facilmente assimilada pelo organismo.

Lício começou a transpirar em abundância e a bocejar repetidamente.

— Tudo bem, meu filho — disse-lhe, tranquilizando-o, a magnetizadora espiritual.

Após sentar o médium, produziu um clima psicológico para a segunda fase do atendimento ao jovem, agora mais disposto à terapia.

Havia paz no ambiente e o amor, ungido de sabedoria, comandava os acontecimentos.

6 – Destino e sexo

Enquanto a orientadora se aureolava de tênue claridade, que nos parecia resultado de uma forte concentração, buscando as causas anteriores do problema que lhe fora exposto, punhamo-nos a conjecturar a respeito da questão que se estampava conflitante, na atualidade, em milhões de criaturas, conforme a segura informação do Dr. Bezerra.

Este psicólogo do amor, que se acostumara a atender os necessitados dessa área, que lhe buscavam constante ajuda, percebendo-me o interesse de penetrar reflexões no assunto em pauta, acercou-se mais e elucidou:

— O sexo, em si mesmo, é instrumento excretor, a serviço da vida. Programado pela Divindade para servir de veículo à "perpetuação da espécie" nos seres pelos quais se expressa, tem sido gerador de incontáveis males, através dos tempos, em face do uso que o homem, em especial, lhe tem dado.

"Quando respeitado nos seus objetivos pelas criaturas e atendido pelo instinto entre os animais, atinge as finalidades a que se destina, sem outras consequências, qual ocorre também com as plantas...

"No atual estágio evolutivo do planeta terrestre, o ato sexual faz-se acompanhar de sensações e emoções, de modo que propiciem prazer, facultando o interesse entre os seres, e assim preenchendo a destinação a que se encontra vinculado. Não obstante, o vício e o abuso sempre lhe seguem em pós, como decorrência da mente que se perverte e o explora, dando origem a capítulos lamentáveis de dor e sombra, que passam a assinalar a conduta daqueles que o perturbam.

"Simultaneamente, devemos considerar que, em sua realidade intrínseca, o Espírito é assexuado e sem preferência ou psicologia específica para uma ou outra experiência na organização física. Por esta razão, a própria vida elaborou formas que se completam em favor da função procriativa. Ao lado dessas, em se considerando o incessante progresso dos homens, na busca da felicidade, os ideais lentamente vão suprindo, na área das emoções superiores, os prazeres que decorrem das sensações mais fortes. E, não raro, atendendo a aspirações pessoais, muitos desses indivíduos requerem, quando no Plano Espiritual, e têm deferidos os pedidos, a reencarnação na masculinidade ou na feminidade, sem amarras com a forma, vivendo uma sexualidade global, sem conflitos nem posses, destituída de paixões e de ímpetos descontrolados. São aqueles que poderíamos denominar heterossexuais, porém, calmos e seguros, capazes de transitar, se for o caso, por toda a vilegiatura física com autossuficiência, sem maior esforço, porque, também, sem compromissos negativos com a retaguarda nesse campo. Outros Espíritos, receosos de repetir as façanhas prejudiciais, solicitam e conseguem *formas neutras*, o que equivale possuir uma anatomia tipificadora de um ou outro gênero, com uma psicologia e uma emoção destituídas de interesse por tal ou qual manifestação, digamos, erótica. Constituem a larga faixa em que estão as pessoas brandas, cuja aparência inspira *sentimentos* nos outros, sem que se deixem enredar pelos apetites correspondentes, por serem psiquicamente assexuadas, embora possuam todo o mecanismo genésico perfeito e sejam portadoras dos hormônios correspondentes à sua fisiologia. Assim, mais facilmente executam os misteres que abraçam nos diferentes setores da existência, normalmente afeiçoadas em profundidade aos seus programas de enobrecimento, mediante os quais se elevam e promovem a Humanidade."

Logo após breve pausa, para melhor coordenar e sintetizar tão profundo assunto, deu curso à explicação:

Destino e sexo

— A própria forma humana vigente hoje, na Terra, é transitória. Entre o *Pithecanthropus erectus* e o *Homo sapiens* houve expressivas modificações anatomofisiológicas no ser em progresso, tendo em vista que, sendo superior o psiquismo na atualidade, portanto, o Espírito, este imprime no corpo o que lhe é mais necessário para a evolução a que se destina, assim elaborando órgão e compleição mais compatíveis com as suas finalidades. É compreensível que deste ao *Homo technologicus* hajam ocorrido sutis alterações que preparam a forma do futuro *Homo spirituale* em condições melhores. De permeio, surge, no laboratório das transformações, a interferência das mentes, produzindo constituições assinaladas pelos transtornos do comportamento anterior do ser lúcido, que geram os tipos do hermafroditismo e da bissexualidade, que passam a constituir organismo de reeducação para os seus exploradores antigos, agora submetidos a provas de correção entre fortes conflitos e áspera insegurança interior... Alguns autores dedicados ao estudo do sexo afirmam, ainda, a existência da posição intersexual, a que denominam pseudo-hermafroditismo. Quando o corpo se encontra definido numa ou noutra forma e o arcabouço psicológico não corresponde à realidade física, temos o transexualismo, que, empurrado pelos impulsos incontrolados do *eu* espiritual perturbado em si mesmo ou pelos fatores externos, pode marchar para o homossexualismo, caindo em desvios patológicos, expressivos e dolorosos... É, no entanto, na forma transexual, quando o Espírito supera a aparência e aspira pelos supremos ideais, que surgem as grandes realizações da Humanidade, como também sucede na heterossexualidade destituída de tormentos e anseios lúbricos, que lhe causam graves distonias. Em qualquer forma, portanto, pode o Espírito dignificar-se, elevando-se, desde que se não deixe acometer pela loucura do prazer desregrado, que sempre lhe proporcionará a necessidade de reparação em estado mais afligente...

Loucura e obsessão

"Correspondendo a tais circunstâncias, sempre do Espírito para o corpo e não deste para aquele, as respostas orgânicas se fazem mediante os genes e cromossomos que estabelecem as formas, sujeitas à ação do ser reencarnado, de acordo com as suas necessidades evolutivas. Quando ocorre, em qualquer forma na qual estagia o Espírito, o açulamento ou descontrole da função, este defronta a prova que deve superar a esforço de educação, de disciplina mental e física, evitando agravar o próprio estado. Diferindo dos animais pelo uso da razão, o homem deve utilizá-la em todos os seus empenhos, especialmente nos compromissos para com o sexo, a fim de mais facilmente sentir-se pleno.

"Hoje, várias Escolas de comportamento estimulam o uso e o abuso da função sexual, na busca do prazer exorbitante, informando que tal ação evita frustrações e desequilíbrios, aliás, sempre desmentidos pelos ases do gozo, símbolos sexuais estabelecidos, que transitam, insatisfeitos e apáticos, enveredando pelas drogas, tombando, depois, na loucura ou no suicídio...

"Genericamente, os estudiosos do sexo, em face das múltiplas manifestações e expressões de comportamento humano, nessa área, buscaram estabelecer alguns critérios para melhor definir as posições sexuais, conforme as estruturas periféricas, observando a seguinte classificação: *gonádico*, pela identificação das células que constituem as glândulas genitais; *genético*, mediante o conhecimento da cromatina sexual; *fenótipo*, por meio do aspecto morfológico do ser; e *psicossexual*, numa ampliação da análise, estudo e aprofundamento da estrutura psicológica do indivíduo, e as influências recebidas, na educação, na sociedade, na cultura... Não param aí, as classificações e estudos, variando sempre, de acordo com cada escola.

"Seja, porém, qual for a forma sob a qual se expresse o sexo na vida, ele é departamento orgânico importante, credor

Destino e sexo

de respeito e consideração, não apenas máquina de satisfação dos instintos egoístas, imediatistas...

"O seu uso deve ser regulamentado pela consciência dignificada, facultando ao indivíduo o equilíbrio e a harmonia decorrentes da permuta de hormônios e de afeto, sem que a vulgaridade e o barateamento lhe constituam razão predominante.

"Além da responsabilidade pessoal, diversas implicações se fazem assinalar pelos efeitos do relacionamento que envolve outros parceiros, cuja conduta, muitas vezes, passa a ser o resultado da consideração ou do desprezo a que são relegados por aqueles que os seduzem, enganam ou exploram.

"À medida que o Espírito se eleva e se enobrece, o uso do sexo passa por significativa alteração."

Silenciando, outra vez, volveu, arrematando:

— O nosso Lício encontra-se catalogado como transexual, que foi conduzido pelo tio ao homossexualismo, com todas as agravantes disso decorrentes e outros componentes, conforme constataremos nas explicações da mentora a quem ele recorreu. Observemos!

Neste momento, concluindo as suas pesquisas, realizadas em profundo recolhimento espiritual, a entidade falou:

— Você tem razão ao afirmar que se trata de uma alma feminina encarcerada num corpo masculino. Tal ocorrência, no entanto, não é fruto de um sortilégio divino, senão dos códigos soberanos da vida, que estabelecem diretrizes, que, desrespeitadas, produzem resultados concordes com a gravidade da rebeldia. Em todas as determinações superiores, porém, o amor está presente aguardando que o homem lhe aceite a inspiração e o comando, para que facilmente supere a pena a que se submete em face da insubordinação perpetrada. Cada criatura é, portanto, responsável pelo rosário das ocorrências do seu caminho evolutivo, como o agricultor que, possuindo uma gleba de terra, dela recolhe o que lhe faculta semear e conforme o trato que lhe dá.

Loucura e obsessão

"Todos viemos de recuados tempos. Espíritos imortais que somos, reencarnamos e desencarnamos, mediante a utilização e desligamento do corpo, qual se este fosse um uniforme de uso para o educandário terrestre, cujos efeitos são transferidos de uma para outra experiência, conforme as aquisições logradas. Homem ou mulher, na forma transitória, as responsabilidades são as mesmas, apesar da infeliz discriminação que esta última vem sofrendo nas várias culturas através dos tempos ou das licenças que ora se permite em nossa sociedade enferma.

"A forma, numa como noutra área, é oportunidade para aquisição de particulares conquistas de acordo com os padrões éticos que facultam a uma ou à outra. Quando são conseguidos resultados positivos numa expressão do sexo, pode-se avançar, repetindo-se a forma até que, para diferente faixa de aprendizagem, o Espírito tenta o outro gênero. No momento da mudança, em razão dos fortes atavismos e das continuadas realizações, pode ocorrer que a estrutura psicológica difira da organização fisiológica, sem qualquer risco para o aprendiz, porquanto há segurança de comportamento e nenhum desvio da libido por ausência de *matrizes psíquicas* decorrentes da degeneração imposta aos hábitos anteriores. Quando porém, o indivíduo se utiliza da função genésica para o prazer continuado sem responsabilidade, derivando para os estímulos que as aberrações da luxúria o convidam, incide em gravame que é convidado a corrigir, na próxima oportunidade da reencarnação, sob lesões da alma enferma, que se exteriorizam em disfunções genésicas, em anomalias e doenças do aparelho genital, ou na área moral, mediante os dolorosos conflitos que maceram, nos quais o ser íntimo difere *in totum* do ser físico... Seja, no entanto, qual for a ocorrência regularizadora, ela deve ser enfrentada com elevação moral e consciência tranquila, recompondo, com atos corretos, a paisagem mental e emocional afetada. Não há, para essas *marcas da alma*, outro tratamento que eu

Destino e sexo

conheça, senão a superação do problema mediante a abstinência, canalizando-se as forças sexuais para outros labores e aspirações, igualmente propiciadores de gozo profundo e estímulo constante para mais altos voos e conquistas."

Houve uma pausa oportuna, proporcionando absorção do conteúdo pelo neófito, que acompanhava, sem dificuldade, a linha do claro raciocínio apresentado.

Eu não cabia em mim de admiração, constatando o que me parecia um paradoxo: conceitos tão profundos que emergiam de uma forma tosca, sem a exigente correção da linguística.

O amigo espiritual destacado para acompanhar-nos, percebendo-me a perplexidade, acercou-se mais e, sorrindo, disse-me:

— Recorde o irmão que a delicada plântula rompe a casca grosseira que guarda a semente, ganhando força e vetustez ao sabor do tempo e da sua fatalidade vegetal, como uma débil raiz que com o tempo fende uma rocha...

De imediato, a sábia orientadora continuou:

— Pelo menos, nas três últimas reencarnações, você, Lício, viveu experiências femininas, utilizando-se de corpos desse gênero. Na antepenúltima, enredou-se numa trama que a paixão insensata fez enlouquecer. Logo depois, recomeçou para liberar-se das consequências danosas que lhe permaneciam como insegurança e necessidade, vindo a fracassar de forma rude. Não há muito, utilizou de toda a força que a atração física lhe emprestava, para usufruir e malsinar vidas que hoje se lhe enroscam, perturbando-lhe a marcha... Os efeitos emocionais lhe dilaceraram as fibras sensíveis da aparelhagem espiritual que modelaram um corpo-presídio, no qual a forma sofre o tormento da essência e vice-versa... Nas três oportunidades, a mercê divina lhe concedeu a escolha livre do corpo — oportunidade redentora —, que foi usado para lesar e fruir, desforçar-se e triunfar, com grandes envolvimentos negativos. Agora, o mesmo Amor lhe propõe a redenção pelo reequilíbrio — provação —, a fim de que não tombe na expiação mutiladora ou alienante, caso teime perseverar na usança mórbida, delinquente, da organização que lhe é veículo para o progresso e não para futuro encarceramento, consoante o seu livre-arbítrio eleja o caminho a percorrer.

"Como é normal, infelizmente, aqueles que lhe padeceram a arrogância e a insensibilidade retornaram ao seu convívio físico ou psíquico, tanto quanto os que foram corrompidos e lhe propuseram degradação ora renteiam ao seu lado. O tio pervertido é-lhe companhia antiga, do mesmo grupo de perversão, que não teve resistências morais para vencer os impulsos físicos, que provinham dos refolhos do ser viciado, e soube identificar, embora sem compreender, a antiga companheira de alucinação. Todavia, no seu desvario, ele esteve inspirado por adversário de ambos, domiciliado em nossa esfera de ação, que aguarda ensejo para vingar-se, na condição de esposo traído e vilipendiado pelos dois... Assim, consideremos que, além da consciência autopunindo-se por meio de conflitos e da inquietação permanente, soma-se a presença odiosa do vingador e de outros que se creem prejudicados e planejam reparação a alto preço. Esta situação, todavia, existe porque os vínculos com o bem ou o mal permanecem conforme a força dos atos praticados, até que novas ações rompam a geratriz deles, por eliminação do seu efeito, fortalecendo as correntes do dever, que permanecerão para sempre."

O jovem estava comovido. A força da lógica, na explanação apresentada, e a evocação feita pelos quadros relatados, elucidavam Lício, a respeito dos sonhos que o assaltavam desde criança, quando cenas, que agora se explicavam, aturdiam-no, levando-o a estados de paroxismo, nos quais despertava, banhado por álgido suor e sempre aos gritos, sendo recolhido pelos pais que o assistiam, solícitos, até que passasse a crise alucinatória. Tão amiúde se repetiram esses fatos, que ele temia adormecer, já na adolescência, especialmente quando o tio o iniciou no desvio da ação sexual. Via-se perseguido

Destino e sexo

por seres hediondos e animalescos, ou em bacanais em que, elegido como hetera dominante, era exposto ao servilismo abjeto dos promíscuos e dissolutos convivas presentes. O horror dominava-o, ameaçando enlouquecê-lo, tal a continuidade do acontecimento.

O que se pensa sempre responde pelo clima emocional em que se vive. A ação do passado, automaticamente, leva o indivíduo aos lugares que lhe agradavam viver. Além do mais, os comensais costumeiros igualmente se encarregam de reconduzir aos mesmos lugares aqueles que se lhes vinculam.

Mede-se, pois, a psicosfera de alguém pela incidência frequente do seu pensamento no que elege.

Ignorava que era conduzido, em Espírito, aos sítios de devassidão, em regiões próprias do planeta, onde homens e desencarnados dão curso às suas aptidões e aos seus interesses, em conúbios danosos e frequentes. Os homens, em parcial desdobramento pelo sono, e os desencarnados, em fenômeno de vampirismo como de imantação demorada com aqueles que exploram fluídica e psiquicamente, são levados a patologias de difícil diagnose médica e mais complicada terapêutica libertadora.

É a reencarnação a única chave segura para equacionar quase todos os problemas que afligem o ser humano, simbólica "escada de Jacó" para conceder-lhe os altiplanos felizes da vida.

Revelando, mais uma vez, sabedoria e prudência, a mentora evitará minudenciar acontecimentos pretéritos, que poderiam ser considerados, pelo consulente sem estrutura de compreensão espírita, como exageros de imaginação, ou que lhe produziriam impacto prejudicial, gerador de depressão como de desânimo. Dito o necessário, abriu espaço para futuros esclarecimentos, tendo deixado transparecer, nos comentários finais, a conveniente, porém rigorosa, terapia a que se deveria submeter.

Loucura e obsessão

Intrigava-me, no entanto, como fora possível penetrar com tal segurança nos meandros complexos daquela vida, elucidando com facilidade e clareza as causas geradoras da questão.

Dr. Bezerra, percebendo-me as interrogações, discretas e silenciosas, acudiu-me com presteza:

— Cada Espírito é um arquivo vivo de si mesmo. Todas as suas trajetórias, desde as mais recuadas, nele se encontram gravadas, podendo ser penetradas quando as circunstâncias o permitem e por quem esteja habilitado a fazê-lo. Assim como existem Centros de Computação que reúnem, em nossa zona de ação, as informações sobre todos, em departamentos especiais, em cada ser se encontram os registros das suas ações, do seu processo de evolução. A aparente dificuldade de lê-los é dependente dos recursos de penetração de quem se candidata à operação. Nossa irmã, entretanto, habilitada pelos diversos anos de adestramento e em face das suas conquistas morais, dispõe de claridade e percepção psíquica para o mister com relativa facilidade. O homem é, desse modo, o espelho que lhe reflete a história, somente visível para quem dispõe de óptica especial e profunda.

Indaguei, então:

— E os erros, quando corrigidos, não ficam eliminados do histórico das vidas?

— Eliminados, não — aclarou, paciente —, corrigidos, pois que o erro pode ser considerado como uma ação de resultados perturbadores e não um mal, conforme a deturpada visão teológica, que lhe dá uma perenidade que sequer a punição eterna consegue eliminar. Tomemos o exemplo do computador: qualquer dado que seja enviado à memória, ali, fica gravado, mesmo que outras informações adicionais sejam remetidas, anulando-lhe a validade. Corrige-se a anotação, sem que se elimine o dado inicial, que deve permanecer para futuros confrontos e aclaramentos que se façam necessários. Do mesmo modo, no atual estágio de evolução

Destino e sexo

do homem, o perispírito é-lhe o computador, muito mais sofisticado do que se imagina, guardando-lhe toda a história evolutiva até que se alterem os mecanismos e processos de captação, em faixas mais elevadas da vida.

Anuí de boa mente com a elucidação, perfeitamente lógica.

Lício sentia-se um pouco reconfortado, como se vislumbrasse débil claridade a distância, apontando-lhe a saída do abismo. Ignorando, todavia, os procedimentos a que se devia submeter, indagou:

— Que *trabalho* me será feito, a fim de que me reajuste e me liberte desta situação confrangedora?

A entidade sorriu, embora com muito carinho, ante a indagação ingênua e respondeu:

— Será um imenso e demorado *trabalho*, meu filho, a que ambos nos submeteremos. Não esqueça que a solução de um problema exige sempre o tempo que a sua gravidade nos impõe. As coisas simples são atendidas com rapidez, o mesmo não ocorrendo com as mais complicadas. Além do mais, a diagnose de uma doença não indica que a medicação ainda não aplicada já esteja a fazer efeito. E mesmo quando o processo enfermiço se faz debelado, a convalescença do paciente propõe o tempo necessário à restauração da saúde. Destarte, preparemo-nos para uma ação contínua e demorada. Como é certo que identificar um inimigo e o lugar onde ele se encontra é de grande auxílio para a vitória do combate, somente a boa luta, perseverante e sem trégua, é que leva ao êxito. Tudo, ou melhor dizendo, a parte mais grave desta refrega vai depender de você. Prometemos auxiliá-lo, sem tomar-lhe o fardo que você próprio arrumou ao largo do tempo e que deverá desfazer com amor e alegria. Haverá momentos muito difíceis, que você ultrapassará, caso persevere nas indicações que lhe daremos, nunca, porém, se sentirá ao desamparo.

— E por onde começar? — indagou honestamente interessado.

— Pela reeducação mental, corrigindo o conceito de prazer e felicidade, e essa ideação regularizará os hábitos viciosos e avançará sob disciplina severa, exercitando a abstinência. Assim, logrará, a largo prazo, interromper os vínculos com os maus Espíritos que lhe exploram a emoção e lhe roubam energias sexuais valiosas. Para esse cometimento, exercite-se na oração-monólogo com Deus, até conseguir um diálogo íntimo restaurador de forças; busque preencher a mente com figurações otimistas e ideias elevadas, calmantes; recorde-se dos homens, igualmente sofredores, em outras áreas, e ajude-os conforme puder. O bem que se faz é conquista que se logra em paz interior. Por fim, volte aqui, se lhe aprouver, ou onde creia que pode ser socorrido, sem que lhe seja facultado permanecer cultivando os hábitos atuais, tormentosos... Quando se atrasam as medidas profiláticas, mais se espalham e agravam as doenças. Ação positiva, retardada, é tempo perdido para a recuperação. Agora, medite, passe à outra sala, de modo a participar do encerramento dos nossos trabalhos, dentro em pouco, e, se achar conveniente, prossigamos com o seu tratamento ora já iniciado.

Lício identificou-se amado pelo nobre Espírito. Estranhos sentimentos de amor, a que não estava acostumado, dominaram-no, e, tocado pela irradiação de carinho que vinha da benfeitora, gaguejou, embaraçado, e arrematou:

— Desculpe minha ignorância. Muito obrigado!

— Deus o abençoe, meu filho!

O jovem saiu envolto num halo de suave luminosidade que a simpatia de todos nós lhe endereçávamos, e as consultas foram encerradas.

Por aquele recinto modesto passaram quase cinquenta pessoas portadoras das ulcerações da alma, que receberam diretriz e conforto, tratamento e amor, sem jactância nem exigência alguma, em viva comprovação do ensino evangélico: "Pedi e dar-se-vos-á; buscai e achareis; batei e abrir-se-vos-á..."

O médium levantou-se sob a ação da diretora espiritual e rumou à sala maior, por nós outros acompanhado.

Permaneceram alguns cooperadores desencarnados, assistindo os Espíritos que ali ficaram recolhidos, após o atendimento dos seus cômpares da esfera física.

7 – Fenômeno auto--obsessivo

Superáramos os ruídos fortes do culto externo, ante a concentração natural que nos impuseram os clientes espirituais que por ali passaram. Agora, retornávamos ao mundo das extravagâncias humanas, a que se fixavam grandes populações espirituais, mantendo intercâmbio constritor com os homens.

O odor das velas e dos defumadores misturava-se ao dos corpos em contorções na sala abafada.

Os transes variados prosseguiam, enquanto Espíritos diligentes buscavam auxiliar os enfermos de ambos os planos da vida, conscientes do que faziam e animados por propósitos elevados.

Vimos mães desencarnadas que traziam filhos domiciliados no corpo e que o sono libertava parcialmente, a fim de receberem ajuda. Eram vítimas do alcoolismo, da dependência de drogas, de obsessões pungentes...

Afadigavam-se, esses anjos tutelares, em buscar ajuda para os seus afetos, intercedendo em seu favor e oferecendo-se para tarefas sacrificiais, caso lograssem qualquer socorro para aqueles seres alanceados pelo sofrimento, de que sequer, muitos deles, se davam conta, conscientemente.

Notando-me o interesse por aquela intermediação, que me era bem conhecida, em outras instituições e esferas espirituais, Dr. Bezerra, com toda a solicitude de mestre e pai, expôs-me:

Fenômeno auto-obsessivo

— Aqui, como em outras casas congêneres, encontramos exemplos de abnegação, sacrifício e renúncia, que não são comuns em diferentes áreas do Espiritualismo... Nobres entidades, que podiam fruir de paz e operar em regiões felizes, optam por demorar-se nestes lugares, com objetivos bem definidos: servir a todos, até alcançar os afetos que enlouqueceram e se demoram em redutos de crua perversidade ou sofrimento sem consolo... Mesmo após conseguir libertar e encaminhar os seus afeiçoados, ainda permanecem, por anos sem conto, apiedadas da ignorância, da perturbação e da dor que a muitos esfacelam com os camartelos do desespero e da loucura. Ainda hoje, colheremos informações a este respeito.

Silenciando, o amigo, tive a atenção focalizada em um paciente, que se deixava conduzir para o meio do círculo pela mentora ainda incorporada.

O olhar parado, denotando a demência adiantada, os músculos em rigidez, a face pálida e descarnada, a absoluta ausência do lugar em que se encontrava, demonstravam que o enfermo padecia de autismo já avançado. Não relutava, apesar da dificuldade de locomoção, quase arrastado para o centro da agitação.

Ali posto, foram entoados *pontos* diferentes e se lhe aplicaram passes, do meu ponto de vista, desordenadamente, que ele parecia pouco assimilar, permanecendo na mesma invariável postura de semimorto, em situação apenas vegetativa.

Os ritmos da dança e da música, das palmas e das vozes, a pouco e pouco, pareceram penetrar-lhe, como se arrancasse de esconso abismo interior algum débil lampejo de consciência, graças a ligeiro brilho que lhe assomou aos olhos, e uma mudança de respiração noutra cadência, qual se buscasse mais oxigênio do ar, e movimentos, embora desordenados, dos braços e tronco.

— Isto mesmo! — exclamou a entidade vigilante, que o estimulava. — Retorne, tome conta da consciência. Saia desse mundo sombrio e mentiroso. Volte à nossa realidade. Não fuja mais. Você já foi reencontrado. Não tema, pois que ninguém lhe fará qualquer mal; nós não o deixaremos. Desperte!

Os apelos enérgicos prosseguiam, sintéticos e fortes, enquanto o doente voltava a mergulhar no estado anterior, mumificado para o mundo externo.

O inusitado da ocorrência provocou-me inúmeras interrogações, que o instrutor atento se propôs responder.

— Que ocorria com o paciente — indaguei, com sadio interesse —, junto a quem eu não percebia a presença de obsessores, conforme é frequente em estados de alienação semelhantes? Por que o convocavam ao retorno? O Espírito estava fora do corpo, aprisionado em algum lôbrego reduto, mesmo reencarnado, ou que se passava?...

Ia prosseguir indagando, quando o lúcido interlocutor interrompeu-me, com paciência.

— Vamos por etapa — propôs. — O nosso amigo é o típico autista, conforme a clássica denominação psiquiátrica. Apesar de serem comuns as cobranças obsessivas, paralelamente às enfermidades mentais, este paciente sofre-as menos, porque vem recebendo a ajuda desta Casa há mais de seis meses. Aparentemente, não se registrou qualquer mudança no seu quadro geral. Todavia, sob nossa observação, descobrimos que excelentes resultados já foram logrados, antecipando futuros benefícios espirituais para ele próprio. Os inimigos que lhe adicionavam sofrimento, e ainda não o liberaram da cobrança que se permitem, encontram, graças à assistência espiritual que lhe tem sido dispensada, dificuldade de sintonia, embora permaneçam as irradiações das ondas mentais inferiores pelas quais se manifesta a sincronização Espírito a Espírito. É que a cobertura fluídica e magnética que o envolve dificulta a vibração doentia que ele emite, não se imantando às emissões morbíficas que lhe são dirigidas.

"A princípio, as defesas eram breves, logo destruídas pela consciência culpada e a insistência dos perseguidores. Com

Fenômeno auto-obsessivo

o tempo tem havido assimilação vibratória dessas energias benéficas, por mimetismo natural, e os interregnos, sem a intoxicação telepática dos adversários desencarnados, vêm proporcionando-lhe a revitalização mental, destruindo as *paredes* do mundo íntimo para onde, apavorado, fugiu, desde quando a reencarnação o trouxe à infância carnal.

"Estamos diante, tecnicamente, de um vigoroso processo de auto-obsessão, por abandono consciente da vida e dos interesses objetivos. Quando o indivíduo mantém intensa vida mental em ações criminosas, que oculta com habilidade, mascarando-se para o cotidiano, a duplicidade de comportamento faz-se-lhe cruel transtorno que ele carpe silenciosamente. O delito, que fica ignorado das demais pessoas, é conhecido do delinquente, que o vitaliza com permanentes construções psíquicas, nas quais mais o oculta, destruindo a polivalência das ideias, que terminam por sintetizar-se numa fixação mórbida, que lentamente empareda o seu autor. Passam desconhecidos pelo mundo, esses gravames, que o *eu* consciente sepulta nos depósitos da memória profunda, sem que eles se aniquilem, ali permanecendo em gérmen, que irradia ondas destruidoras, envolvendo o criminoso. Às vezes, irrompem como estados depressivos graves, e noutras surgem como 'complexos de culpa', com fundamento real para eles mesmos, que se tornam desconfiados, acreditando-se perseguidos e fazendo quadros de torpes alienações, caindo nas malhas da loucura ou no abismo do suicídio, artifícios que buscam para aniquilar os dramas tormentosos que os esfacelam interiormente. As cenas hediondas que fixaram, retornam, implacáveis, cada vez mais nítidas, sem que quaisquer novas paisagens se lhes sobreponham.

"Não é raro ver-se dama recatada, ou cidadão ilustre, repentinamente enveredar por um desses trágicos comportamentos, a todos causando admiração, em face da aparente falta de motivos. Quando estes não se encontram na existência atual, ei-los nos subterrâneos da mente, no inconsciente, nos arquivos perispirituais, reclamando por justiça, reparação. Não há quem logre dilapidar o patrimônio da ordem e do bem, sem incidir na compulsória da reabilitação, que sempre se apresenta no curso da evolução do ser, reajustando-o e ensinando-lhe o respeito e o amor à vida. Ninguém, portanto, permanece indefinidamente no mal, em razão dos automatismos que a Lei impõe, proporcionando mecanismos de recuperação. O importante, na conjuntura, não é o conhecimento que a sociedade tenha das ações nefastas ou nobres por alguém praticadas, mas o autor conhecê-las, não as podendo apagar... No lado positivo, torna-se indiferente que se recebam louvaminhas e tributos de gratidão, pelo bem recebido. A quem o bem realiza, é secundário ser conhecido pelo feito, embora muita gente assim o deseje, rebelando-se quando a bajulação e o reconhecimento não lhe vêm trazer as oferendas de homenagem. A satisfação íntima, defluente do bem realizado, constitui a melhor e mais grata láurea a que se pode aspirar. No sentido inverso, no deslize moral ou no crime de qualquer procedência, ocorrem equivalentes fenômenos, com imposições mais difíceis de ser resolvidas de um só golpe."

O narrador contemplou, com ternura e piedade, o enfermo, que volvia ao reduto íntimo em que se refugiava, e aduziu:

— A queda no despenhadeiro do crime ou do vício dá-se de um salto ou por meio de sucessivos passos; todavia, a ascensão é sempre muito penosa e a esforço continuado, qual ocorre na terapia das doenças de grave porte, exigindo esforço incessante e medicação cuidadosa. As exulcerações da alma são de gênese profunda, em consequência, doridas, no seu processo de cicatrização. O caro irmão Aderson, que aí vemos, dedicou-se, na sua reencarnação passada, a urdir planos escabrosos e de efeitos nefastos contra diversas pessoas a quem levou à desdita. De início, desforçava-se daqueles com quem antipatizava, endereçando-lhes cartas anônimas, recheadas de acusações vis, e, exorbitando na calúnia,

Fenômeno auto-obsessivo

espalhava a perfídia que sempre encontrava aceitação nos indivíduos venais, gerando insegurança e dissabor às suas vítimas. Dentre outras, o infeliz, picado pelo veneno da inveja, passou a perturbar o lar honrado de um amigo, endereçando, ora ao esposo, e, noutras vezes, à senhora, cartas repletas de misérias, nas quais a infâmia passou a triturá-los, entre suspeitas infundadas, terminando por levar o marido honesto ao suicídio, envergonhado pelo comportamento da esposa, tachada de adúltera, enquanto aquela acreditava, pelas missivas recebidas, na desonra do consorte. Quando o suicídio o infelicitou, ela acreditou que fora pelo remorso e caiu em irreversível depressão, aumentando o sofrimento da família. O ardiloso caluniador, entretanto, jamais se deixou trair, permanecendo *amigo* do lar durante todos os transes por ele mesmo produzidos e fazendo-se confidente fiel das ocorrências desditosas... Não ficou, porém, somente nisso. Apaixonando-se por uma jovem que não ocultava a antipatia em relação à sua pessoa, endereçou cartas infames ao homem que propôs casamento à mesma, lançando a lama da suspeita contra a honorabilidade e a compostura da criatura desejada. Desgostoso, o noivo, inseguro e orgulhoso, desfez o compromisso, e, porque instado a apresentar razões que justificassem a atitude, entregou-lhe as cartas, que diziam proceder de um ex-namorado predisposto a fazer revelações para poupá-lo às decepções que, segundo afirmava, sofria, enquanto se relacionava com ela... Ante o choque, e sem recursos para provar a inocência, a vítima refugiou-se no quarto, de onde se recusava sair, até que a morte a libertou, após negar-se à alimentação, à vida, em terrível transe de ensimesmamento e amargura... É necessário dizer-se que a inocência não se prova, antes, a culpa é que pode ser comprovada, em face dos testemunhos e do material que a evidenciam e confirmam. Por isso, assevera o refrão: 'Todos são inocentes perante a Lei, até prova em contrário', o que ali não ocorria, sendo, aliás, o oposto: 'Todos são culpados, até que demonstrem a sua inocência'. Jamais alguém soube da autoria das cartas, a maioria das quais permaneceu desconhecida das demais pessoas. O missivista, no entanto, conhecia o que realizava, gozando o prazer funesto das ações hediondas.

"Na aparência, era um cavalheiro nobre e distinto, que o egoísmo e a desconfiança recambiavam para o celibato, vivendo de recursos herdados, num parasitismo vergonhoso, enquanto explorava os sentimentos de mulheres mais infelizes, nas quais buscava companhias pagas e prazeres de superfície. Para manter a jovialidade artificial e o aspecto sociável, autoconvencia-se da correção das suas atitudes e cuidava-se com esmero, a fim de que nada o denunciasse. No desvio mental que se iniciava, acreditava que as suas *denúncias*, embora destituídas de fundamento constatado, podiam ser legítimas, tal se lhe afiguravam na volúpia da inferioridade moral.

"Mais idoso, quando o tempo escoava rápido, em vez de corrigir-se, mais se permitiu o nefário jogo das missivas caluniosas, levando dor e desconforto a pessoas e lares que atingia, sem a consideração mínima pelo próximo, com quem sequer mantinha qualquer relacionamento... Um ataque de apoplexia, após discussão acalorada com um familiar, que lhe sofria o guante, recambiou-o à Vida. Despertou sob a vista daqueles que o aguardavam ferozes, exibindo as feridas do desespero que ele lhes provocara. O suicida, a senhora e a jovem desvairada passaram a supliciá-lo com a mesma impiedade que dele sofreram a perseguição. Surpreso, ante a vida após a morte física, negou os fatos escabrosos e, mesmo sob a implacável cobrança da loucura, bloqueou a mente, em tentativa inútil de fugir ao ressarcimento indicioso imposto pela ignorância dos seus inimigos..."

Dr. Bezerra, sempre prudente, calou-se, por alguns momentos, e logo deu prosseguimento à elucidação:

— Transcorridos muitos anos de infortúnio, Aderson foi reconduzido à reencarnação com todas as marcas do horror que lhe foi infligido. Refugiando-se na negação do fato como crime, já que se cria no direito de havê-lo feito e não se arrependia honestamente, imprimiu, no corpo, os limites de movimento e produziu a *prisão* na qual se encastela. Assomando à consciência todas as lembranças do passado, vive, nesse mundo, agora sob a injunção da culpa que o vergasta, procurando esconder-se e apagar-se, de modo a não ser reconduzido nos lugares de horror de onde foi *arrancado* pelo Amor, que lhe favorece a reparação noutras circunstâncias. Expiar o mal que se fez, para logo depois repará-lo, é o impositivo da Justiça divina ao alcance de todos nós. Larga, como efeito, se faz a expiação. Caso Aderson venha a recuperar-se, surgir-lhe-á a oportunidade da reparação, edificando a felicidade pessoal nos alicerces do que possa propiciar às suas vítimas ainda mergulhadas no sofrimento. A *consciência de culpa* somente desaparece quando o delinquente liberta aqueles que lhe sofreram o mal.

"Incursos, neste capítulo, há muitos Espíritos que buscaram na alienação mental, como o autismo, fugir à suas vítimas e apagar as lembranças que os acicatam, produzindo um mundo interior agitado ante uma exteriorização apática, quase sem vida. O modelador biológico imprime, automaticamente, nas delicadas engrenagens do cérebro e do sistema nervoso, o de que necessita para progredir: *asas* para a liberdade ou *presídio* para a reeducação.

"Como se vê, a obsessão não é, neste caso, fator responsável pela loucura. A autopunição gerou o quadro de resgate para o infrator da Lei. Aqueles inimigos desencarnados que se lhe acercam, pioram-lhe a expiação, mas é o Espírito calceta quem se impõe os sofrimentos que *sabe* lhe serão benéficos para a redenção. Entre os auto-obsidiados encontramos também os narcisistas, que abrem as portas da mente a *parasitoses espirituais* muito sérias, como decorrência da conduta passada. Outros mais, indivíduos culpados, são promotores das psicogêneses que irão propelir a organização física a produzir a casa mental mais conforme às suas necessidades expiatórias."

No intervalo, que se fez natural, indaguei:

— E ele se curará?

— Os desígnios de Deus — respondeu, reflexionando — são inescrutáveis. Caso não recupere todas as suas funções, para a atual existência, melhorará as condições para os próximos cometimentos. Deveremos examinar a Vida sob o ponto de vista global e não angular, de uma única experiência física, como a atual. Da mesma forma que vamos buscar as origens dos males de hoje no passado do Espírito, é justo que pensemos na sua felicidade em termos de amanhã, considerando o presente como uma ponte entre os dois períodos e não a situação única a vivenciar. Destas atitudes resulta o porvir com todas as suas implicações. Assim, lancemos para amanhã os resultados do esforço de agora.

Não desejando ser impertinente, mas interessado em aclarar o estudo a respeito de novas terapias, solicitei licença e questionei:

— Não seria o caso de aplicar-se em Aderson a regressão de memória como recurso terapêutico, liberando-o da culpa, isto é, demonstrando-lhe que as ocorrências já são passadas, e delas ele se deve libertar, *apagando-as*, para dar ensejo a novas conquistas?

— Caro Miranda — contestou, gentil, exteriorizando uma bonomia superior —, aqui nos encontramos para estudar, e o diálogo é sempre valioso recurso pedagógico, de que nos devemos utilizar amiúde.

"A terapia de vidas passadas é conquista muito importante, recentemente lograda pelos nobres estudiosos das 'ciências da alma'. Como ocorre com qualquer terapêutica, tem os seus limites bem identificados, não sendo uma panaceia capaz de produzir milagres. Em grande número de casos, os seus resultados são excelentes, principalmente pela contribuição que oferece, na área das pesquisas sobre a reencarnação, entre os cientistas. Libera o paciente de muitos traumas e conflitos, propiciando a reconquista do equilíbrio psicológico, para a regularização dos erros pretéritos, sob outras condições. Mesmo aí, são exigidos muitos cuidados dos terapeutas, bem como conhecimento das Leis do Reencarnacionismo e da Obsessão, a fim de ser levado a bom termo o tratamento nesse campo. Outrossim, nesta, mais do que em outras terapias, a conduta moral do agente deve ser superior, de tal forma que não se venha a enredar com os consócios espirituais do seu paciente, ou que não perca uma pugna, num enfrentamento com os mesmos, que facilmente se interpõem no campo das evocações trazidas à baila... Ainda devemos considerar que cristalizações de longo período, no inconsciente, não podem ser arrancadas com algumas palavras e induções psicológicas de breve duração. Neste setor, além dos muitos cuidados exigíveis, o tempo é fator de alto significado, para os resultados salutares que se desejam alcançar.

"Inicialmente, em se considerando a intensidade da alienação de Aderson, com o seu total alheamento ao mundo objetivo, nada seria conseguido com essa terapia, em face da sua total ausência de respostas aos estímulos externos. Demais, se fora possível fazê-lo, numa fase menos grave, o seu reencontro com toda a gama de fatos danosos praticados produzir-lhe-ia tal horror que a demência o assaltaria da mesma forma. Desejando esquecer, não dispõe de forças para enfrentar-se e superar todos os prejuízos ocasionados às suas vítimas. Desta forma, o recurso que ora se lhe aplica, nesta Casa, embora haja outros, fará que, a pouco e pouco, retorne à lucidez, e, quiçá, ao interesse pela vida. Por fim, um recurso terapêutico com eficiência imediata somente resultaria positivo num paciente cujo mérito lhe facultasse a recuperação, porque os fatores que geram a enfermidade, na condição de regularizadores das dívidas, não podem ficar esquecidos, quando da reconquista da saúde por parte de quem os sofre. Isto ocorre em todos os campos da vida, exceto quando a misericórdia de acréscimo funciona, liberando o ser de uma forma de provação, para que outro recurso regenerador, pela ação do bem praticado, seja posto em campo. A verdade é que a dívida se torna o sinal de identificação de quem delinque, esperando a justa regularização. Até esse momento, auxiliemos conforme nos esteja ao alcance."

Aderson foi reconduzido ao lugar onde se encontrava anteriormente, e os rituais chegaram ao fim, encerrando-se a reunião, após ligeira mensagem da entidade diretora do núcleo, carregada de otimismo, esperança e estímulos à vida correta e sadia.

Eram duas horas da manhã quando os cantos e tambores silenciaram, propiciando às pessoas o retorno aos lares.

Para nós era um breve intervalo, que precedia a mais demoradas cogitações.

8 – A grandeza da renúncia

Quando acuramos o senso de observação e aprendemos a discernir, encontramos em toda parte lições vivas para serem incorporadas à nossa reflexão, tornando-se-nos patrimônio iluminativo de alta magnitude.

Assim, os convites da vida são para a união, a solidariedade, a compreensão, enquanto os caprichos do egoísmo impelem à divisão, ao partidarismo, à sujeição aos rótulos e formalismos de linguagem, distantes, às vezes, da ação que se empreende.

O amor é de essência universal, penetrando em tudo e a todos vitalizando, em face da sua procedência divina.

Naquele desfilar de sofrimentos diferentes havia a mesma tônica centrada numa gênese única: a ação malfazeja do passado produzindo os atuais efeitos afligentes. O culto à personalidade, a sobre-estima, a fatuidade, a ambição desmedida, filhos diretos do egocentrismo, são cânceres da alma que o sofrimento faz drenar até o desaparecimento total dos seus tentáculos de longo alcance, abrindo espaço para que se instalem os sentimentos da fraternidade, do auxílio recíproco, do perdão indiscriminado, decorrentes do amor que os vivifica.

Quantas vezes visitamos grupos e sociedades pomposos, nos quais se exibem os campeões do verbo orientador e da conduta vazia de ações que lhes subsidiem as palavras! Acompanhamos muitos homens de cérebro incendiado pelo ideal nobre e mãos desocupadas apontando erros e necessidades; muitas mentes iluminadas pelo conhecimento, e sentimentos frios, na escuridão da impiedade e do desprezo aos menos dotados ou mais ignorantes; muitos orientadores estribando-se em técnicas revolucionárias, sem a verdadeira compreensão das necessidades alheias, dos limites dos demais. Naquele recinto, onde havia escassez de conhecimentos, sobejava a ação da bondade.

Não que o conhecimento seja fator de inércia ou soberba, de mesquinhez ou fatuidade. Ele é claridade que deve derruir a ignorância, começando em quem o conduz, e é sombra que se disfarça com certas excrescências morais que atestam a pequena evolução real do ser. A cultura tem a finalidade de dilatar o campo de compreensão do homem, concedendo-lhe mais clara visão da vida, antes que intoxicá-lo de informações que nem a ele próprio aproveitam. São diferentes, o homem culto do sábio, pela simples razão de que o primeiro armazena conhecimentos e o outro vive-os de forma edificante, promovendo aqueles que o cercam.

Asas da evolução, o conhecimento e o amor constituem a força da sabedoria que liberta a criatura.

Terminados os labores na face material da Casa e após entregar o médium, que recobrara a normalidade, à genitora e aos amigos espirituais que o acompanhariam ao lar, a sábia mentora veio ter conosco.

Depois de saudar-nos, utilizando-se de linguagem diferente daquela em que se expressara pela psicofonia, foi-nos apresentada pelo Dr. Bezerra.

— Esta é nossa irmã Emerenciana — referiu-se o benfeitor — cujo trabalho de caridade acompanhamos com interesse, no curso das horas passadas.

Após as palavras agradáveis que permutamos, o amigo aduziu:

— O irmão Miranda vem a esta Casa, a convite nosso, acompanhando o caso Carlos, cuja mãezinha foi bondosamente atendida pela cara irmã. Estudioso dos fenômenos mediúnicos e das alienações por obsessão, está reunindo valiosos

A grandeza da renúncia

apontamentos nesta noite, que lhe serão de grande utilidade futura.

"Quando as circunstâncias o permitirem, pediríamos à nobre amiga que lhe elucidasse, sinteticamente, a razão por que opera neste recinto, apresentando-se com as características dos ancestrais africanos."

A gentil senhora, que agora me parecia haver desencarnado na faixa dos cinquenta anos, com muita boa vontade anuiu fazê-lo, naquele mesmo instante, tão logo apresentasse algumas orientações aos demais vigilantes e plantonistas, que ali permaneciam atendendo os Espíritos recolhidos para socorros especiais.

Sem qualquer dramatização, dando naturalidade à entonação da voz, explicou-nos:

— Iniciemos, no século XVII, na Europa, especialmente na gloriosa Dinamarca luterana governada por Cristiano IV, no auge da *Guerra dos Trinta Anos*, antes de ser vencida pelos exércitos de Fernando II. As lutas que se travaram dois anos antes foram sangrentas e impiedosas, ceifando as vidas de quantos, aparentemente, mantinham as crenças ancestrais a Odin, nas zonas rurais empestadas pela ignorância, conforme então acreditávamos, ou desforçando-se injustificado rancor nos adversários que tombavam sob as nossas forças guerreiras. Temidas pela impiedade, nossas tropas espalhavam o horror, havendo antes subjugado os povos vizinhos, que o tempo e novas lutas se encarregariam de libertar ao preço cruel dos lares enlutados, das crianças órfãs, da viuvez e da miséria que se alastrava num, como nos outros lados da beligerância.

"Viúva de guerra, cujo esposo fora morto em batalha inglória, usufruindo as extravagâncias da nobreza, estimulei o filho único, de vinte anos, a vingar o pai e a defender a pátria ameaçada. Meu Valdemar, orgulhoso da raça e dos nossos ancestrais, partiu para o campo de confrontos, em Lutier, e, sem experiência, tombou prisioneiro, sendo vilmente assassinado. Com a paz firmada em Lübeck, em 1629, ficaram os ódios em sangrentas feridas abertas. Antes, as arruaças e carnificinas religiosas dementavam as pessoas, vítimas das tramas políticas acobertadas por manifestações de fé irracional, nas quais também me vi envolvida, infelizmente, cometendo arbitrariedades indignas da minha condição de mulher e de representante das altas posições desfrutadas. A saudade do esposo e a terrível dor moral pela perda do filho único levaram-me com o tempo a mergulhar no desconforto da apatia, igualmente pelo efeito de ver a pátria e os concidadãos humilhados... A morte generosa tomou-me do corpo alquebrado e fui amparada pelo esposo digno, que já tomara conhecimento da realidade espiritual. Juntos, buscamos o filho, que então enlouquecera de dor e de revolta com outras vítimas da insensatez guerreira..."

A narradora calou-se, por um pouco, reunindo recordações dolorosas, e prosseguiu:

— Foram gastos vários decênios para trazer à paz o querido Valdemar. Informados da necessidade da reencarnação e dos perigos de renascer na antiga pátria, em razão das contínuas guerras de anexação e separação de povos e províncias, foi--nos acenada a oportunidade de recomeçar em terras da África sofrida, onde o eito da escravidão nos serviria de educandário moral, liberando-nos dos vãos orgulhos de raça, tradição, cultura e poder.

"Anuímos à oferenda, tomados por esperanças de futura felicidade. Que é uma existência corporal e quanto dura no relógio do tempo sem-fim?!

"Desse modo, mergulhamos, no último quartel daquele século, nas sombras do corpo, primeiramente meu esposo, eu lhe seguindo empós, a fim de nos prepararmos para receber o filho e guiá-lo com a lição da obediência sob a luz do amor, montanha redentora acima. Fomos conduzidos ao reino de Ioruba, cuja cultura socioantropológica era mais adiantada que a de outros povos daquelas costas africanas. Estava, porém,

A grandeza da renúncia

escrito, no livro dos nossos destinos, que a aprendizagem seria longa, difícil e mais dolorosa do que pensávamos. Ainda jovens, fomos apanhados por caçadores de negros, que venceram nossa *nação*, surpreendida e sem defesa; fomos enviados num navio negreiro para o Brasil e vendidos nas terras bonançosas da Bahia, onde aportamos, a fim de iniciar a era da nossa restauração espiritual.

"Haverá palavras que definam o que se sofre sob as tenazes da escravidão, desde a brusca separação da terra amada, das pessoas queridas, à viagem sem retorno, sem pão, sem água, sem ar, sem espaço, num sórdido navio, onde as pestes e a morte consumiam vidas que aparentemente valiam menos que a de animais detestáveis? Quantos corpos ali se decompunham, e quantas vidas misturadas a todas as abjeções, excrementos e roedores esfaimados que as enlouqueciam e *hebetavam*! Somente o *destino*, que estava reservado aos que sobrevivessem, às vezes pior do que a morte ali mesmo, responde pelas criaturas, como nós, e milhares de outras, que não perecemos.

"Dealbava o século XVIII, quando nos unimos, o companheiro e eu, na senzala da fazenda, sob o culto dos antepassados da raça que nos vestia a alma, para darmos prosseguimento aos processos redentores. Posteriormente, renasceu o ser anelado, sob o estigma de grande deformação decorrente dos exageros perpetrados na guerra, antes de ser feito prisioneiro... Aqueles eram dias de conduta semibárbara e a piedade era quase desconhecida pelos homens. A força irracional era um direito de livre exercício que dominava em quase toda parte. A vida do vencido, do escravo, do pobre fazia-se de pequena monta. Idosos, mutilados e enfermos sem recursos pecuniários, ou sem os títulos da fantasia humana, eram rebotalhos esfaimados que pesavam negativamente na economia social. Este conceito permitia que ficassem desprezados, sob ódios anormais, e, quando a morte recolhia alguém deles, havia júbilo nos sobreviventes, que assim se liberavam da preocupação. Quando havia ocorrência de escravos portadores de mutilações ou impedimentos para o trabalho, mandavam matá-los, sem qualquer consideração ou misericórdia. Nosso filho, não obstante fosse poupado, experimentou, desde cedo, a chalaça e o opróbrio gerais, inclusive de outros vencidos, que o detestavam... Sem que houvesse superado as reminiscências do antigo poder, amargava o cativeiro e a limitação sob hodienta revolta. Aos vinte anos, por motivo insignificante, rebelou-se contra o feitor, agredindo-o e vindo a pagar com a vida, no tronco, depois de sofrer chibatadas que lhe dilaceraram as carnes. Vimo-lo morrer à míngua, a cada minuto, ao sol, aberto em chagas. O pobre estorcegava na agonia, clamando por vingança, já que não havia, no mundo, justiça em favor dos desgraçados..."

As evocações levaram-na à revivescência dos acontecimentos e vimos lágrimas perolarem-lhe os olhos meigos.

— Desculpem-me os amigos — procurou justificar a emoção — pelo ligeiro descontrole. Não é autopiedade, mas comiseração por aqueles que ainda hoje se comprazem no crime legal; que se escondem sob a proteção de leis injustas e habilmente escamoteadoras da verdade; pelos infortunados geradores ou mantenedores da miséria sociomoral, socioeconômica e socioespiritual da criatura humana, sua irmã, portadora dos mesmos direitos que a vida a todos concede e nunca ou raramente são considerados... Eles estão anestesiados e despertarão para largos anos de amargura sem conforto e dores lancinantes sem consolo...

Eu que lhe atribuíra a emotividade ao recordar-se das pungentes aflições que a visitaram então, surpreendi-me com a sua conotação inesperada, conforme prosseguiu, explicando:

— Bendizemos a Deus, Venceslau, o companheiro de largas experiências humanas, e eu, pelos sucessos passados, que nos ensinaram submissão e esperança. Àquela época, nas tradições dos iorubas, o culto aos mortos e às

A grandeza da renúncia

deidades eternas era natural, ao qual nos acostumáramos, encontrando nele consolo para a desdita e esperança para o desalento. Por intermédio dos benfeitores soubemos que o filho desnorteado se encontrava sob a tutela de *Encantados*, na área do mal, conforme ali se conceituavam, genericamente, as entidades que trabalham, cooperam e constituem as forças vivas da Natureza, conhecidas milenarmente por várias designações... Preparavam-no para a vingança organizada, que se tramava nas regiões em que se homiziavam... Redobramos oferendas a esses seres mais impiedosos, que se supunham criados eternamente para o mal, a fim de que liberassem o infeliz, sem que viéssemos a conseguir qualquer resultado positivo.

"Os anos se dobaram lentos e carregados de mais penosas angústias, quando fui separada do esposo para acompanhar uma das sinhazinhas que se casara, passando a residir em Pernambuco, para onde nos transferimos, continuando a servi-la e a atender os seus filhinhos que foram chegando, neles amando os amores que me haviam sido arrancados da alma. Quando os crepes da morte me envolveram o corpo, eu havia aprendido um pouco mais a respeito do dever antes que do prazer, e sobre a afetividade sem as amarras caprichosas do egoísmo. Venceslau retornara antes, sem que eu o soubesse, e, novamente, aguardou-me...

"Volvemos à busca do filho, desavisado e enlouquecido, lutando muito e muito trabalhando pelo bem de todos, de outros agrilhoados ao processo redentor, que se debatiam nas procelas da selvagem desesperação."

A amiga espiritual fez uma interrupção oportuna, a fim de alcançar o clímax das suas recordações, prosseguindo pausadamente:

— O século XIX ainda se encontrava envolto nas sombras da ignorância a respeito dos "direitos humanos", como ainda hoje se dá, em lamentáveis e descabidas situações entre os chamados *povos livres* e por parte dos homens ditos *civilizados*. Naquela época, eram piores as circunstâncias, e o clima moral vivia saturado de contínuas injustiças, fragmentações de valores, enfim, de perversidades.

"Retornamos, então, ao proscênio terrestre, os esposos elegendo a submissão escrava, espontaneamente, de modo a auxiliar o filho, que a ela volveria por impositivo provacional compulsório.

"Desnecessário minudenciar acontecimentos, porquanto, a resignação nos amparava, ao casal, acrisolando-nos os sentimentos, o mesmo não acontecendo com Valdemar, identificado com as forças malfazejas a que nos referimos; por elas telecomandado, tornou-se um rebelde instigador da formação de um *quilombo*, não para refúgio, senão para vinganças e arbitrariedades mais ferozes do que as que pretendia combater. Submisso a esses seres espirituais do mais baixo teor vibratório, volveu aos instintos primários, atingindo índices surpreendentes de selvageria... Abatido, anos mais tarde, caiu nos abismos de sombra e degradação espiritual inimaginável, às quais se vinculava.

"Novamente a roda da Vida nos recambiou à Espiritualidade, e demo-nos conta de que só um ato nosso de amor extremo, feito de renúncia total, poderia ajudar o filho consumido pelo superlativo ódio.

"Já proliferavam, em abundância, no Brasil, também por pessoas de epiderme branca, os cultos fetichistas e outros, mantendo-se intercâmbio vigoroso com os desencarnados. Embora as luzes do *Consolador* já houvessem alcançado as mentes brasileiras, libertando-as com a renovação moral, com o estudo e a prática do bem, verdadeiras multidões, em razão do atavismo decorrente da prática de outro credo religioso, logravam mais identificação com as seitas e cultos do sincretismo afro-brasileiro, nos quais hauriam forças para as lutas e fé para a vida... Apesar de proliferarem as seitas afeiçoadas ao mal, cultivadoras da vingança e do desconcerto

A grandeza da renúncia

moral, outras, entretanto, se dedicaram ao bem e à ordem, ao amor e à caridade, utilizando-se de práticas equivalentes, embora tivessem conteúdos diferentes...

"Não é de causar estranheza o fenômeno em tela, no sincretismo religioso do Brasil, quando nações supercivilizadas, na Europa e na América do Norte, multiplicam igrejas e agremiações para cultuar os demônios, que não passam de Espíritos embrutecidos e vingadores que se auto-hipnotizaram, tomando, ilusoriamente, nas mãos, a adaga do que chamam justiça, para intentar-lhe a aplicação arbitrária e apaixonada, esquecidos da Justiça que funciona com equidade e sabedoria, reeducando e corrigindo, em vez de punir, seviciar e desgraçar... Naqueles países, esses seres assumem personificações demoníacas, diabólicas, conforme se denominam, enquanto nos cultos afro-brasileiros fazem-se conhecer por *Exus* e outras designações, que em nada alteram a sua louca realidade..."

A mentora silenciou, circunvagou o olhar pelo recinto onde notávamos entidades diversas, algumas de aparência grotesca e extravagante, e outras, sofredoras de várias nuances morais, perturbadoras e ociosas, sob controle que ignoravam, e adiu:

— A hipnose, a auto-hipnose por fixação degenerativa, funcionam em larga escala, em ambas as faixas vibratórias da vida: no corpo ou fora dele. Em nossa esfera de ação com muito maior intensidade, em razão dos processos mentais de sintonia e identificação moral entre os despojados do corpo somático. Aí estão, diante dos nossos olhos, muitos infelizes irmãos assumindo personificações mitológicas ridículas, por auto-hipnose; número largo, crendo-se seres de exceção na ordem universal, por efeito de autossugestão demorada, desde a Terra, quando se permitiam construções mentais nesse campo; outros, ainda, vitimados por zoantropias de diferentes procedências e, por fim, aqueles que se *reconstruíram* ideoplasticamente, incorporando os desvarios de poderes mentirosos, que se atribuem possuir, seja como orixás, na eterna

Loucura e obsessão

ação protetora da Natureza e dos homens, seja na de *Exus*, supostamente criados para o mal, dotados de força para tal execução, afundando-se cada vez mais no desgoverno, até o momento em que funcionem as Leis de Correção e Reequilíbrio que existem no Cosmo... A questão é muitíssimo mais complexa; no entanto, detenhamo-nos aqui, a esse respeito.

"O querido Valdemar, caindo sempre e intoxicando-se de vibrações deletérias, perdeu-se, por algum tempo, sendo recolhido pelos anteriores comparsas que o hipnotizaram e o adestraram em técnicas de obsessão, de vampirismo, de exploração de outros Espíritos, e principalmente dos homens... Tomou, desse modo, a personificação parasitária de uma deidade maléfica, que se autointitulou *Exu*, com especialidade de ação em determinado campo de sua preferência. Impôs-se a postura de dominador, conforme acontece com outros, da mesma vibração, e submeteu mentes ignorantes e primitivas à sua governança espiritual, recebendo homenagens e oferendas com que se comprazia e nutria...

"Seguindo o exemplo de outras mães, cujos filhos se empederniram na impiedade e se aliaram às forças do mal, que temporariamente influem na Terra, em decorrência do primarismo que nela ainda existe, ofereci-me para trabalhar nesta área, atuando em favor do bem e do esclarecimento das criaturas, acercando-me da querida 'ovelha desgarrada'. Já se vão alguns decênios dedicados ao mister, que resultou positivo. Atendendo aqueles que padeciam do meu filho a exploração psíquica, a subserviência moral e a perseguição tenaz, ele veio para um confronto de forças, que recusei, prosseguindo no bem, enquanto ele se exasperou, impossibilitado de erguer barreiras ao serviço que lhe tomava as vítimas, lenta, mas vigorosamente... Passou a vir ao lugar onde iniciei o ministério e depois a esta Casa, engendrando os mais covardes expedientes para bloquear-nos o trabalho, sem que lograsse os resultados desejados. Impossibilitado de alcançar-me, pôs cerco rude ao médium que, advertido, resistiu, pacificamente, às

A grandeza da renúncia

provações propostas e às induções vis, terminando por ameaçar invadir-nos o núcleo e conduzir à loucura os seus membros. Chegara a oportunidade por que eu anelava.

"Venceslau havia retornado à Terra e o acompanhávamos com enternecimento, a fim de um dia ser-lhe encaminhado o filho, hoje em circunstância diferente.

"Destarte, aceitamos o repto do desespero e o enfrentamos com a sua horda de mandriões e infelizes. Vendo-me a sós, com Jesus Cristo, naturalmente, no coração, zombou e se constrangeu. Intentando uma pugna de vibrações maléficas que me não alcançavam, os sentimentos de mãe extravasaram do meu ser e arrebentaram-lhe as fixações do mal, fazendo-o render-se à esperança de paz e ao futuro de renovação...

"A debandada dos sequazes foi estrepitosa e desordenada. O amor recolheu-o e o internou em colônia donde procedemos, fazendo-lhe o tratamento por mais de três lustros. Hoje, o filhinho reencarnou-se com deficiência mental, junto ao antigo genitor aflito, que o traz aqui, por inspiração nossa, que lhes seguimos o passo, a fim de continuar na terapia da reabilitação.

"Concluído o objetivo primeiro a que me dedicava, embora a ação generalizada, estava afeiçoada ao ministério. Apesar de ter licença para atuar noutro tipo de atividade, é por gratidão às reencarnações nas quais adquirira compreensão da vida, lições de humildade e abnegação, havendo recolhido as bênçãos que a Misericórdia de Deus me concedeu, e, por fim, é em reconhecimento pelo resgate do meu filho que venho permanecendo, por espontânea eleição, no mesmo labor junto aos mais carentes e mais aflitos, na sua imensa ignorância, semeando, nas suas mentes desacostumadas às reflexões e aos raciocínios espirituais, as sementes da luz que lhes facultará o início da reformulação espiritual de que necessitam. É, portanto, o amor pelos sofredores, em forma de gratidão, que me mantém neste trabalho, ensejando-me, no anonimato, na humildade e na caridade sem alarde, palmilhar a senda da evolução por onde todos seguimos. Tudo muito simples, nada de mais.

"Aí tem, o amigo Miranda, uma síntese da experiência que eu tenho vivido, nos últimos quatrocentos anos, com aqueles afetos mais próximos do coração."

Pairava no recinto uma suave paz, que não me atrevia perturbar, embora desejasse formular muitas questões, que certamente não cabiam naquela circunstância.

Desse modo, aquietei as ansiedades, aguardando ocasião própria, que certamente ocorreria. Demais, necessitava de meditar, *digerir* as informações, evitando muitos ensinamentos sem haver absorvido integralmente aqueles primeiros que nos foram facultados.

Percebendo-me a interiorização, a irmã Emerenciana pediu licença e afastou-se para dar prosseguimento aos serviços, de que também participaríamos, logo mais...

9 – Novas luzes para a razão

Na sala reservada ao culto geral, agora encerrado para os companheiros encarnados, foram arrumadas cadeiras em frente a uma mesa para quatro pessoas.

A diretora Espiritual aproximou-se do móvel e convidou-nos, ao Dr. Bezerra, a mim e a um senhor de pouco mais de setenta anos, de aspecto venerando, que foi nominalmente designado como Felinto.

Sentamo-nos, e ela pediu ao respeitado Dr. Bezerra que proferisse uma oração introdutória, mediante a qual se iniciariam as novas atividades.

Sem fazer-se esperar, o mentor, com voz calma e cristalina, exorou proteção de Deus, rogando aos Prepostos espirituais que nos viessem em auxílio, amparando-nos com a claridade mental e a sabedoria para os fins necessários, durante aquela reunião.

Terminada a prece, singela e profunda, sem as preocupações da forma, a irmã Emerenciana expôs, em breves palavras:

— Como de hábito, quando encerrado o atendimento aos que vêm à consulta, fazem-se necessárias algumas providências como prosseguimento ao primeiro serviço prestado. Não desconhecemos que, nos casos de obsessão e vampirização espiritual, estamos lidando com personalidades desencarnadas psicopatas e portadoras de alta dose de insensibilidade emocional, que as tornam perversas, inclementes. Hoje teremos, como de outras vezes, que destacar alguns voluntários

Loucura e obsessão

do nosso grupo de trabalho socorrista, para dar assistência àqueles que nos parecem mais vulneráveis às agressões dos seus exploradores psíquicos. Desse modo, requisitamos ajuda para Carlos, Lício e Aderson, que prosseguirão recebendo-a, no esforço que empreenderão em favor da própria saúde. Todos sabemos que, reconhecendo-se descobertos, os agressores investem com súbita irrupção de violência, num tentame final de desforço ou como medida de apavoramento, impedindo que os pacientes retornem ao socorro de que necessitam.

Meu Deus! — pensei, emocionado — a argúcia de D. Emerenciana era superior ao que eu imaginara, porquanto, além da terapia curadora, não descuidara das providências preventivas, numa atitude de grande sabedoria.

Mas não me pude alongar em reflexões, porque ela prosseguiu:

— Agradecerei que me informem a respeito de qualquer ocorrência que pareça anormal ou inusitada, em relação aos nossos irmãos que, a partir de agora, passam a ser pupilos da nossa afetividade, sem desrespeito aos códigos legais que os surpreenderam, exigindo-lhes a regularização das suas infrações. A função dos assistentes, que os devem acompanhar, é de vigilantes, sem que tomem quaisquer providências precipitadas em seu favor. Devem inspirar-lhes alento e coragem, bom humor e pensamentos superiores, de modo que possam romper as ligações com os adversários aos quais se acostumaram.

Nomeando seis assistentes que se postavam na primeira fila, destacou-os, respectivamente dois a dois para cada necessitado.

Pude observar que se tratava de bons Espíritos, de mediana capacidade, igualmente vinculados às práticas da Casa, exteriorizando grande bondade e interesse vivo pelo trabalho para o qual haviam sido designados.

A ação do bem, naquele núcleo, era contínua, sem margem para a ociosidade perigosa. Muitos cooperadores espirituais se exercitavam no trabalho da solidariedade, adquirindo os valores positivos que os elevariam, liberando-os da canga dos instintos primários. Essa luta é de todo momento, que deve ser empreendida com o esforço contínuo de autossuperação e de dedicação ao próximo. A estrada da redenção começa na primeira chispa que ilumina a ignorância de cada ser e prossegue na oportunidade de estendê-la ao próximo menos esclarecido que se encontra ao lado.

Nesse instante, a mensageira tornou a falar:

— A nossa Casa prossegue sendo a escola-oficina de educação e ação para todos nós. Aqui descobrimos a necessidade de crescimento e de libertação dos costumes primitivos, exercitando novos hábitos evolutivos com visitas ao futuro feliz.

"Jesus nos ensinou que Deus é 'Espírito e como Espírito devemos adorá-lo'. Apesar de a libertação ser fenômeno de conquista demorada em razão dos muitos milênios em que nos temos retido no primarismo, já nos é possível compreender que muitas das práticas às quais nos aferramos são de valor secundário, porque vivemos em campo de vibrações onde a mente é mais poderosa do que qualquer coisa ou ritual, que apenas têm a finalidade de servir de ímã que atrai a atenção, de motivo para a fixação do pensamento.

"Diante do atraso e do materialismo em que muitos dentre nós teimam em reter-se, as ocorrências de absorção das forças vivas das oferendas permanecem em preponderância, exigindo contínua *alimentação*, quando já é possível superar tal *necessidade*, direcionando corretamente o pensamento em sentido superior. No começo sempre há estranheza, para depois adaptação. Do contrário, a diferença entre os *protetores* e os exploradores espirituais das criaturas humanas será pequena, dando margem para que as paixões mais fortes irrompam, quando os primeiros se sintam ou se creiam desprestigiados ou não homenageados como é do paladar da presunção e da ignorância. Tal fato acontece amiúde em nossas fileiras, senão em nossa

Casa, noutras de ação semelhante. Há *protetores* que, à força das paixões de que não se libertaram, transformam-se em exploradores dos seus médiuns, a quem subjugam, ou daqueles que lhes buscam auxílio, *cobrando-lhes* dependência e submissão. Com o tempo, esquecem-se da necessidade de evoluir, satisfazendo-se com a situação em que se encontram, renteando com os impulsos primeiros e sem coragem de transferir-se para os degraus superiores da vida. Realizam as tarefas mais brutais, sem dar-se conta dos recursos que podem ser aplicados com mais eficientes resultados.

"O arado de tração humana e animal foi substituído com excelentes vantagens pelo de força elétrica. Se é verdade que, em muitos lugares, ainda o primitivo é utilizado, isto ocorre por absoluta falta de recurso para a necessária substituição. Em nossa área de ação, o recurso para a substituição dos instrumentos é a vontade pessoal, com a consequente aceitação da Lei do Progresso que a todos propele para o superior e para a liberdade. Os nossos meios de auxílio não podem ser semelhantes aos métodos de destruição de que os maus, em deplorável estado de perturbação e *materialidade*, se utilizam. O fogo não se apaga com o fogo. Como é verdade que 'o semelhante com o semelhante cura', na área da terapia homeopática, o nosso *semelhante*, aplicado na doença de que padecem as criaturas, é a movimentação daquelas forças, utilizando energias mais sutis, tanto mais poderosas. Deus é, para nós, a Força Total e Criadora da Vida, que nos permite entender a grandeza da sua obra, lentamente, crescendo em mente e amor."

O silêncio, no auditório, era geral. Dei-me conta de que a sala recebia umas sessenta entidades desencarnadas que ali operavam. Eram silvícolas brasileiros, antigos ex-escravos e anteriores praticantes do culto afro no Brasil. A mentora, ao largo do tempo, assim fazendo, libertava-os das práticas ancestrais ainda predominantes.

Novas luzes para a razão

Dando curso às explicações oportunas, acrescentou:

— Saímos do eito da escravidão com imenso reconhecimento às provas redentoras que nos lapidaram as arestas... Evocamos aquele período com emoção e júbilo, preferindo conservar os caracteres daquelas benditas oportunidades aos de quando delinquimos. É justo que assim se dê, o que não implica que se nos faça indispensável assim prosseguir. Como não aceitamos o preconceito contra o homem negro ou índio, é injustificável a mesma infeliz atitude contra o branco. Não foi a cor da pele que nos levou ao delito, mas sim o atraso moral que nos caracterizava, naquela experiência carnal. Tanto é verdade que, embora não hajamos adquirido o sentimento do amor pleno, naquelas sociedades, conseguimos reunir outros valores que nos são úteis, auxiliando-nos na melhor maneira de aplicar a afetividade, para que não erremos por partidarismo e precipitação, em face da ignorância dos desígnios divinos.

"A morte, que nos libertou da escravidão física, que nos foi imposta pelas sociedades injustas, não nos faculta prosseguir na mesma condição, em espírito. Alegram-se, muitos companheiros nossos, pelo carinho que lhes oferecem os beneficiários de sua ação amiga, chamando-os *caboclos*, *pai*, *mãe*, *preta* ou *preto velho*... É muito agradável, no entanto discriminatório em relação aos nobres mentores da Humanidade, a quem ninguém designa com essas formas de retenção em lembranças do passado. Todos somos a soma das experiências adquiridas numa como noutra condição, em países diferentes e grupos sociais nos quais estagiamos ao longo dos milênios que nos pesam sobre os ombros. Outrossim, constituímos um grupo de companheiros de jornada e não mais escravos coagidos ao serviço, como supõem erradamente muitos clientes encarnados que buscam nossos recursos. Trabalhamos por amor ao próximo e também a nós mesmos, por necessidade evolutiva, e o fazemos espontaneamente, por consciência do dever mais elevado. Há quem, na sua ignorância presunçosa, nos exija a

Loucura e obsessão

presença e nos dê ordens expressas, atado à antiga dominação de senhor, de que não se libertou, e, por isso, continua a ver-nos sob a sua implacável sujeição. É um erro, que nos cumpre corrigir com bondade, porém, com decisão, auxiliando-o a crescer para a igualdade, para a fraternidade e para a compreensão da verdade.

"Como não nos devemos envergonhar das nossas existências mais humildes e, portanto, mais proveitosas, delas nos não devemos orgulhar tampouco.

"Toda transição é demorada; apesar disso, devemos esforçar-nos para vencê-la no mais curto prazo possível. Deste modo, avancemos. Cada passo dado, nesse sentido, é terreno, à frente, conquistado.

"Antes de concluirmos a nossa reunião, apresentamos o irmão Miranda, que nos visita por primeira vez e a quem pedimos proferir a oração de encerramento."

Colhido pelo inesperado, sopitei a emoção que me assaltou e atendi à gentil solicitação com os fracos recursos de que dispunha no momento.

A seguir, os cooperadores da Casa acorreram, pedindo à irmã Emerenciana orientações particulares para os seus compromissos e outras diretrizes para a manutenção das tarefas ali.

O amigo Felinto permaneceu conosco em palestra edificante. O mentor informou-me que ele supervisionava, na Casa, as tarefas da chamada *magia branca* aplicada em favor das que eram vítimas das práticas fetichistas que para ali acorriam, rogando que fossem desmanchados os *trabalhos da magia negra*.

Era a oportunidade de endereçar-lhe algumas questões e Dr. Bezerra, ao apresentá-lo a mim, favorecia-me com o ensejo.

Porque Felinto permanecesse à espera de alguma indagação, que previa lhe seria feita, questionei:

Novas luzes para a razão

— A ação dos feitiços é real, conforme se apregoa em diversas áreas das crenças e seitas religiosas, como das ciências socioantropológicas? E se tal ocorre, como fica a questão do determinismo, desde que homens e Espíritos maus, com práticas de tal porte, alteram o destino das criaturas?

— A magia — respondeu sem afetação — é uma ciência-arte tão antiga quanto as primeiras conquistas culturais do homem. Reservada à intimidade dos santuários da antiguidade oriental, é o uso do magnetismo, que começava a ser descoberto, da hipnose e do intercâmbio mediúnico, que os próprios imortais desencarnados propiciaram aos homens. A superlativa ignorância das leis vestiu essas práticas de rituais e fórmulas ensinadas pelos Espíritos, a maioria deles constituída de presunçosos e prepotentes, que se acreditavam deuses, exigindo sacrifícios humanos, animais, vegetais, conforme o processo da evolução de cada povo... Conhecendo, pelo estudo e pela repetição das experiências, a exteriorização magnética das chamadas "forças vivas" da Natureza e dos seres, manipulavam-nas com grande aparato, para impressionar, colhendo alguns resultados, que projetavam os sacerdotes e quantos as praticavam. Pela mesma forma, percebeu-se que a aplicação de tais recursos podia ajudar ou entorpecer as criaturas, promovendo-as ou perturbando-as, daí nascendo as duas correntes referidas. Os mesmos Espíritos, em toda parte, ensinaram aos seus familiares e afetos que ficaram na Terra, com as variações compreensíveis, em concordância com os níveis culturais e sociais, os referidos valores que, pela sua complexidade, passaram a constituir suas crenças, seitas e cultos religiosos.

"Todos vivemos dentro dos limites ou larguezas que as nossas conquistas evolutivas nos facultam. Assinalados mais pelas necessidades do que pelas realizações superiores, possuímos disposições naturais para mais fácil sintonia com as forças primárias e violentas. A maioria das criaturas ainda reage mais a uma ação negativa com a qual facilmente sintoniza, do que com um gesto, um ato sutil de afetividade, de gentileza. Disso decorre que nas práticas da *magia negra* sempre há aqueles que se fazem receptivos às mesmas. *Consciência de culpa* inata, insegurança emocional, desajustes temperamentais, invigilância moral, insatisfação pessoal, ociosidade mental, conduta irregular, e, além desses fatores, os débitos passados constituem campo vibratório propício à sintonia com as induções mentais dos maus — telepatia e telementalização perniciosas —, assim como as ondas da magnetização de objetos ofertados para as práticas nefastas — imantações fluídicas — e, por fim, afinidade vibratória com os Espíritos perversos e com os *Encantados* que se deixam utilizar, na sua ignorância, para estes fins ignóbeis como para os de ordem elevada.

"Na cultura religiosa do passado e do presente encontraremos esses seres sob a denominação de *devas, elementais, fadas, gênios, silfos, elfos, djins, faunos...* A senhora Helena Blavatsky fez uma exaustiva pesquisa a tal respeito e os classificou largamente. Os cabalistas também classificaram os elementais mais evoluídos, encarregados do Ar, da Terra, do Fogo e da Água, respectivamente, *Gnomos, Sílfides,* S*alamandras* e *Ondinas...* Referimo-nos a essas anotações, para demonstrar como o assunto prossegue em discussão e pesquisa valiosas.[3]

"Não atribuindo a esses seres um critério excepcional na ordem da Criação, sabemos que estão em trânsito evolutivo, mediante as reencarnações entre o psiquismo do *Primata homini* e o *Homo sapiens,* ainda destituídos de discernimento, *ingênuos* e *simples* na sua estrutura espiritual íntima e que são utilizados pelos Espíritos, encarnados ou não, para uma ou outra atividade, conforme nos tem demonstrado a experiência neste campo. Ademais,

---

[3] Nota do autor espiritual: Vide, em *O livro dos espíritos*, de Allan Kardec. Questões 525 a 540.

Novas luzes para a razão

Entidades que se atribuem valores que não possuem, chegando às raias da autofascinação, assumem a personificação de certas deidades, atirando-se, embriagadas de presunção, em tais misteres. Outrossim, há Espíritos que se estorcegam em *necessidades materiais* a que se fixam e se tornam instrumento desse comércio infeliz, mediante perseguições e vampirizações inimagináveis para os que não conhecem este ângulo da vida.

"Seja dito, de imediato, que acima de tudo e, mesmo comandando todas as ações, está o amor de Nosso Pai, sempre vigilante, a superintender todas as coisas, já que 'não cai uma folha da árvore senão graças à sua vontade'."

O amigo fez uma pausa oportuna, logo adindo:

— O determinismo não é absoluto, em face dos recursos do livre-arbítrio que está sempre alterando o destino e os rumos da vida. O renascimento, algumas ocorrências e a desencarnação constituem fatalismo durante cada existência corporal. Pode ser até que se encontre estabelecido o modo pelo qual deve ocorrer a desencarnação do homem. Apesar disso, a invigilância, a precipitação, o mau gênio podem levá-lo a um suicídio, que não estava programado, a um acidente fatal, que a sua incúria provocou, ou, no sentido inverso, a conduta moral e psíquica equilibrada, sadia, ativa no bem, pode alterar-lhe completamente, na forma e no tempo, o ato desencarnatório. Concluímos, portanto, que a ocorrência nefasta, obsessiva, perturbadora, se dará ou não, conforme a receptividade do indivíduo. Não há dúvida, porém, de que, seja qual for o resultado da ação de quem a encaminhou para o mal, ocorrerá o "choque de retorno", isto é, volve ao agente o efeito da sua realização...

— Se me permite — voltei a indagar —, como atua o amigo para desmanchar o que chamaríamos de *feitiço* ou *magia negra*?

Loucura e obsessão

— Conhecendo as *Leis dos Fluidos*, podemos, de algum modo, manipulá-los, conforme a sua constituição. Utilizamo-nos de alguns recursos e materiais que foram objeto da magnetização para atrair os Espíritos, que se lhes imantaram, e os defendem, usurpando-lhe energias, em caso de alimentos e plantas, liberando-os da escravidão a que se atêm, inclusive, quando das grosseiras e macabras absorções de energia animal... Embora não recorramos a expediente idêntico no último caso, aplicamos forças fluídicas que os desconcertam emocionalmente, mudando neles a dependência da *forma alimentar* a que se subordinam, para outras expressões fomentadoras de vida, conhecidas por todos nós... No passo seguinte, retemo-los em barreiras magnéticas e passamos à fase da doutrinação, do esclarecimento, pois que o nosso objetivo é a libertação espiritual do ser, não a mudança de lugar ou de forma, mantendo-o aprisionado... Por fim, temos em mente os impositivos do mérito ou do demérito de cada paciente, auxiliando-o, também, no seu processo de crescimento espiritual.

"Conhecemos, também, as técnicas de desobsessão de alta eficiência, que são aplicadas nas instituições espíritas e que constituem um passo avançado na terapêutica de socorro aos sofredores de ambos os lados da vida...

"Dia vem e já se apresenta em suave amanhecer, no qual Espíritos e homens, esclarecidos da realidade, compreenderão melhor a finalidade da vida, emergindo do barbarismo para a civilização, da violência para a bondade, em todos os campos comportamentais, não mais se fazendo necessários os cultos e práticas ainda em voga, por se haverem, Espíritos e homens, erguido à compreensão e certeza de que só pelo amor e pela educação se poderá fruir da felicidade real."

O irmão Felinto estava emocionado, quanto nós outros. Na sua visão do futuro melhor ele antecipava a hora de harmonia entre os homens. Para tanto, trabalhava naquele celeiro

Novas luzes para a razão

de bênçãos espirituais, qual construtor que pede às pedras do alicerce que o desculpem por submetê-las ao anonimato e ao esquecimento na base do solo, explicando-lhes, porém, que sem esse concurso o edifício jamais se ergueria na majestade com que foi projetado.

Com gratidão, num sentimento espontâneo, que uni ao gesto, abracei-o, fraternalmente, emulando-o ao prosseguimento do seu ministério de abnegação e de caridade.

Aquela noite-madrugada brindava-me com inesperadas luzes para a razão e o comportamento, deixando-me exultante.

A irmã Emerenciana veio ter conosco, por alguns instantes, quando o mentor recordou-me de que o dia chegava e era necessário seguir adiante, informando que voltaríamos, mais tarde, à noite, para o prosseguimento dos compromissos.

10 – Apontamentos adicionais

Enquanto nos dirigíamos às atividades habituais, o bondoso Dr. Bezerra, percebendo-me as cogitações íntimas, considerava:

— A viagem evolutiva recorda-nos uma estrada quilometrada com diversas vias secundárias que aumentam a distância em relação ao destino. Assinalada por vários sítios de descanso e espairecimento para a contemplação da paisagem, pode ser percorrida sem parada ou através de estágios... A meta será fatalmente alcançada, embora a cada viajante seja facultado fazê-lo com maior ou menor rapidez. Em cada fase do percurso é permitida a renovação de forças ou aumento de tensão emocional, que o interesse individual elege como de preferência. Os Espíritos, portanto, avançam, conforme as motivações que os estimulam. Como são inumeráveis estes, variadíssimos são os meios de que se utilizam para o crescimento, demorando-se, incontáveis, prazerosamente, nas faixas mais grosseiras do processo de desenvolvimento. Não cessam os socorros que lhes chegam, graças aos missionários do progresso que os visitam e estimulam, ensinando-lhes a valorizar os tesouros da vida que podem multiplicar em benefício próprio...

"A Revelação Espírita é alta concessão que chega ao homem moderno, auxiliando-o a apressar a marcha. Ainda não compreendida na sua grandeza intrínseca, é a mais alta expressão da verdade ao homem dirigida. Não obstante, são muitas as concessões de Deus, que constituem as diversas

Apontamentos adicionais

religiões, doutrinas de filosofia ético-moral, seitas e crenças, como não poderia deixar de ser. Uma coisa não invalida a outra. Quem alcança o planalto, de forma alguma pode desconsiderar a planície e o vale onde esteve e de onde saiu. Se é um homem sábio, envidará esforços para auxiliar os que por lá ainda transitam. Se, porém, a presunção o ensoberbece, não conseguiu outros valores éticos senão os que lhe granjearam a posição externa, a do corpo físico, sem a correspondente altura espiritual para entender o profundo significado da conquista realizada.

"Da mesma forma, não nos cabe subestimar o esforço nobre dos militantes nas diferentes escolas e igrejas do Espiritualismo, especialmente, naquelas em que o mediunismo realiza logros muito positivos com a comunicabilidade do Espírito, os esclarecimentos sobre a reencarnação e a Justiça de Deus apresentada mediante as 'Leis de Causa e Efeito'. É do nosso dever alfabetizar o ignorante, esclarecê-lo e auxiliá-lo no seu desenvolvimento intelecto-moral. Todavia, indo a ele, não é pedagógico nem proveitoso falar-lhe de coisas extraordinárias, embora verdadeiras, de forma que as não entenda, gerando antipatia e animosidade. Jesus veio ter com os homens e utilizou-se da linguagem deles, das expressões que lhes eram familiares e dos temas que os interessavam, apresentando 'o Reino de Deus' com tal psicologia de amor, que passou a suplantar as outras cogitações, vindo a tornar-se a questão mais palpitante, quando puderam entender a sua magnitude e perenidade.

"Nossos apontamentos causarão surpresa e até desagrado, senão acirrado combate e acusações descabidas, por parte de companheiros muito ortodoxos e que se consideram defensores da verdade, achando que sem eles e sua ação a verdade correria sérios perigos, não se dando conta de que tal atitude empresta aos que a defendem uma fragilidade e inconsistência muito graves. Queira-se ou não, os fatos são imbatíveis, e eles aí sucedem chamando a atenção e criando raízes. Ignorá-los, por presunção, não os anula. Faz-se necessário conhecê-los, penetrando na sua gênese e retirando deles o melhor, como preceituava o Apóstolo: 'Examinai tudo e retende o que é bom.'

"Nesta faixa da evolução, na qual transitam bilhões de Espíritos, todo o empenho deve ser dirigido no sentido de auxiliá-los, entendendo-lhes a situação e ajudando-os a crescer, conforme, por sua vez, fazem conosco os mentores da Humanidade."

O amigo silenciou por um pouco e aduziu:

— Enquanto se discutem técnicas de socorro, o auxílio chega atrasado. São tantos os sofrimentos que grassam e de tão variada gênese, que na falta de atendimento específico, toda contribuição que os minimiza e libera é de alto valor e muito proveitosa. Em nossa esfera de ação não ocorrem milagres, que os não existem, apenas porque a morte nos desvestiu do corpo de carne. Os hábitos e crenças arraigados permanecem, reunindo os indivíduos em grupos e ideologias afins, qual sucede na área dos idiomas, com aqueles que atravessam o portal da morte sem treino mental... A Sabedoria divina, a fim de a todos atender, permite que pululem os núcleos próprios aqui e na Terra, donde esses desencarnados têm dificuldade de afastar-se, graças à imantação que os liga ao planeta.

"A Casa que nos recebe, a partir de ontem, já realizou grandes conquistas, e avança logrando novos resultados felizes, que o tempo facultará a outros grupos, do mesmo ou de gênero diferente de atuação. Alegremo-nos por verificar que as sombras estão sendo batidas em toda parte e são incontáveis os operários da luz espalhando claridade."

Havia um leve sorriso na face respeitável do apóstolo da caridade, no Brasil.

Porque o momento nos parecesse oportuno, busquei concluir, mediante a sua palavra, reflexões acerca dos enunciados do irmão Felinto considerando:

Apontamentos adicionais

— O atraso moral das criaturas, na impossibilidade de enfrentar o próximo e prejudicá-lo diretamente, além do mal que supõe fazer, usando recursos ignóbeis na sociedade, leva-as a recorrer a expedientes tenebrosos, no campo do intercâmbio espiritual, com o comércio extravagante e perigoso com as entidades primitivas e perversas, ou buscarem glórias, soluções para problemas e amores, com o uso dos mesmos escusos processos. Caem, inevitavelmente, nas armadilhas que preparam para os outros, porquanto, homiziando-se psiquicamente com esses sequazes do mal, deles não se libertarão com facilidade, durante a vilegiatura carnal, e depois dela, quando lhes advier a desencarnação. Os vínculos com o crime atam os delinquentes no mesmo móvel de responsabilidade. Desde que há aqueles que se utilizam dessas práticas para tentarem prejudicar o seu próximo, como se podem defender as vítimas em potencial, que são quase todos os indivíduos, em razão de sempre haver quem deteste outrem, quem mantenha animosidade, por inveja, competição?...

— A inteireza moral — elucidou, paciente — é uma defesa para qualquer tipo de agressão, difícil de ser atingida; a conduta digna irradia forças contrárias às investidas perniciosas; o hábito da prece e da mentalização edificante aureola o ser de força repelente que dilui as energias de baixo teor vibratório; a prática do bem fortalece os centros vitais do perispírito que rechaça, mediante a exteriorização de suas *moléculas*, qualquer petardo portador de carga danosa; o conhecimento das Leis da Vida reveste o homem de paz, levando-o a pensar nas questões superiores sem campo de sintonia para com as ondas carregadas de paixão e vulgaridade...

— Isto quer significar — voltei a inquirir — que todos aqueles que não possuem esses requisitos estão sujeitos a sofrer esses trabalhos, que os alcançariam?

— Meu amigo — referiu-se, com jovialidade —, todos aqueles que se encontram em desalinho, em desatenção, estúrdios e frívolos, gozadores que exploram sem nada oferecer, os maus e viciados, nem necessitarão que se lhes intentem prejudicar, pois que já se encontram mergulhados no mal que cultivam, tornando-se receptivos aos fenômenos com os quais afinam...

"Recordo-me de que — insisti com amabilidade — em nossas reuniões mediúnicas, na Terra, apareciam, com certa frequência, Espíritos que se diziam mandados para prejudicar determinados companheiros, narrando a forma como foram *contratados* e o que haviam ganho para o cometimento, devendo receber a parte final, quando estivessem conhecidos os resultados danosos das suas empresas maléficas.

"Por diversas vezes, acompanhei a técnica utilizada pelo dirigente José Petitinga, que após dialogar no mesmo diapasão verbal, oferecia-lhes vantagens maiores, como a paz, o amparo de que pareciam necessitar, o *alimento* e o repouso a tanta faina, conseguindo, não poucas vezes, persuadi-los a uma mudança de atitude. Induzido pelo diretor espiritual, este exercia a hipnose e a ideoplastia, atendendo a tais equivocados que ali eram acolhidos e, posteriormente, elucidados quanto à desnecessidade de todos aqueles apetrechos ridículos e formalismos a que se sujeitavam. Verdade é que mudavam de comportamento e prometiam esforçar-se para alcançar outros níveis superiores de entendimento. Passados meses e anos até, alguns retornavam, dando notícias dos bons resultados obtidos ou informando que rumavam ao mergulho no corpo para experiências novas. Trata-se este de um salutar recurso, que pode ser aplicado em casos análogos?

— Sem qualquer dúvida — concordou, ampliando considerações. Da mesma maneira que é contraproducente, senão prejudicial, informar ao desencarnado que ignora a sua situação espiritual, bruscamente, sem lhe permitir tempo mental para a aceitação da ideia, ou ele mesmo concluir pela sua ocorrência, não é recomendável chocar a nenhum Espírito, intentando extirpar-lhe, a fórceps de verbalismo agitado, crenças e superstições nele arraigadas, pelo insucesso que advirá. Como ocorre com os homens que devem

Apontamentos adicionais

ser reeducados em muitos hábitos e esclarecidos conforme a sua capacidade de entendimento, no labor mediúnico de intercâmbio espiritual o processo não pode ser diferente. Falar ao comunicante de forma que ele possa compreender e vivenciar a informação, eis o método eficaz para os resultados felizes. Há quem seja apologista da informação ao paciente sobre o diagnóstico, diretamente, mesmo quando grave e desesperador. No entanto, a experiência tem demonstrado que a maioria dos resultados é sempre danosa para o próprio enfermo que, sem estrutura moral para o choque, tomba em depressões irreversíveis, em suicídio injustificável, ou autodestrói-se com a ação da mente desalinhada e em revolta. A terapêutica é mais importante do que o conhecimento da diagnose, facultando ao paciente lúcido identificar a moléstia que sofre e, animado pelo médico, lutar, emocional e psiquicamente, pela superação dela.

— Como proceder, porém — voltei a indagar —, com os indivíduos que se creem ou que estejam enfeitiçados, debatendo-se nas garras de obsessores desse jaez ou sob os vigorosos camartelos das ondas mentais negativas que os alcançam e afligem?

— Infundindo-lhes confiança em Deus e em si mesmos. Demonstrando-lhes que assim se encontram porque o querem, desde que deles mesmos depende a libertação, induzindo-os à renovação mental e moral, com a consequente alteração de conduta para melhor. Além disso, e principalmente, esclarecê-los a respeito das "Leis de Ação e Reação", demonstrando que sofrem porque devem e que a sua recuperação exigir-lhes-á correspondente esforço à gravidade em que se encontram. Concomitantemente, encaminhá-los ao estudo do Espiritismo, que os auxiliará no trabalho de libertação espiritual, armando-os de valores para as futuras lutas evolutivas.

— E se os mesmos já se encontrarem em tratamento em núcleos de vinculação afro-brasileira, submetendo-se às práticas ali existentes?

— Sem produzir-lhes choques desnecessários, quanto à eficiência do método utilizado ou na área da fé, estimulá-los a dar mais amplos passos, fazendo que busquem o esclarecimento espírita que liberta para sempre, a fim de que, liberando-se de um problema, mas permanecendo nas atitudes levianas com que se comprazem, não venham a cair em mais graves dificuldades, de solução mais complicada e difícil.

"Liberando os obsessos e enfermos da alma, das suas aflições, Jesus sempre recomendava uma terapia preventiva, propondo: 'Não voltes a pecar, a fim de que não te aconteça algo pior.' Entendamos a palavra *pecado* de forma ampla e mais completa, como todo e qualquer desrespeito à ordem, atentado à vida e desequilíbrio moral íntimo... Esse retorno às baixas vibrações atrai ondas equivalentes e companheiros do mesmo teor."

— E as substâncias que muitos indivíduos usam para lograr resultados satisfatórios nos problemas desta natureza?

— Acredito que, além do fator terapêutico que possam possuir, mesmo que ignorado, porém de resultado incontestável, a ação sugestiva da dependência psíquica e emocional responde pelo efeito sobre o paciente. Ocorre igual fenômeno com os Espíritos que se alinham nessa conduta, acostumados com os métodos que a eles atribuem desfecho relevante. Normalmente, as coisas têm o valor que se lhes empresta, passando à competição pelo entusiasmo que inspiram ou em razão da disputa que provocam.

"No diálogo de Jesus com o moço rico, vemos esse fato bem demonstrado. O jovem, que parecia possuir todos os requisitos 'para entrar no Reino de Deus', porque respeitava a Lei e os profetas, cumpria fielmente os mandamentos, não se apartara do apego às coisas materiais, levando o Mestre a dizer-lhe: 'Vai, vende tudo o que tens, dá-o aos pobres, vem e segue-me.' O rapaz entristeceu-se, saiu e não mais voltou. A sua era uma virtude de adorno, inútil. Todos os valores que apregoava na fé tinham menos preço do que aquele que

Apontamentos adicionais

emprestava aos bens terrenos, que ficaram, depois da sua morte, para ele, sem qualquer valia.

"Conforme consideremos algo, em nossa vã cegueira ou claridade mental, para nós assim é."

— Dizem que o branco é a cor ideal para determinadas práticas do mediunismo, porque atrai os Espíritos superiores. Há fundamento em tal crença?

— Com a consideração que merecem aqueles que assim pensam, o branco é símbolo de pureza, segundo algumas tradições e em determinados povos. Superstição destituída de base racional, porque, embora seja um tom mais higiênico, que absorve menos raios caloríferos, nenhuma influência vibratória exerce em relação aos Espíritos, que sintonizam com as emanações da mente, as irradiações da conduta. Talvez que, desencarnados, igualmente supersticiosos, se afeiçoem àqueles que se trajam com essa cor, sendo, no entanto, ainda atrasados. Tivesse fundamentação e seria cômodo para os maus e astutos manterem a sua conduta interior irregular, enquanto ostentariam trajes alvinitentes que os credenciariam a valores que não possuam, atribuindo-lhes méritos que estão longe de conseguir.

"Os judeus eram muito formais e cuidavam em demasia da aparência, sendo por Jesus reprochados com severidade, por Ele considerar mais importante a pureza interna do que a convencional, a exterior, de muito fácil apresentação, em detrimento daquela, mais difícil e respeitável. A vida íntima do homem oferece-lhe a credencial com que marcha em qualquer direção, caracterizando-lhe a individualidade eterna.

— Por fim, indagaria quanto ao efeito real que produzem os defumadores, tão ao gosto de muitas seitas, que os utilizam, conforme algumas religiões o fazem com o incenso, a mirra e outras substâncias aromáticas.

— Informa-se que o fumo que se evola dos incensadores e vasilhames com brasas, em que ardem essas substâncias,

Loucura e obsessão

teria ação sobre os Espíritos perturbados, ignorantes, perversos, que os afastaria, atraindo, em contrapartida, os bons e nobres. Não há evidência dessa propalada ação. O odor agradável perfuma o ambiente e, em algumas religiões, têm essas práticas um significado simbólico, recordando as oferendas que os reis do Oriente teriam apresentado a Jesus recém-nascido... As resinas e madeiras perfumadas sempre foram queimadas em cerimônias festivas como fúnebres, para odorificar o recinto. Entre os homens mais primitivos resultavam positivas as práticas, porque, sugestionados com os efeitos que lhes atribuíam os ancestrais, que se demoravam no comércio espiritual com os seus, os Espíritos fugiam, apavorados. Ainda remanescem alguns estados desse teor e muitos desencarnados em fixação com as cerimônias antigas que lhes podem aceitar a aparente ação, fazendo-os afastar-se das pessoas ou lugares com quem e onde se encontram... Nenhuma força real emana dos defumadores e incensos, que possa ajudar, concedendo sorte e solucionando os problemas que aturdem os homens, sempre interessados em sortilégios e equacionamentos simplistas, sem esforço pessoal nem mudança moral de profundidade. São sempre os atos, os agentes da realidade de cada Espírito, na Terra ou fora dela. Consciência tranquila, como efeito de uma conduta digna, é fundamental para possuir um sentimento pacificado.

Terminada a elucidação pelo nobre e sábio instrutor, chegamos ao lar da família Viana, onde a viúva Catarina e o filho Carlos se encontravam recolhidos. O Sr. Empédocles recebeu-nos com afeto e introduziu-nos no lar amigo, que seria, também, um reduto a que recolheria por algum tempo, correspondente este ao período que fora reservado à tarefa em desdobramento.

11 – Técnicas de libertação

O genitor de Carlos era trabalhador afeiçoado ao bem. Dedicando-se a socorrer delinquentes recém-desencarnados, granjeara respeito e amizade em nossa comunidade espiritual. Quando no corpo físico, fora probo e cumpridor dos deveres, deixando pegadas dignas de ser seguidas pelo filho, caso a enfermidade traiçoeira não lhe houvesse impossibilitado de avançar conscientemente, galgando os degraus da escada do progresso. Tão logo se apercebeu da realidade que o aguardava além do corpo, identificando o processo que se desdobrava ameaçando a reencarnação do filho, passou a dedicar-se ao serviço de restauração do equilíbrio de recém-chegados mais infelizes, adquirindo experiências e títulos que pudessem ser investidos em favor da família em sofrimento. Conseguiu, na sucessão dos anos, o que anelava, e recebia agora a resposta superior aos seus apelos, graças à anuência do abençoado Dr. Bezerra, que iria cuidar do problema do jovem, pessoalmente, conforme nos inteiramos.

Solícito, levou-nos ao quarto onde o filho repousava, em face da ajuda recebida na noite anterior, durante o atendimento da irmã Emerenciana.

Não notamos a presença dos seus adversários espirituais, que certamente não puderam dar curso ao programa encetado, além do que ali estavam a postos os dois vigilantes destacados pela benfeitora, que impediam a curiosidade dos burlões e frívolos, assim como dos vingadores. Tratava-se de Espíritos que envergaram a roupagem aborígene no Brasil, na sua última estada terrena, cujo porte e expressão facial inspiravam respeito, senão receio aos gozadores e insensatos... Adornavam-se de cocares de penas coloridas, lanças e outros objetos, que vim a saber tratar-se de indumentária cerimonial. Cônscios do seu dever, eram dois *guardiães* adestrados para o auxílio fraterno.

O lar dos Viana, naquele momento, transpirava paz. As orações da viúva e a sua exemplar conduta impediam incursões prejudiciais além do impositivo redentor que Carlos experimentava, não lhe piorando o quadro.

A escala de valores morais aqui é muito considerada, não ocorrendo, como entre os homens, a burla ao mérito, o suborno ou a infração ante os direitos adquiridos a nobres esforços.

A ação correta se desdobra por meios certos, sem conexões viciosas ou desvirtuamento da finalidade.

Demonstrando a alta consideração com que distinguia o instrutor, o amigo Empédocles aguardou a palavra de orientação, sem que fosse necessário apresentar qualquer relatório.

Dr. Bezerra deu curso a uma anamnese profunda no organismo físico do paciente, anotando as anomalias que o Espírito plasmara no corpo, por ensejo da reencarnação, e, após o demorado exame, cujos detalhes não pude acompanhar, elucidou:

— Na pauta do tratamento que nos cabe aplicar ao Carlos, verificamos algumas ocorrências que nos parecem irreversíveis, como expiação necessária em face dos anteriores delitos perpetrados... No entanto, conforme seja da divina Vontade, é provável que ele venha a recuperar expressiva parcela da lucidez, retornando à realidade objetiva, de forma que possa viver sem mais grave dependência da mãezinha, adquirindo recursos para programar um futuro melhor, feliz, em relação ao quadro no qual se encontra incurso. Não será um labor fácil; todavia, a tentativa é muito valiosa e oportuna. Confiemos em Deus e esforcemo-nos.

Técnicas de libertação

— Não aspirava a tanto — concordou, comovido, o pai do enfermo. — Venho anelando que lhe sejam diminuídas as sevícias de que padece, os temores que o subjugam na catatonia, as alternâncias de humor, que maceram a mãe. Alguma alteração para melhor, seja qual for, significa uma conquista a que ainda não fazemos jus, sendo acréscimo de misericórdia do Pai, que buscaremos honrar.

— Iniciada a terapêutica desobsessiva — acrescentou o médico abnegado — por meio da transmissão de fluidos restauradores do equilíbrio, desde ontem, teremos hoje o primeiro confronto no Grupo em que se dará o tratamento que ele requer, após concluídos os serviços habituais, na sua primeira fase. Desse modo, o irmão Empédocles levá-lo-á em desdobramento parcial, graças ao sono físico, a fim de participar do trabalho de urgência que a nossa Emerenciana tem estabelecido. Enquanto isto, deve ele receber assistência fluidoterápica quatro vezes ao dia, objetivando-se desencharcá-lo das energias que o intoxicam. A presença dos *guardiães* impedirá a movimentação dos Espíritos vulgares que se comprazem em piorar as situações emocionais dos obsessos.

Preparávamo-nos para sair, quando D. Catarina se acercou do esposo, desdobrada pelo sono, e, com relativa lucidez, saudou-nos cordialmente. O marido no-la apresentou com efusão de júbilo, explicando-lhe a respeito da nossa presença no lar, especialmente para atender Carlos.

Ela exclamou, fiel à sua formação religiosa:

— Devem ser anjos, que vêm atraídos pelas nossas preces. Louvado seja Deus!

O benfeitor sorriu, compassivo, e redarguiu:

— Somos, sim, teus irmãos, trabalhando para adquirir a angelitude, quanto tu mesma, através dos tempos largos que nos aguardam. Mais importante do que os nossos títulos de merecimento, que os não temos, são as tuas preces e confiança em Deus, que agora passam a receber a resposta, em forma de socorro.

A senhora sorriu, feliz, e agradeceu.
Porque outros deveres nos aguardassem, seguimos outro rumo.

Embora atendesse às tarefas habituais, esperei a chegada do horário estabelecido para os compromissos extraordinários com certo grau de ansiedade, desejando colher dados que me esclarecessem com mais segurança a respeito das terapêuticas desobsessivas, especialmente a ministrada pela sábia irmã Emerenciana.

A virtude da paciência se adquire com vigilância moral e disciplina mental, que são fatores de harmonia para o ser.

O fato de estarmos em ação socorrista num templo religioso com as suas características próprias, espicaçava-nos ainda mais o interesse pela pesquisa, observação, diálogo e demorada meditação.

Reconhecíamos a nossa imensa ignorância, acerca de tantos acontecimentos, especialmente naquela área onde agora mourejávamos. Confúcio afirmou com muita justeza: "Estudar, observar e imitar sem pensar significa o mesmo esforço que andar sem rumo. Tudo quanto verdadeiramente sabemos é justo saber que sabemos. Mas o que não sabemos, cumpre-nos saber que o não sabemos. Nisto reside a sabedoria."

Tínhamos dimensão do que não sabíamos e nos não envergonhamos de confessá-lo, daí nos esforçarmos por aprender e pensar, adquirindo o conhecimento que leva à sabedoria.

À hora aprazada comparecemos ao núcleo religioso, Dr. Bezerra e nós.

A azáfama era grande em ambos os lados da vida.

Espíritos especializados nos misteres que ali se desenvolviam postavam-se pelos arredores externos da Casa, precatando-a de algum assalto de entidades perturbadoras. A porta de entrada, alguns ex-aborígenes brasileiros, em trajes cerimoniais, e ex-escravos vestidos a caráter, recepcionavam os membros da organização, a maioria dos quais não se dava conta do socorro recebido.

Técnicas de libertação

Felinto, o companheiro destacado pela mentora para assessorar-nos, recebeu-nos com expressões de afeto e conduziu-nos à benfeitora que supervisionava os serviços.

Depois dos cumprimentos iniciais, percebendo-me as interrogações mudas, ela explicou-nos com solicitude:

— Dedicamos a noite de hoje a serviços especiais em favor dos consulentes da véspera, cujos compromissos no campo das obsessões são muito expressivos. Outrossim, atendemos os *hóspedes psíquicos* de alguns dos nossos frequentadores habituais e necessitados de vária procedência que nos são trazidos por cooperadores dedicados à assistência direta e aos que conseguem sensibilizar, retirando-os da ociosidade ou da exploração viciosa aos semelhantes ainda domiciliados no corpo físico. Aplicamos-lhes o choque anímico, antes de serem tomadas outras providências.

— *Choque anímico*?! — interroguei, admirado.

— Não se surpreenda o amigo Miranda. Da mesma forma que, na terapia do eletrochoque, aplicada a pacientes mentais, os Espíritos que se lhes imantam recebem a carga de eletricidade, deslocando-se com certa violência dos seus hospedeiros, aqui o aplicamos, por meio da psicofonia atormentada, que preferimos utilizar com o nome de *incorporação*, por parecer-nos mais compatível com o tipo de tratamento empregado, e colhemos resultados equivalentes.

"Não ignora o amigo que, do mesmo modo que o médium, pelo perispírito, absorve as energias dos comunicantes espirituais que, no caso de estarem em sofrimento, perturbação ou desespero, de imediato experimentam melhora no estado geral, por diminuir-lhes a carga vibratória prejudicial, a recíproca é verdadeira... Trazido o Espírito rebelde ou malfazejo ao fenômeno da incorporação, o perispírito do médium transmite-lhe alta carga fluídica *animal*, chamemo-la assim, que bem comandada aturde-o, fá-lo quebrar algemas e mudar a maneira de pensar...

"E não se trata de violência, como a pessoas precipitadas pode parecer. É um expediente de emergência para os auxiliar, pois que os nossos propósitos não são os de socorrer apenas as criaturas humanas, sem preocupação com os seus acompanhantes espirituais. A caridade é uma estrada de duas mãos: ida e volta."

Após ligeira reflexão, voltou a explicar:

— Consideremos o médium como sendo um ímã e os Espíritos, em determinada faixa vibratória, na condição de limalhas de ferro, que lhe sofrem a atração, e após se fixarem, permanecem, por algum tempo, com a imantação de que foram objeto. Do mesmo modo, os sofredores, atraídos pela irradiação do médium, absorvem-lhe a energia fluídica, com possibilidade de demorar-se por ela impregnados. Sob essa ação, a teimosia rebelde, a ostensiva maldade e o contínuo ódio diminuem, permitindo que o receio se lhes instale no sentimento, tornando-os maleáveis às orientações e mais acessíveis à condução para o bem. Qual ocorre na Terra, com determinada súcia de poltrões ou de delinquentes, a ação da polícia inspira-lhes mais respeito do que a honorabilidade de uma personagem de consideração.

"Por fim, elucidamos que, em nosso campo de trabalho, lidamos com as formas mais condensadas da energia, próximas da matéria, ao que chamaríamos de expressões mais grosseiras do fluido, capazes de produzir, num primeiro tentame, resultados favoráveis a futuros cometimentos. Sem descer à beligerância ou à usança de forças iguais, não devemos desconsiderar que a aplicação de recursos equivalentes, porém direcionados com objetivos superiores, logra o resultado almejado, que é despertar o infrator, a fim de que se disponha à recuperação para o seu próprio benefício. É também caridade cercear a um louco a liberdade, como se faz a um criminoso, com finalidade de o proteger de si mesmo, assim resguardando a sociedade que lhe experimenta a sanha. Em nosso setor de trabalho com os desencarnados,

Técnicas de libertação

às vezes recorremos a tal providência, mediante a aplicação de energias próprias, de formações ideoplásticas e de outros métodos, como o amigo observará. Para tanto, não descartamos as crendices e superstições que jazem adormecidas em inumeráveis seres, empedernidos temporariamente em relação ao amor e aos demais sentimentos de humanidade."

Desconhecíamos o método referido e preparávamo-nos para apresentar novas questões quando a mentora pediu-nos licença, explicando que já se ia iniciar o culto.

Depois do ritual referido anteriormente, o médium passou ao transe e a amiga prestimosa, *assumindo* as características de ex-escrava, saudou os membros do grupo e abriu a reunião.

Ao ritmo das palmas e atabaques, entre odores de velas acesas, incensos e flores diversas, formou-se o círculo em frente ao altar, iniciando-se o programa de atendimento mediúnico. Seguindo a cerimônia externa, os médiuns trajavam-se com roupas brancas e notavam-se os colares que representavam, pelo formato e cores, os Espíritos protetores como os quais operavam, conforme as tradições místicas do sincretismo religioso.

Acompanhei as primeiras *incorporações* estimuladas pela mentora, nas quais os benfeitores de cada *aparelho* saudavam a Casa e os participantes, preparando os seus *instrumentos* para os socorros aos obsessores, especialmente àqueles que se vinculavam aos cultos mais primitivos do Candomblé, da Quimbanda e seus derivados...

Alguns desses seres espirituais deformados mantinham truculência e, presunçosos, arengavam ameaças, retidos pelos prestimosos auxiliares da tarefa, que se utilizavam de uma rede fluídica, impedindo-lhes a evasão.

Usando expressões vis, afirmavam que ali se viam constrangidos, pois que o não desejavam, gritando por direitos que não facultavam àqueles a quem submetiam pela violência mais rude.

Loucura e obsessão

Os mais perversos, que exibiam carantonhas apavorantes, atiravam dardos que se diluíam no ar ou arremetiam contra a barreira impeditiva, intentando rompê-la, sem que o lograssem. Era um campo de batalha, onde as forças mentais se enfrentavam. Podíamos perceber alguns *Exus*, conforme esclarecera Felinto, que iriam experimentar os *choques anímicos*, liberando-se das pesadas ideoplastias que os transformaram exteriormente, em razão do cultivo malsão das ideias extravagantes e hediondas.

A diretora espiritual, que se encontrava no centro do círculo em movimento, chamou uma das médiuns e, segurando-lhe a cabeça, soprou-lhe aos ouvidos.

Tratava-se de uma jovem de aparência frágil e pálida, porém dotada de grande sensibilidade. Ao receber o jato de ar, aturdiu-se e teve ligeira convulsão, sendo atendida carinhosamente. Percebi, então, que da rede saiu um Espírito — *Exu*, como se houvesse conseguido romper a defesa, e, sem delonga, *incorporou-a* de forma brusca, contorcendo-se, com o olhar esgazeado, como se caísse numa armadilha. A união fluídica era de tal forma que parecia ter havido uma quase fusão, ser-a-ser, que se harmonizavam. O rosto pálido da médium adquiriu um tom vermelho-escuro, consequência da aceleração sanguínea, e uma transfiguração modelou-lhe um quase símile do comunicante. Quando pôde, com a voz rouquenha, semiaudível, passou a um vocabulário para mim incompreensível, na verbalização de que se utilizava, evocando a língua-mãe e nela se expressando. Captávamos a ideia, a forma-pensamento, carregada de horror, na qual expelia ódio selvagem, em tal dose, que me surpreendi.

A irmã Emerenciana, que prosseguia contendo a médium em transe, dialogou no mesmo dialeto, com inusitado vigor, e girando-a repetidamente, como se a desenovelasse de ataduras fortes que a cobriam, parou-a de chofre e aplicou-lhe movimentos longitudinais, impondo sua vontade firme.

Técnicas de libertação

Os ritmos aumentaram, e com a cantoria fizeram-se ensurdecedores. Nesse clima, ordenou, no mesmo palavreado que nós compreendíamos em razão da forma-mental plasmadora:

— Volte ao normal! Você é Espírito criado por Deus. É vivente com um destino para o bem. Desnude-se e saia dessa situação. José Manuel foi o seu nome no eito do senhor branco. José Manuel é você. Ouça e acorde!

Trouxeram-lhe um incensador que foi movimentado em torno do Espírito, que aspirava o fumo aromatizado e mais se agitava.

— Agora, volte! — ordenou-lhe com determinação. — Acorde, José Manuel!

Vimos que a face espiritual passou a sofrer uma metamorfose, e qual se fora anteriormente plasmada em cera, ora aquecida, começou a desfazer-se, ao mesmo tempo em que a alegoria que o vestia, gerada pelas imposições ideoplásticas, passou a experimentar a mesma transformação, permitindo que surgisse um homem de trinta anos, cansado prematuramente, com marcas de chicote no rosto e nas costas, recordando os suplícios a que fora repetidamente submetido.

Despertando e desembaraçando-se da constrição que prosseguia padecendo pelo ódio que o minava, pôs-se a chorar, em ímpar desesperação agônica, a todos nos confrangendo.

A benfeitora abraçou-o, depois segurou-o pelas mãos e disse-lhe:

— Lembre-se de Jesus, crucificado sem culpa. Ele voltou e jamais acusou; sequer perguntou qualquer coisa ao negador, ou referiu-se ao amigo traidor... Pense em Jesus e perdoe. Você será feliz e tudo ficará esquecido. Cante, agora cante a sua vitória.

O Espírito não entendia a ocorrência em toda a sua extensão, mas sentia-se aliviado, qual se estivesse privado do oxigênio por algum tempo e, ao voltar a experimentá-lo, fruísse dor e êxtase.

Loucura e obsessão

Subitamente desmaiou, provocando na médium um vágado simultâneo.

Sem qualquer perturbação, a mentora deslindou-o da sensitiva e despertou-a com ligeiros tapas no rosto. Prontamente a moça acordou e foi devolvida ao círculo.

Felinto, que nos percebia a perplexidade, sem que indagássemos, elucidou:

— Um tanto primitivo, sim, porém eficiente. Talvez grotesco, no entanto, portador de excelentes resultados. O tratamento para a *exuantropia* foi demorado, por causa da imposição da monoideia deformante e instilação exterior do ódio, além do que lhe jazia em gérmen no ser atordoado, logo deixara o corpo, pela morte infamante, na punição que lhe aplicaram por coisa de pequena monta... A desimantação teria que receber uma técnica de choque, através de vibrações dissolventes que atuassem no paciente, de dentro para fora, pelo despertar da consciência, e de fora para dentro, desregulando a *construção física* da aparência que lhe foi colocada por modelagem do psiquismo do agente e pelo paciente aceito. Agora ele dormirá para o necessário reequilíbrio do perispírito, sendo recambiado pelos automatismos das leis à reencarnação, que o reajustará plenamente.

Não lhe parece um tanto violento? — indaguei, sem objetivo de censura.

— Digamos — respondeu, tranquilo — que é enérgico e inusitado para o amigo Miranda, enquanto para nós, pela familiaridade com estes fenômenos, já nos são comuns as ocorrências desta natureza, sempre sensibilizando-nos ante a Sabedoria divina que, no universo de socorro, faculta meios próprios para atendimento a todas as necessidades, cada um de acordo com a especificidade em que aquelas se nos apresentam.

E mais enfatizando a excelência da terapêutica liberativa, arrematou:

Técnicas de libertação

— Ouvi, oportunamente, nossa Emerenciana dizer que Deus permitia a existência dos redutos e antros do mal, construídos pelos Espíritos inferiores, porque estes mesmos ainda necessitavam desses aguilhões para despertar. O amor gera o amor e a agressão produz resposta equivalente. Há aquelas nobres entidades que se encarregam de métodos superiores e sutis, em nome do Amor. Há também aqueles mais rigorosos, igualmente inspirados pelo Amor para colimar os fins da felicidade. A joia esplende na montra luxuosa, em estojo de veludo, porque alguém a desentranhou do barro sujo e do revestimento grosseiro que lhe impedia o brilho. Foi a golpes fortes que lhe prepararam o campo para os detalhes finais, facultando-lhe a explosão de beleza... Façamos o melhor ao nosso alcance, onde fomos colocados pela Vida, e aí teremos realizado o dever, respondendo presente, quando formos chamados à luta.

Tudo muito claro, é certo, e lógico.

Os labores prosseguiam no mesmo ritmo, com segurança e prudência por parte da mentora, vigilante quão operosa.

Agora estava no centro da roda um homem robusto que passava por tratamento algo semelhante ao anterior.

No momento da *incorporação*, vimos ser trazido da área, onde se encontravam os Espíritos perversos, uma entidade relutante e blasfema, que foi aproximada do sensitivo, produzindo-se o fenômeno com rapidez. Estorcegando, o obsessor afirmava não abandonar os propósitos a que se aferrava. Espumejante e de olhos que saltavam das órbitas, as narinas dilatadas, deformou a postura do homem que o *hospedava* mediunicamente, erguendo os braços e desferindo golpes no ar.

Quando a diretora espiritual informou que ele iria *sofrer* já o efeito da *prisão* na qual se achava e cujo corpo não podia manipular, o Espírito, que descarregava suas energias de violência no médium, que as eliminava mediante sudorese

Loucura e obsessão

viscosa abundante e fluídos escuros, em quantidade, começou a sentir-se debilitado. Neste momento, a ação do perispírito do encarnado sobre ele fez-se mais forte e começou a encharcá-lo do *fluido animal*, que lhe constitui o envoltório e é retirado do "fluido universal de cada globo", encarregado de manter o equilíbrio dos orgãos, das células e das moléculas do organismo material. Essa energia, de constituição mais densa, produzia no comunicante sensações que o angustiavam, como se lhe gerassem asfixia contínua. As forças que lhe eram aplicadas pela benfeitora e a psicosfera geral incidiam sobre ele de forma desagradável, demonstrando-lhe o limite da própria vontade e a debilidade de meios para prosseguir no alucinado projeto do mal a que se afervorava.

Passando a experimentar grande mal-estar, o comunicante pediu socorro e ajuda, de modo que lhe diminuíssem a aflição e o constrangimento a que se encontrava submetido.

A irmã Emerenciana falou-lhe, então, com gravidade:

— Por que reclamas, se é o que fazes ao teu próximo? Sabes que o mal atrai o mal, e, no entanto, prossegues exercendo-o. Não ignoras que és frágil, todavia, impões a tua mentirosa força. Se não tens exercido misericórdia, por que a pedes? Até quando ficares na ação do mal, este será a tua sombra e, periodicamente, serás alcançado pelo seu efeito danoso. Agora é o teu momento de decisão: liberdade ou cárcere. Que preferes?

Notamos a repentina mudança de tom emocional no Espírito sofredor, que passou a suplicar:

— Anjo da Justiça, dá-me outra oportunidade. Não sei exatamente o que faço. Ajuda-me para a liberdade e eu ajudarei também.

— Não represento a Justiça, que está presente na tua consciência. Sou apenas tua irmã que te busca para a felicidade. Confia. Faze à tua vítima, conforme agora o Senhor te faz. Segue em paz e medita!

Técnicas de libertação

Chorando de sadia emoção, derivada do despertar da consciência, o Espírito foi retirado e conduzido a uma sala contígua.

Prestamente Felinto me acudiu, esclarecendo:

— Ele irá ouvir uma ligeira palestra de orientação, que lhe consolidará os propósitos nascentes, permitindo-lhe fixá-los no imo do ser, a fim de levá-los a bom termo. Ao terminar os serviços será conduzido ao tratamento das chagas morais, refletidas no corpo perispiritual, em lugar apropriado, em nossa Esfera. A sua resolução positiva é débil e deve ser ajudada, a fim de que não retroceda.

Tínhamos os olhos umedecidos pela emoção. Eram experiências novas e abençoadas, demonstrando a presença do Pai em todo lugar, impulsionando o homem para a sua destinação gloriosa e amparando a vida nas suas variadas expressões. Havia muito que aprender, observando e meditando. Dr. Bezerra acompanhava, em silêncio e recolhimento, as técnicas de socorro que ali se realizavam.

12 – Confronto de forças

As operações de socorro prosseguiram com algumas variações, dentro, todavia, da mesma técnica, ensejando despertamento e renovação a diversos Espíritos.

Num intervalo entre um e outro atendimento, Felinto explicou-me:

— A nossa instrutora utiliza-se de vários dialetos, a fim de dialogar com os que se encontram em tratamento, especialmente o *ioruba* ou *nagô*, o *jeje* e o *banto*, conforme a origem dos comunicantes ou a linha ancestral do culto que praticavam. Com ligeiras variações, o conceito sobre o Espírito *Exu*[1] é sempre referente à perversidade, desobediência e, excepcionalmente, quando em tarefa especial, faz recordar um policial que tem acesso pela sua força aos redutos ignóbeis da marginalidade. Já os *Orixás*, são representações do bem, da santidade, pois que, literalmente, a palavra significa "senhor da cabeça" (ori = cabeça; xá = chefe, senhor), razão por que Jesus é chamado *Orixa-lá*, que é termo de origem nagô (gueto), significando "o maior dos *Orixás*", e, por corruptela ou abreviatura, denominado *Oxalá*. Acima dele, somente Deus ou *Zâmbi*, com variações de correntes, nas quais passa a ser chamado de

---

[1] N.E.: É uma das principais divindades dos iorubás e dos jejes. Um dos maiores orixás, Exu é uma espécie de mensageiro, que faz a ponte entre o humano e o divino, e muitas vezes é descrito como sendo travesso, fiel e justo. A conotação negativa de Exu veio dos primeiros contatos dos europeus com a cultura africana, no século 16, além do ambiente de repressão às religiões afro-brasileiras (Fonte: https://super.abril.com.br/mundo-estranho/o-que-e-um-exu/).

Confronto de forças

Olorum, no candomblé, ou *Zambiapongo* entre os praticantes do culto de origem congolesa.

"A complexidade do culto se deve às suas origens e sincretismo com a religião católica, à época, dominante no Brasil, quando da chegada dos escravos. O respeito a Deus e ao Bem, em alguns dos ramos em que se multiplicou, nas várias regiões do país, conforme se deu em outras nações, é predominante, pois que, desde as suas raízes, eram preservadas as crenças na imortalidade da alma, na comunicabilidade dos Espíritos, na reencarnação, na prática da caridade moral e material, embora a sua teologia preserve crenças místicas a respeito da criação do mundo, dos seres e do aparecimento dos imortais que dirigem a vida..."

Vendo ali as comunicações mediúnicas que se sucediam e a aplicação dos métodos para o reequilíbrio dos Espíritos, indaguei ao prestimoso amigo:

— Tenho ouvido comentários, com os quais não concordo, de que os médiuns nesses núcleos desenvolvem as suas faculdades mais rápida e facilmente do que nas Sociedades e Centros Espíritas, onde se tornam condições essenciais o estudo, as disciplinas morais e mentais, em justo processo de educação. Qual o fundamento a tal respeito, em razão de ele se estar vulgarizando com ênfase?

— Tenhamos em mente — ripostou com lucidez — que muito é confundido o fenômeno momentâneo da incorporação com o do desenvolvimento mediúnico. O primeiro irrompe nas obsessões e sob determinados estados de descontrole da personalidade, quando os Espíritos se utilizam desses indivíduos em desequilíbrio, enquanto o desenvolvimento da faculdade conduz a uma perfeita identificação entre o médium e os comunicantes, sendo aquele o controlador do fenômeno em vez de ser-lhes vítimas inconsequentes.

Mesmo em nossas atividades, quando ocorrem as manifestações mediúnicas desordenadas e violentas, submetemos os *aparelhos*, que desejam realmente servir, a rígidos métodos de controle, educação da vontade e da moral, a fim de mais destramente se entregarem ao mister nos seus momentos próprios. É claro que, num clima psíquico como este no qual nos encontramos, sob os condicionamentos exteriores do culto em si mesmo, muitas resistências culturais e psicológicas do indivíduo sofrem impacto, tombando, muitas vezes, em escombros... Desarmados nos condicionamentos, os portadores de mediunidade entram em transe, o que não significa passem, a partir desse momento, a apresentar uma faculdade desenvolvida. Outrossim, conforme o amigo Miranda já deve ter observado, há outras ocorrências de transes, não necessariamente mediúnicos, muito conhecidos dos estudiosos da psique e do comportamento do homem. Carece, pois, de fundamento, aquela afirmação, que resulta de apressadas e errôneas conclusões.

— A mediunidade — aduzi, reconfortado — é faculdade muito delicada, cuja função se encontra nos recônditos do ser, a expressar-se por fenômenos muito complexos, que não pode ser consumida de um para outro momento.

Chegávamos a um dos momentos-clímax, para nós, em relação ao tratamento de Carlos.

Naquele instante, foram trazidos à roda, pela irmã Emerenciana, dois médiuns em estado de receptividade, enquanto, do recinto em que se encontravam retidas as entidades, partiram com agressividade incomum jovem negra, que anatematizava o rapaz, e um ser *Exu*, de imediato incorporando-se nos sensitivos que os aguardavam já em meio transe.

A benfeitora segurava a cabeça de cada médium com uma das mãos, aguardando o que ia suceder.

Ambos, em verdadeiro paroxismo, dominaram as faculdades mediúnicas, num transe de alta agitação, e intentaram libertar a cabeça da mão que se lhes chumbava poderosamente. Com ímpar destreza, a dirigente acompanhava-lhes os movimentos, enquanto as feições dos médiuns se alteravam, completando a transfiguração horrenda.

Confronto de forças

Em dialeto *banto*, gritou, estentórica e cruel, a mulher:

— Eu sou uma Bombojira (Pombajira) que o desventurado infelicitou. Venho atrás dos seus passos há mais de uma centena de anos, e agora que o encontrei não haverá misericórdia nem compaixão para com ele. Estacionando no mal que me fez, sou a representação feminina do mesmo mal que cobra gota a gota o suor do sofrimento experimentado. Nenhum poder me deterá. Eu sou invencível e movimento as forças do ódio que me nutre...

A face da médium refletia com perfeição o fenômeno transformador, com aspecto da tradição demoníaca, faltando-lhe, naturalmente, alguns detalhes que a comunicante se permitia o luxo de manter em Espírito.

A cena, se não fosse pelo trágico de que se revestia, pareceria burlesca, repelente...

Quando fez uma pausa, o outro exclamou, não com menor estardalhaço, no mesmo dialeto:

— Ele é meu, e ninguém o vai roubar de mim. Quem se atreve? Eu sou o *diabo*!

Quando enunciou a última frase, carregada de força magnética, vimos que assumiu as características pelas quais o diabo se fez conhecido pelos homens, em razão da mitologia religiosa ancestral.

As duas entidades enfrentavam-se num círculo de forças mentais em descontrole.

A irmã Emerenciana retirou as mãos de sobre os médiuns, e acompanhamos um espetáculo deprimente, evocativo das pugnas terrestres.

Apesar de retidos na roda humana que se movimentava ao som da música e dos cantos, afastaram-se e, de regular distância, distenderam as mãos dos médiuns, em verdadeiro confronto de poder, que nos chocou, pelo inusitado, pela violência.

Recitando palavras cabalísticas, o dito *Exu* atirava dardos de tom vermelho forte, que a outra rechaçava com as mãos espalmadas como se fossem um escudo metálico. Por sua vez, ela irradiava da mente uma energia escura e pegajosa que o outro diluía com o tipo de fluido que usava.

Eu me encontrava algo desconcertado, quando Felinto me acudiu, esclarecendo:

— Assim agem os que se consideram *fortes*, na sua terrível fraqueza. A barreira entre o mundo dos homens e o nosso é muito tênue. Para estes litigantes quase não existe, pois que eles são mais *físicos*, imantados pelas vibrações materiais que manipulam com habilidade, do que espirituais, como seria de esperar-se. Esteja tranquilo. Tudo está sob perfeito controle, pois "não cai uma folha da árvore, que não seja pela vontade do Pai".

A pugna se prolongou por quase dez minutos, durante os quais ambos os combatentes se exauriam. Por sua vez, os médiuns, que se desgastavam igualmente, eram sustentados pela concentração das pessoas do círculo, fixadas mentalmente no ritual, que lhes servia de apoio psíquico e emocional.

Inesperadamente, a entidade feminina deu um grito estridente e desmaiou, sendo a médium segura por dois cooperadores da Casa, a postos, certamente afeitos a estas operações espirituais.

Estando a dormir, e exteriorizando tremores das convulsões que a assaltavam, a infeliz obsessora foi conduzida a um outro recinto onde eram recolhidos os recém-atendidos, e a sensitiva foi retirada do círculo, igualmente levada à parte posterior da sala para refazimento.

O *vitorioso* externava o júbilo entre gargalhadas e exibicionismo.

Sem a menor preocupação, a diretora espiritual aplicou-lhe o tratamento já referido com outro da mesma categoria e vimo-lo estorcegar-se e deblaterar inutilmente, até que se lhe desfez a máscara ideoplástica sob a qual ocultava a própria desdita, entregando-se a esgares de alucinado...

Sob forte indução hipnótica da mentora rendeu-se ao sono e foi recambiado para o recinto onde já se encontravam os demais.

Confronto de forças

A mesma providência feita com o anterior foi aplicada ao médium que lhe facultou a incorporação e, ato contínuo, a enérgica e bondosa irmã Emerenciana convidou os protetores espirituais a trazerem a sua palavra amiga, por meio de cada sensitivo.

— É a *operação limpeza* — acrescentou-me judiciosamente Felinto. — Após a absorção de fluidos de teor vibratório diferente, caracterizados pela densidade material que tipifica este gênero de trabalho, vêm os Espíritos Protetores liberar os médiuns e renová-los sob a ação de diversa carga de energia, permitindo-lhes o bem-estar e a satisfação do serviço realizado.

Aplicando-se o autopasse eram retiradas as cargas fluídicas perniciosas, enquanto outras, de qualidade superior, vitalizavam os cooperadores encarnados.

Não foram trazidas mensagens mais amplas ou feitas quaisquer considerações adicionais. Tratava-se de saudação, por cada um dos amigos desencarnados, com brevíssimas palavras de contentamento e gratidão a Deus pela oportunidade de agirem em favor do próximo em nome do Bem.

A mentora, por fim, entreteve conversação mais demorada, endereçando expressões de estímulo e conforto a cada um dos participantes mais ativos, e estendendo-as a uns e outros, membros da Casa.

Logo depois, seguindo a praxe, foi encerrada a reunião.

Os companheiros encarnados mais chegados ao labor reuniram-se numa sala interior, para ligeiro lanche e comentários proveitosos acerca do trabalho.

Vindo até nós, a amiga espiritual aludiu:

— Este encontro dos trabalhadores é muito útil para eles mesmos, tanto quanto para as nossas atividades. Não se aprofundando pelo estudo, na realidade e mecânica das leis, ficam na periferia do fenômeno mediúnico, repetindo atos sem conhecer-lhes a função ou a estrutura, desarmados para ocorrências diferentes ou eventualidades inesperadas. Temo-los estimulado à conversação, porquanto, ainda sob a inspiração dos seus protetores, logram penetrar, a pouco e pouco, no funcionamento das técnicas de que nos utilizamos, bem como na razão que nos leva a aplicá-las, adquirindo consciência de si mesmos e da finalidade superior da vida. Os mais esclarecidos opinam e sugerem, interrogam e discutem, abrindo espaços para o raciocínio que desperta e o interesse de saber que se lhes instala. É um primeiro passo para o estudo que oferece o conhecimento e a libertação da ignorância.

"Porque permanecem confiantes no recinto, absorvem maior dose de energias revitalizadoras e passam a amar a Casa, mantendo um laço de afeição que os une ao trabalho.

"Vemos instituições respeitáveis, nas quais um outro tipo de ritual, mesmo onde se diz detestá-lo, vai tomando corpo e devorando a espontaneidade: é o formalismo, que poderíamos também chamar de indiferença ou desamor. Não se diz uma palavra de estímulo ou não se fazem comentários, receando-se elogios, embora nunca sejam poupadas críticas ácidas e destrutivas. Noutras sociedades, tão logo terminam as reuniões, todos partem, como se desejassem fugir do recinto, e correm para programas antagônicos, no fundo e na forma, ao de que haviam participado, encharcando-se deles antes de dormir. Em suma: não se comentam as ocorrências ou as instruções, as conferências ou os estudos, os debates nem as sugestões, não se fixando, como efeito, o que deveria constituir um aprendizado valioso. Quase todos têm pressa de ir-se, alguns porque estabelecem compromissos posteriores, nos quais anulam o que granjearam na reunião, e outros, por motivo nenhum, simplesmente porque não têm assunto a comentar, ou já sabem a respeito de tudo, ou não se interessam por sabê-lo. Pobres homens, escravos de si mesmos! Não os censuramos, porque já trilhamos caminhos iguais, no entanto, não sopitamos o desejo de convidá-los à naturalidade, à vivência espontânea da fraternidade, do intercâmbio de opiniões e interesses, pelo menos espirituais, desde que nos afeiçoamos a esta área do universo dos deveres.

Confronto de forças

"Ouçamos, por um pouco, o que comentam."

Uma senhora de aspecto agradável, cuja cabeleira prateava, tendo a xícara de café com leite na mão, disse, meditando:

— Quando começou a luta, eu receei, perguntando-me: Haverá vantagem nessa batalha, em razão dos combatentes que aqui estão? Seja quem for que vença, pobre da vítima, que sairá de um perseguidor cruel para outro pior!

— Ora, já eu, não temi — respondeu outra dama, humildemente vestida. — Primeiro, porque eu confio em Deus e tudo sempre ocorre para melhor, conforme a sua vontade. Segundo, porque nossa Casa é edificada sobre os alicerces do amor e da caridade. Como Jesus afirmou que "a casa construída na rocha não seria derrubada pelos ventos nem pelas inundações", eu fiquei tranquila.

— Pois eu — contrapôs um jovem — vi logo que seria vantagem para o doente. Ele estava com dois inimigos. Ora, qualquer que fosse o resultado da luta, ele iria ficar só com um, portanto, já era uma vitória para ele, cujo *trabalho* de cura se iniciava, sem que soubesse, oferecendo-lhe vantagem.

— Bem, não é assim — esclareceu um senhor de aspecto respeitável. — Pelo que conheço, a irmã, que aparentemente foi vencida, não está afastada do seu perseguido, porque ele lhe deve, e, como a Lei de Deus nos exige corrigir o que fizemos de errado, é justo que ele se reabilite perante a pobre ofendida, não parece?

— E se ela não o perdoar? — indagou uma jovem, com interesse.

— O problema já não será dele — redarguiu o interlocutor. — Eu penso que nossos atos respeitam ou atentam contra as Leis de Deus. Quando fazemos um bem ou um mal a alguém, estamos no contexto da ordem universal. O bem que promove quem o recebe, eleva aquele que o pratica. O mal ocorre no sentido inverso, sendo sempre pior para quem o abraça. Quando devemos a alguém, moral ou espiritualmente, o nosso desrespeito é ao soberano código do Amor. É necessário

Loucura e obsessão

fazermos a paz com o nosso adversário, buscando-o com humildade para esse fim e fazendo-lhe o bem possível. Se, no entanto, ele se recusar, passa de vítima a algoz e tal não lhe é permitido. A sua teimosia no desforço retarda-lhe a marcha, mas isto não impede que o arrependido avance. Assim no caso em apreço, se ela teimar por não o perdoar, ele tem o dever de empenhar-se ao máximo, não, porém, ficar na retaguarda, a ela jungido... Crescendo, ele voltará um dia para auxiliá-la, caso ela prefira deter-se no caminho da evolução. A Justiça é, acima de tudo, amor que corrige e sabedoria que educa.

— Muito bem! — exclamaram todos.

Embora os comentários prosseguissem, interessantes, a irmã Emerenciana, sorrindo, otimista, completou:

— Aí temos o exemplo do diálogo edificante, que instrui e anima.

Embora identificássemos ser o cavalheiro um homem esclarecido, com muito bom senso, notei que, ao responder à jovem, ele fora inspirado pelo nosso conhecido Felinto, que participava, com outros obreiros espirituais da Casa, na edificante conversação.

A mentora solicitou licença, a fim de dar instruções aos cooperadores da nossa esfera, especialmente a respeito do prosseguimento da reunião em outro plano de atividade, e ficamos observando os seareiros do bem, no júbilo natural decorrente do dever cumprido.

Os Espíritos que não puderam ser atendidos ficaram sob assistência própria, e aqueles que se haviam comunicado permaneciam, na quase totalidade, a dormir, descarregando o psiquismo das altas tensões longamente mantidas.

Indígenas e africanos desencarnados movimentavam-se em silêncio, desincumbindo-se dos misteres especiais para a sua capacidade, cônscios da providencial utilidade do seu concurso.

Enquanto isso, percebemos a chegada de mais criaturas que eram encaminhadas a uma saleta próxima à entrada.

Confronto de forças

— São companheiros encarnados — explicou-nos Felinto — que vêm pedir ajuda, logo se desprendem do corpo pelo sono físico. Vinculados à nossa Casa, para aqui acorrem, automaticamente, ou são trazidos pelos seus protetores espirituais, a fim de receberem auxílio. Como o amigo sabe, o sono retém ao corpo os intoxicados por interesses mesquinhos ou os impele aos redutos de atração pessoal conforme a faixa mental a que cada um se fixa. Ao chegarem, são conduzidos a um atendimento que seleciona as questões a que se prendem, encaminhando-os depois à nossa instrutora ou a outros Amigos, de acordo com a preocupação que os aflige. Todos recebem, conforme a nossa capacidade e o merecimento deles, orientação e reconforto, para poderem desincumbir-se das provas e compromissos a que se encontram submetidos. O amor sempre dispõe de recursos, e mais cresce quanto mais se doa. Este intercâmbio é-lhes muito salutar, porque ficam registrados no *inconsciente* os conselhos recebidos, que lhes afloram como sonhos mais ou menos claros, de acordo com a lucidez pessoal. Não fosse tal socorro e tombariam em outros círculos, inferiores, nos quais seriam submetidos a aflições e amarguras, refletindo-se-lhes em forma de pesadelos perturbadores, ficando-lhes matrizes mentais para o pessimismo, a revolta e outras mazelas, como é muito comum. O intercâmbio espiritual, conscientemente ou não, é resultado das afinidades morais e afetivas entre os Espíritos em ambos os planos da vida.

Os membros da atividade mediúnica retiravam-se, em face do adiantado da hora, que já passava muito da meia-noite. Seus semblantes estavam assinalados pela paz e esperança.

13 – Revelação libertadora

Airmã Emerenciana convidou-nos à reunião que seria realizada na sala que se destinava às orientações, já nossa conhecida.

Nesse momento foram chegando os companheiros liberados pelo sono físico, que deveriam participar daquele trabalho especializado.

Os dois médiuns, aos quais nos reportamos durante o tratamento espiritual pelo *choque anímico*, apresentavam-se relativamente lúcidos, porque acostumados a esse mister, e foram recebidos com carinho pela benfeitora, que os acomodou nos lugares que lhes estavam reservados. Alguns cooperadores das tarefas mediúnicas, adestrados nos fenômenos de desdobramento, encontravam-se também presentes, na condição de auxiliares prestimosos.

A sala estava isolada por uma barreira fluídica impeditiva a qualquer incursão de malfeitores interessados em perturbar a operação que se iria iniciar.

Haviam sido tomadas providências para que os resíduos das ideoplastias que ali permanecessem fossem queimados, para o que, antes, trabalhadores especializados se encarregaram de fazê-lo, produzindo uma psicosfera agradável e renovadora.

Eram duas horas e trinta minutos da manhã, quando foi trazido Carlos pelos vigilantes e o seu genitor.

O jovem, muito enleado pelos fluidos que ingeria e o envolviam, apesar das providências socorristas que foram tomadas desde o atendimento, apresentava-se inconsciente,

Revelação libertadora

em profundo sono, maneira mais eficaz de transportá-lo sem agitação.

Posto em uma cadeira ao lado da mentora, prosseguiu sob o amparo dos amigos que o assistiam. O genitor, que nos saudou com expressão de felicidade, não ocultava a emoção por saber quanto significava aquele serviço de amor reservado ao filho.

A reunião foi entregue ao venerável Dr. Bezerra, a fim de que ele a conduzisse. Assim, o instrutor afável solicitou à diretora da Casa que fizesse a prece de abertura, no que foi prontamente atendido.

— Jesus amado — falou com unção superior —, os teus discípulos, seguindo as lições que nos legaste, dispomo-nos ao auxílio fraternal sob tuas bênçãos, reconhecendo a escassez de recursos de que dispomos. Não obstante, confiantes no auxílio que flui da tua misericórdia, exoramos que nos dirijas, distribuindo entre nós os tesouros da sabedoria e do amor para o mister a que nos dedicamos.

"Somos Espíritos enfermos, buscando a medicação que nos liberte do mal perturbador. Especialmente rogamos pelos irmãos mais doentes do que nós, aqueles que ainda desconhecem as Leis de amor. Perturbaram-se nas aflições que buscaram, por não saber recebê-las, e agora padecem de grave loucura; desejaram justiçar aqueles que os feriram, olvidando-se de que foram eles mesmos os desencadeadores do processo; planejam desforço, esquecidos do perdão, e afundam-se em mais cruéis conjunturas de dor; sofrem e, em vez de liberar-se do aguilhão, cravam-no em quem supõem responsável pelo seu desespero...

"Para todos nós rogamos piedade e, para eles, em especial, misericórdia de acréscimo, pois que não têm consciência do que fazem, tal a sua infelicidade.

"Inspira-nos, e inspira-os a mudar de posição moral, a descobrir a fonte inexaurível do amor que os felicite.

"Vem, Senhor, e comanda nosso esforço, dando-lhe direção correta e segura no bem."

Ao terminar, uma tênue claridade invadiu o recinto, como resposta do mundo maior, que supervisionava o trabalho de amor.

Neste momento, dois auxiliares espirituais trouxeram a jovem ex-Bombojira, que recebera o tratamento de desimantação, em profundo sono, que lhe não atenuava os estertores.

Foram-lhe aplicadas forças restauradoras para o despertamento, e, logo tal se deu, foi encaminhada à incorporação, na mesma moça que lhe fora médium, havia algumas horas, com o objetivo de prosseguir-se na operação libertadora das longas fixações, e, ao mesmo tempo, para diminuir-lhe a fúria, durante o cometimento em início.

A infeliz desencarnada, enquanto se liberava do aturdimento, relanceou o olhar em derredor e, quando pôde, expressou-se com sarcasmo:

— Vou ser julgada, por acaso? Como se não bastasse o que me foi feito com impiedade, o que mais se deseja de mim?

— Auxiliar-te, minha filha — respondeu o nobre mentor.

Contrastando com a interlocutora, a sua era uma voz suave e doce, sem vulgaridade piegas, portadora de uma vibração penetrante, que provocava relaxamento da tensão e dava paz.

Notei que a comunicante se expressava em português muito claro, diferindo do que sucedera no intercâmbio anterior.

Felinto, imediatamente, explicou-me:

— Nas psicofonias em nosso plano é mais fácil a transmissão do pensamento sem as fixações do Espírito. Ideia a ideia, a verbalização ocorre pelo automatismo da mediunidade, no idioma do intermediário.

— E o Espírito se dá conta?

— Quase nunca, especialmente neste caso de perturbação forte. O seu pensamento se exterioriza, como dissemos,

Revelação libertadora

no idioma da médium, e ele ouve inversamente, traduzido na sua língua ancestral.

— O que se deseja de mim? — indagou com ironia.

— A tua paz e renovação — respondeu o benfeitor —, que te farão feliz, retirando-te deste demorado sofrimento.

— Eu, no entanto, sou a vítima.

— Por esta razão estás sendo ajudada.

— E se me recuso a isso?

— Tal não pode acontecer, porque a terra sofrida pelo arado não se pode recusar às sementes que a abençoarão com o reverdecimento e a fartura.

— O meu é um plano de vingança; baga a baga de desespero desejo cobrar e nunca desistirei, mesmo que nele me aniquile.

— Não é este um plano de vingança, mas de loucura, que te fará mais desventurada, cada dia em pior situação, sem jamais aniquilar-te, pois que o Amor não cria para destruir. Ouve agora, antes que se te faça irreversível a decisão... Neste momento, poderás, por tua escolha, programar o futuro, enquanto a rebeldia te levará a ele, sem outra alternativa, em situação mais lamentável. Ninguém foge ao progresso, e ora chega o momento da tua renovação.

— Insisto: sou eu a desventurada!

— Não o negamos. Isto se dá porque o queres. A dor, enlouquecendo-te, faz-te prezar a própria desdita, a que te apegas como falsa justificativa para prosseguir no sofrimento que te agrada...

Enquanto Dr. Bezerra lhe exortava à meditação, ao raciocínio, a modulação da voz que a envolvia em vibrações de reequilíbrio era acompanhada de igual exteriorização que se lhe irradiava do *plexo cardíaco*, vestindo o Espírito sofrido com energia salutar.

Porque a entidade prorrompesse em pranto de desespero, ao qual se misturava a revolta, o mentor despertou o enfermo, que lentamente recobrou a razão, dando-se conta de estar em uma reunião, embora lhe ignorasse a finalidade.

— Carlos — chamou, bondoso, o doutrinador —, desperta para a verdade, meu filho.

O jovem espraiou o olhar pelo recinto e, ao defrontar a sofredora *incorporada*, que podia identificar, apesar de perceber, também, o médium, pôs-se a tremer; tentou fugir, no que foi detido, e indagou apavorado:

— Que faz o monstro aqui? Tenho que fugir...

— Ninguém foge da consciência culpada, meu filho. Tu a vês, porque ela está insculpida igualmente em tua memória.

— Ela persegue-me e deseja matar-me. Eu lhe tenho horror.

— Sabemos disso. No entanto, ela é o que lhe fizeste. Tua irmã, converteste-a num monstro, pelo que lhe infligiste. Nem sempre foi assim a sua forma ou a sua maneira de ver. Recorda-te conosco. Recua no tempo e a encontrarás...

Aplicando-lhe passes de despertamento da memória, o médico espiritual fê-lo recuar, no mergulho interior, a fim de encontrar a razão da desdita, por ele mesmo provocada.

Enquanto isto se dava, ocorria uma metamorfose na sua face, transfiguração que lhe repetia a estrutura anterior quando, no passado, soberbo e frio, recebeu um grupo de escravos recém-chegados da África.

Uma jovem, casada e mãe, despertou-lhe a cobiça, a luxúria chã. Era a sua adversária atual. Podíamos vê-la na sua tela mental.

Após separá-la do marido, em uma semana apenas, desejou impor-se como senhor e usuário. Na sua formação moral, sem saber do que lhe acontecia nem entender o idioma do dominador, dilacerada por mil dores, a infeliz negou-se e lutou bravamente, sem medo, ela que havia sido roubada em tudo: liberdade, família, posses... Esbordoada, vilmente, pelo alucinado, foi tomada de fúria indômita e reagiu, sendo vencida a golpes de rebenque, que a prostraram, sendo, logo depois, arrastada ao suplício impiedoso até que a morte lhe adveio...

Revelação libertadora

E em sua reminiscência do passado gritou, justificando a conduta hedionda:
— É minha escrava. E, como tal, é um animal que eu concedo a honra de tratar como gente. Matá-la, para que os outros me respeitem, é o mínimo que posso fazer. Tenho esse direito, ainda mais porque a desejei, e isto é, para ela, um destaque, por haver sido eleita pelo seu senhor.

A atormentada, sentindo-se diretamente evocada, deteve o pranto, ergueu a médium e, com o dedo acusador, bradou:
— Eis aí o miserável! Estrangulá-lo é o meu direito, e irei fazê-lo. Roubou-me o marido e afastou-me do filhinho. Por fim, queria abusar de mim como se eu nada fosse. Em minha tribo se preservam os direitos e a honra das mulheres. Aquelas que se entregam ao vício tornam-se serviçais das outras, quando não são expulsas do clã. Hei de vingar-me, porque é o ódio que me tem permitido viver para esperar este momento.

— Fui e sou o teu senhor. Comprei-te, e pensava estivesses morta. Já que sobrevives, exijo a tua submissão...

Totalmente tresvariada, ela pôs-se a gargalhar.

— Desperta, filho — admoestou o Dr. Bezerra. — Passaram-se mais de 150 anos, desde aqueles dias... Volveste ao corpo, mas ela não. Escapou-te à sanha peçonhenta, continuando a viver, além da carne, qual ocorre com todos nós. O teu poder mentiroso também passou. Mudou-se o quadro: agora é ela quem se utiliza de meios que desconheces para perseguir-te, submetendo-te.

"As tuas loucuras levaram-te, naquele tempo, a crimes que ninguém tomou conhecimento, porque eram contra os fracos e as leis arbitrárias te permitiam praticá-los, sem que prestasses contas a quem quer que fosse. As escravas jovens e suas filhas na adolescência eram vítimas de tuas sevícias sexuais, após o que as entregavas aos feitores ou amigos, para depois lhes impingires os companheiros. As que engravidavam de ti abortavam sob a chibata, pelo crime de haverem concebido...

A consciência culpada não esquece. Assim, trazes tormentos

e incapacidade sexuais que contribuíram para a tua alienação, pois necessitas de resgatar todos os teus torpes comportamentos..."

— Isto não é tudo — interrompeu o mentor, a alucinada, que acompanhava a narração dos desconcertos morais do seu adversário. — O miserável, na sua sordidez, mandava matar os escravos que ficavam impossibilitados de trabalhar, conforme o vi fazer, depois que me matou... Não conheço um ser igual. Para onde ele mandou o meu filhinho, que eu nunca tive conhecimento?

— Teu marido roubou-mo quando soube que te destruí. Mandei caçá-los até os encontrar, e, quando os alcancei, trouxe-os à senzala. Recomprei teu marido do senhor a quem eu o vendera e o matei no mesmo lugar onde te justicei a rebeldia. *Negro* nasceu para ser animal de carga e não gente...

— Enganas-te meu filho — interceptou-o o amigo dos infortunados. — A epiderme é veste transitória sob a qual o ser eterno se oculta, durante uma experiência evolutiva. Serás feliz quando o entendas. Por enquanto, observa e aprende com a divina Sabedoria.

Voltando-se para a sofredora, esclareceu:

— O teu filhinho foi entregue à encarregada do lar, a pedido da senhora, que não tinha filhos, o que mais atormentava o desditoso senhor, cujo patrimônio não passaria a um descendente direto. Por isso, temia que um *mestiço* viesse a perturbar-lhe mais a consciência criminosa e insensível. A princípio ele negou-lhe o pedido, terminando por aquiescer. A criança cresceu junto ao assassino dos seus pais, no entanto, não o odiou. O carinho da senhora dulcificou-lhe a ardência do sofrimento, e o barbarismo sociomoral que submetia os fracos, à época, contribuiu para que ele aceitasse o consumado. Tornou-se, com o tempo, encarregado de alguns dos negócios domésticos, havendo ganho a confiança do senhor.

"Nesse ínterim, a senhora concebeu e tornou pai o esposo vil, auxiliando-o a sair da miséria da revolta ante a alegria

Revelação libertadora

de um filho, embora não lhe diminuísse a impiedade nem a ganância..."

— E por que eu nunca percebi a presença do filhinho no lar, se tanto o buscava?

— O ódio, que cega, também alucina. Na tua desmedida revolta, vias apenas o mal e, nos paroxismos do autossupliciamento, perdias o contato com o mundo onde deixaste o corpo...

— Mas eu via e acompanhava os seus crimes.

— É certo, porque te aferravas a ele. As outras crianças da senzala nunca te interessaram. Como sempre estavam na casa-grande, não lhes dando importância, deixaste de identificar o próprio filho.

"Só o amor dá vida, e, portanto, responde à vida. Reflexiona, agora, e observa como se mudaram os quadros: o teu algoz é hoje vítima de si mesmo, afligido pela tua ira insana. Quererás que logo mais voltes à Terra, conforme se dará, e ele, do nosso lado, prossiga revidando, em nome do que lhe fazes? Até quando? Esqueces que Deus é amor, mas é também Justiça, que não abona o crime nem o olvida?"

— Onde estará, hoje, o meu filho?

A pergunta era pungente e lancinante.

Víamos o irmão Empédocles em profundo recolhimento durante o diálogo. Agora, a irmã Emerenciana, acercando-se dele, falou-lhe com doçura e energia.

— É a sua vez. Recorde-se. Mergulhe no oceano do tempo e reviva.

O genitor de Carlos passou por uma extraordinária transformação ante nossos olhos espantados e a atenção dos litigantes.

Logo depois, vimos entrar um Espírito de ex-escrava com uma toalha de rendas, alvinitente, sobre os braços distendidos, no momento em que o irmão Empédocles se transformara em criança negra de poucos meses.

A mentora o depôs sobre a toalha e vimos a recém-chegada acercar-se da antiga mãe e dizer-lhe:

— Fui eu quem cuidou dele em nome de nosso pai Zâmbi. Aqui está o teu filhinho, conforme o recebi... As divinas leis, em nome do amor, trouxeram-no de volta ao mundo, para ajudar quem tanta infelicidade produzira, mas que o amparara no seu desvalimento.

— Meu filhinho! — exclamou, transida de alegria e dor.

— Papai! — bradou, ajoelhando-se, o desventurado Carlos. — Deus meu!

A cena, pelo inusitado, colheu-nos a todos, aqueles que a não aguardávamos, de surpresa e grande emoção.

Eu não pude dominar as lágrimas, que me surgiram espontâneas. O infinito amor de Deus modificava a trama do ódio, alterando os padrões vigentes, de forma imprevisível, surpreendente.

Enquanto os litigantes permaneciam nas lutas do ódio, já a programação superior providenciava com larga antecipação aquele desfecho de amor.

A visão divina, abrangendo todos os ângulos dos acontecimentos, estabelece as diretrizes que facultam o equilíbrio em toda parte.

A presença do amor, como diluente de todas as forças da violência e do mal, constitui o hálito do Criador vivificando a sua obra.

Deixando que os surpresos sofredores exteriorizassem as fortes emoções que lhes irromperam, subitamente, o sábio instrutor falou à mãezinha de face transformada pela alegria:

— Vês, minha filha, como se manifestam os desígnios de Deus? Teu filhinho encontrou uma outra mulher que o adotou por amor e o encaminhou à felicidade. Reconhecido, quando ele voltou à pátria espiritual, buscou-te muito... Tu estavas em outras faixas e ele não te pôde resgatar. Amando-te e àquele que tanto mal praticara, mas algum bem igualmente realizara, rogou e conseguiu reencarnar-se para ser-lhe o pai. A mulher que havia intercedido para tê-lo nos braços e no lar seguiu logo depois para tornar-se sua esposa e receber o ex-marido na condição de filho, de tal forma que todos, a partir de hoje, te tivessem na situação de irmã que sempre foste, mas que agora te conscientizarás e passarás a senti-lo dessa forma.

A entidade não podia dizer coisa alguma. Fitava o antigo filhinho com profundo enternecimento.

A irmã Emerenciana ergueu Carlos e disse-lhe bondosamente:

— A vez, agora, é tua.

O jovem, trêmulo, refletindo no rosto os conflitos que o maceravam, aproximou-se da antiga vítima, e, prosternando-se, gaguejou:

— Per...do...a-me!... Eu esta...va e prossi...go lou...co. Lou...co!

A palavra, enunciada com grande sinceridade, fê-lo desequilibrar-se. Ia, agitado, sair, quando Dr. Bezerra se dirigiu à interlocutora:

— Então? Ele te pede perdão. Deus te restituiu o filho de ontem, que hoje lhe é pai. Como desejavas a felicidade para o teu filho transitoriamente, este pai igualmente, estando nos teus braços, espera a felicidade para o transitório filho dele. Que dizes?

A entidade devolveu o filhinho à mãe adotiva e levantou-se, dominada por igual emoção.

Ergueu o adversário que lhe rogava perdão, acrescentando:

— Que Deus nos perdoe a ambos, os infelizes que o amor visita pela primeira vez nestes longos anos!

"Zâmbi! Zâmbi da Justiça, piedade para todos nós!"

O benfeitor abraçou-os, aos dois, e orou, igualmente comovido, encerrando a reunião.

A irmã Emerenciana determinou que fosse levado Carlos de volta.

O caro Empédocles retomou a forma atual e acompanhou a antiga mãezinha, que foi conduzida a outro recinto, na

Loucura e obsessão

casa, para refazimento espiritual, enquanto os médiuns foram reconduzidos aos seus respectivos lares, onde os corpos repousavam.

— Ela permanecerá aqui — indaguei ao mentor — ou seguirá às nossas enfermarias para tratamento?

— Por enquanto — informou, gentil — nossa irmã repousará neste reduto de ação cristã, pois que ainda será convidada a contribuir em favor da própria e da paz do próximo em sofrimento. Aguardemos e confiemos!

Havia alegria geral que a todos nos dominava.

Antes de nos despedirmos da mentora, ouvi-a dizer ao Dr. Bezerra:

— Prosseguiremos, posteriormente, com o atendimento aos demais adversários do nosso pupilo Carlos. Deus seja louvado!

Na rua, sob o lucilar das estrelas, não pude sopitar comentários e expus ao instrutor paciente:

— A reencarnação dignifica a vida. Sem ela não teria sentido a existência humana. É a luz que aclara a noite dos destinos e bênção que suaviza todas as dores.

— Fortalece os laços de família — completou o dedicado benfeitor —, porque elimina as paixões da personalidade que elege formas específicas de amor, propiciando, na alteração dos laços consanguíneos, a generalidade desse sentimento que deve libertar, quando muitos buscam escravizar-se aos impositivos transitórios das particularidades nas quais se manifesta no lar.

"Os pais de hoje foram ou serão os filhos de amanhã. Nubentes e irmãos, parentes e outros mudam de lugar no clã, permanecendo os vínculos que se alargam e se santificam, como experiência formosa para o amor universal.

"Quando este se estabelecer entre as criaturas, a felicidade se estenderá por toda parte."

Porque silenciasse e a madrugada fosse um convite à meditação, seguimos adiante, tomados de gratidão ao Pai, por todas as suas concessões.

14 – Nefasta planificação desarticulada

Estávamos em nossas tarefas habituais, quando veio ter conosco o ativo Felinto, em nome da irmã Emerenciana. Tratava-se de Lício, que se encontrava em grande desespero e lhe endereçara angustiada rogativa de socorro. Pedia-nos, a benfeitora, a cooperação possível, assinalando o momento em que pretendia visitá-lo.

Havendo aquiescido, o benfeitor anotou o endereço e prometeu que estaríamos presentes à hora convencionada.

— Não tenho dúvida — informou-nos Dr. Bezerra — que se trata de hábil cilada dos adversários do jovem, interessados em mantê-lo enredado na problemática atormentadora que o constringe. Em casos de gravidade como este, os Espíritos envolvidos na vindita, quando se percebem em perigo, pressentindo a interrupção ou mesmo a impossibilidade de levarem adiante o programa infeliz, tomam decisão desesperada, criando situação difícil, ante a qual a vítima, pressionada, entrega-se-lhes em totalidade, permitindo-lhes prosseguir na exploração vampirizadora e até mesmo induzi-lo à fuga alucinada pelo suicídio.

"Desde já pensemos no caro Lício com simpatia, transmitindo-lhe irradiações de coragem e bom ânimo."

A partir de então, realmente interessados na renovação e paz do pupilo, ligamo-nos em pensamento ao seu dilema, infundindo-lhe resistência e valor moral.

Se os homens, em geral, nos seus momentos de testemunho, se detivessem na oração, a dores maiores se furtariam.

Loucura e obsessão

Não há apelo honesto dirigido a Deus, por meio da oração, que fique sem conveniente resposta. É certo que todos gostaríamos de obter ajuda, conforme pensamos ser o melhor, embora tal não ocorra. A resposta nos chega de maneira própria para a necessidade, ensejando-nos coragem e fé até o momento de libertação. A oração, de forma alguma, evita o sofrimento ou anula as dívidas. Se o fizesse, desorganizaria o equilíbrio das leis. Não obstante, propicia os meios para que se possa suportar a conjuntura, tornando-a menos penosa, em face do robustecimento do ânimo e das resistências morais. Ocorre, no entanto, quase sempre, o inverso. O desespero, a revolta, o pessimismo, a amargura se associam e agitam ou bloqueiam as áreas do raciocínio, e o ser tomba na urdidura do acontecimento.

Vinculando-nos, psiquicamente, à sua ansiedade que rogava ajuda, pude percebê-lo inquieto e necessitado.

Com essa disposição favorável, chegado o momento, rumamos na direção do lar.

Eram dezoito horas e a família exultava, menos, naturalmente, o rapaz.

A razão dos júbilos era a presença do Dr. Nicomedes, senhora e dois filhos, irmão da genitora de Lício, portanto, seu tio, já conhecido nosso. Haviam chegado lá menos de meia hora. A viagem, pelo inesperado, surpreendeu a todos.

À sala de refeições, enquanto eram servidos refrescos e canapés, o familiar comentava:

— Foi tudo muito rápido: ideia, decisão e viagem. Subitamente fomos vitimados pela saudade e fui tomado pelo desejo de descansar alguns dias, proporcionando à esposa e filhos as alegrias da capital. Todos se contentaram com a ideia e, assim, preferimos surpreendê-los. Esperamos que não desagrademos ou venhamos a criar qualquer dificuldade. Afinal, os *velhos amores* são os que devem prevalecer.

Grifando as palavras, olhou para o sobrinho, que ruborizou, enquanto os conflitos lhe assomavam ao íntimo.

Nefasta planificação desarticulada

"Qual a razão de tanto tormento?" — indagava-se Lício, prestes a explodir em quase incontido desespero. — Detestava aquele homem que o enredara em cipoais de desequilíbrio, quando o corrompera na adolescência; e o amava entranhadamente. Sabia avaliar o significado desses sentimentos díspares. Percebia, também, que a estranha flama do passado continuava ardendo nas emoções do tio, sem dúvida, atormentado também. Ali estava por duas razões: dever familiar, evitando qualquer suspeição desnecessária e curiosidade. Curiosidade, sim, para conhecer as próprias débeis resistências e avaliar o que se passava com o outro. Temia, no entanto, aquele inesperado reencontro. Por isso, desde que chegara a notícia, à última hora, da viagem dos familiares, apelara para Deus, evocando a benfeitora que lhe prometera apoio e aguardando os sucessos que se dariam.

Lício exsudava de emoção e padecia a disritmia cardíaca decorrente da ansiedade.

A irmã Emerenciana, Dr. Bezerra, Felinto e nós acompanhamos a conversação ainda por mais um pouco.

— Quais são os planos do caro mano? — indagou, interessada, a anfitriã.

— Bem — respondeu, com cinismo disfarçado —, pretendo pedir à irmã que, dentro das suas possibilidades, seja cicerone da esposa e das crianças. Eu pretendo fazer algumas visitas profissionais, e confio que Lício, como antigamente, me possa acompanhar. Será possível, sobrinho? E sorriu com prazer.

O jovem gaguejou um pouco, buscando uma desculpa.

A irmã Emerenciana acudiu-o com uma intuição e passou a auxiliá-lo no raciocínio:

— Antigamente — explicou — eu era muito ignorante e um tanto irresponsável, dispondo de tempo em demasia... Não sei se os meus atuais compromissos me permitirão...

— Está diferente — revidou com alguma mordacidade o tio.

— Cresceu bastante, sim, no entanto, creio que permanece

o mesmo, com os seus valores e necessidades. Para ser honesto, devo acrescentar que o meu caro Lício constituiu fator decisório para a viagem. Afinal, as grandes afeições não morrem com o tempo...

— É verdade! — respondeu o moço telementalizado pela benfeitora. — Alteram-se os valores, crescem as aspirações e a criatura, preservando suas conquistas, transfere-se para outros anseios. Respeito e estimo o tio, como é do seu conhecimento, e terei prazer, dentro das circunstâncias possíveis, de ser-lhe útil durante a sua estada e da querida família, que também respeito, em nossa casa.

— Confio nisso e espero que o demonstre — concluiu com um sorriso sardônico.

Enquanto se desenrolava o diálogo, percebi que o Dr. Nicomedes estava, também, sob a injunção espiritual do verdugo de Lício, que se utilizava da sua fraqueza moral, a fim de criar uma situação insustentável.

Lúbrico e vulgar, ele inspirava desejos sórdidos no homem inescrupuloso, que voltava aos dias idos de insensatez com quase descontrole emocional.

Sentindo-se delicadamente repelido, mais se lhe acentuaram os desejos obscenos, por pouco não o desequilibrando.

"Eu te pegarei", pensou, com certo triunfo, "nem que me arrisque a um grave dano. Não me escaparás. Quero-te, e te terei. Não sou de desistir da luta, quando o meu interesse está em jogo. Ainda mais agora, que te reencontro."

E aduziu às reflexões torpes:

"Deve ser alguém que lhe tomou o meu lugar. Lutaremos!"

O obsessor dominava-o, quase completamente, acoplando-se-lhe aos *centros de forças* com toda a pujança do desejo irrefreável.

A mãe de Lício levou os familiares aos aposentos que aprontara um tanto apressadamente, pedindo desculpas pelas falhas e informou que o jantar seria servido às vinte

Nefasta planificação desarticulada

horas, dando-lhes tempo para se refrescarem, descansando da viagem.

O jovem permaneceu aturdido, embora sentisse a influência salutar que lhe propiciara a nobre mentora.

A fraqueza moral e o hábito irregular, que lhe impunham falsa necessidade emocional, atormentavam-no.

Temia ficar a sós com o tio e não sabia o que fazer.

Em vez de buscar a inspiração pela prece, como o fizera antes, desarmado de uma formação religiosa equilibrada, correu ao quarto e entregou-se às recordações.

A presença do homem perturbador arrancava do seu arquivo de lembranças os acontecimentos que lhe pareciam venturosos, e que agora temia se repetissem, não obstante, inconscientemente, os desejasse.

A luta contra qualquer vício é difícil, em razão dos prazeres que se lhe atribuem, dando acesso à sua repetição, embora exista o desejo, não muito forte, de libertar-se.

Porque estivesse abrindo brecha mental, que a instrutora receava, esta mais se lhe acercou e falou-lhe enérgica:

— Reaja, meu filho. O que não é correto tem que ser evitado. Preencha o espaço mental com outras ideias. Você pediu auxílio e aqui estamos...

A memória, no entanto, enriquecida pelas lembranças que agora lhe pareciam agradáveis, bloqueava o registro do pensamento superior.

A mentora pediu a Dr. Bezerra que interferisse com a sua sabedoria e experiência, ao que ele aquiesceu.

— Neste momento — obtemperou —, não devendo violentar-lhe o livre-arbítrio, a única medida apaziguadora e oportuna será um ligeiro sono.

Acercou-se do leito, no qual Lício se recostava, e aplicou-lhe energias relaxadoras, que, adicionadas ao desgaste emocional dos momentos vividos, passaram a um efeito quase imediato.

Dirigidas aos *centros cerebral* e *solar*, acalmaram-lhe a mente e as emoções inferiores, entorpecendo o jovem que,

Loucura e obsessão

minutos depois, era desdobrado espiritualmente pelo médico abnegado.

Despertando, além do corpo, apesar de envolto nos fluidos anestesiantes, foi entregue à mentora, que lhe explicou com energia e clareza:

— Você tem que reagir às propostas vulgares do seu tio. Cercam-no perigos graves, e uma trama cruel os envolve a ambos, desejando arruiná-los, sem qualquer alternativa de impedimento, exceto de sua parte. O seu parente está gravemente enfermo, possuído por uma força dominadora e má que o vai utilizar contra você. É necessária toda a vigilância e decidida atitude contrária aos seus propósitos. Ele tem planos para esta noite, que você deve interditar. Use paciência e vigor, não se permitindo sonhos e ilusões que logo se converterão em pesadelo.

"Reaja, pois, com todo o seu empenho. Por enquanto, descanse e deixe-se conduzir pelas mãos de Deus. Durma..."

Víamos o Espírito adormecer, enquanto o corpo ressonava.

— Como receberá ele a orientação da mentora? — indaguei ao benfeitor amoroso.

— Ele se recordará de um sonho algo confuso — afiançou — no qual se misturarão os próprios desejos vulgares e as advertências, experimentando singular receio do outro.

O diálogo, ao lanche, despertou, porém, no senhor Ânzio, pai do jovem, uma desagradável sensação. Surpreendeu-se com a linguagem que o cunhado utilizara, na conversa em relação ao filho, e, sem poder explicar-se, sentiu estranho mal-estar. Não tinha como confirmar as suspeitas que, desde há algum tempo, envolviam a figura do jovem. Estranhava-lhe o comportamento, as preferências e mesmo a exteriorização psíquica... Sentia-o atônito e infeliz. Indagara-lhe, mais de uma vez, pela razão do estado que o dominava, não encontrando aparente explicação lógica. Nada dissera à esposa, poupando-a a preocupações evitáveis. Não obstante, aquele diálogo despertara-lhe a atenção negativamente.

Nefasta planificação desarticulada

Enquanto meditava, o mesmo perturbador que telementalizava o hóspede recém-chegado passava a insuflar pensamentos torpes no chefe do lar, que foi, a pouco e pouco, sendo tomado por maus preságios e desconforto íntimo.

A trama se delineava mais sórdida e perigosa do que eu próprio poderia imaginar a princípio. Detectando-a, a mensageira Emerenciana pedira o auxílio do mentor.

Transitando entre o hóspede e o dono do lar, o obsessor mantinha a teia grotesca do mal, a cada um invigilante propondo diferente rumo mental.

Sentindo-se ferido no amor-próprio, o Dr. Nicomedes, enquanto a esposa se banhava, saiu, sorrateiramente, e foi ao quarto do sobrinho.

Porque a porta estivesse entreaberta, adentrou-se e trancou-a por dentro, acercando-se do moço adormecido.

A cabeleira encaracolada que lhe adornava o rosto pálido e bem traçado dava-lhe um certo ar seráfico, que produziu maior impressão sensual no visitante inescrupuloso. Este detinha-se a contemplá-lo, embevecido, enquanto a mente, irrigada pelos propósitos inferiores, tornava-o mais servil.

Ia oscular a face do sobrinho, quando a irmã Emerenciana ordenou:

— Lício, acorde!

O rapaz assustou-se e despertou, sendo tomado por um outro choque, vendo o tio, que se preparava para afagá-lo.

— Tive um pesadelo! — exclamou lívido.

E, recobrando a lucidez, indagou:

— Que faz você aqui? Enlouqueceu?

— Sim, encontro-me desarvorado por sua culpa.

— Deus, meu! Que se passa?

— Temos que sair para conversar, imediatamente.

— Eu não posso, estou sentindo-me mal.

— Falaremos, então, aqui...

— Não, não é possível... Dê-me tempo.

— Hoje, sem falta. Nunca o esqueci. Você me pertence. Ou há alguém entre nós?

—Mas eu não sou propriedade de ninguém. Eu sou gente, livre. Você escolheu a sua vida e eu tenho direito à minha.

— Não desta forma, recusando-me. Sou mau perdedor e não cedo com facilidade. Você me tem atormentado por todos estes anos, até que, não suportando mais, vim intempestivamente.

— E sua esposa?

— Saturei-me dela. Arrependo-me amargamente de ter-me consorciado.

— E as crianças?

— Sim, amo-as. O que, no entanto, me acontece nestes últimos dias leva-me ao tresvario. Não sei o que será de nós dois, caso você prossiga nessa hostilidade para comigo. Pôde esquecer-me de tal forma que tudo se lhe apagou na memória? Amo-o!

As resistências do moço estavam no final.

Acometido por um tremor nervoso, ia abrir a alma dorida quando a mentora lhe tocou o centro cerebral, de forma que se recordasse do sonho, e disse-lhe, mais uma vez:

— Liberte-se, meu filho, agora...

Aclarada a memória pela lembrança da advertência recebida, respondeu comovido:

— Tenha piedade de mim! Eu sou um frangalho humano. Se mantém algum sentimento de afeto por mim, ajude-me na minha libertação. Não me empurre para baixo. Necessito de alguém que me levante. Temo uma tragédia. Por favor, socorra-me!

Instigado pela própria volúpia inferior e pelo obsessor que a ele se imantava, açodando-lhe os desejos subalternos, redarguiu, insensível:

— Sou esse amigo, sim. E o levantarei para mim. Levá-lo-ei daqui por algum tempo até que você se refaça.

— Mas o perigo não reside aqui, acaba de chegar: é você.

Nefasta planificação desarticulada

— Não o deixarei. Você não me fará de bobo. Após o jantar sairemos e acertaremos tudo com calma, está bem?

E beijou-lhe o rosto, afastando-se, a prelibar a falsa vitória.

O Sr. Ânzio, teleconduzido pelo terrível inimigo desencarnado da sua família, dirigiu-se ao andar superior, onde ficavam os dormitórios, e surpreendeu o cunhado saindo do quarto de Lício.

Em outras circunstâncias, o fato não despertaria atenção. Naquelas, no entanto, teve um terrível efeito.

O cavalheiro sentiu um descontrole emocional ante a ideia que lhe passou pelo cérebro, quase o fulminando.

Teve um impulso de interrogar o hóspede, mas dominou-se.

Entrou, então, abruptamente, no quarto do filho, e vendo-o desfigurado, a chorar, indagou com surda revolta:

— Que se está passando nesta casa? Qual a razão para essas lágrimas? Para que um homem chore, a razão deve ser muito forte. Que fazia seu tio aqui?

Lício aturdiu-se mais. Olhou o pai, másculo e dominador. Como gostaria de poder abrir-lhe a alma, encarcerada nos conflitos cruéis! Sabia, entretanto, que ele jamais o entenderia. Em face do clima de descontrole emocional, quis dizer-lhe do próprio sofrimento, pedir-lhe amparo, conselhos...

Quando ia responder às indagações, a irmã Emerenciana quase o incorporou, levando-o a dizer:

— Titio percebeu que eu passava mal e veio saber de que se tratava, desejando ajudar-me conforme o fazia no passado.

— E que é que você tem?

— Não sei, papai. Sinto-me febril, indisposto, pressentindo uma grande desgraça, que eu não consigo captar qual ou onde acontecerá. Estou muito inquieto. Ajude-me!

Havia tal angústia na voz e na face que o pai se desarmou da ira, liberando-se do constritor espiritual. Sentou-se na cama e indagou com bondade:

— Desde quando, meu filho, você está assim?

Loucura e obsessão

A irmã Emerenciana estimulou-lhe a circulação, aumentando-lhe a temperatura e o rubor da face, que agora se apresentava avermelhada.
— Não sei! — respondeu, arfando. — Periodicamente isto me assalta. Nunca, todavia, tão forte como hoje.
— Seria a presença do seu tio? — interrogou o pai com habilidade.
— De forma alguma. Titio e família dão-nos muito prazer com a sua presença, não é verdade?
O pai anuiu com a cabeça, sentindo-se constrangido pelas ideias que agasalhara, afligindo-se.
O benfeitor envolveu-o em vibrações de ternura e o levou a abraçar o filho, justificando-se:
— Desculpe-me por não ser o pai que deveria. O trabalho e a luta diária a que me entreguei endureceram-me os sentimentos e fizeram-me esquecer que, mais importante do que os bens materiais que proporcionam conforto, está o amor dos filhos, da esposa, a felicidade da família. Tentarei mudar. Agora descanse, a fim de, renovado, descer para o jantar.
— Louvado seja Deus! — exteriorizou, feliz, a benfeitora. — A primeira batalha está ganha. A minha preocupação era com o plano elaborado pelo adversário, que lhe pude captar. Ele planejava levar o Sr. Ânzio a seguir o filho e o cunhado, após o jantar, arrumando o palco para um crime hediondo. Agora, teremos tempo de aplicar os nossos métodos, no atendimento aos implicados nesta trama complexa. Logo mais, com o apoio do querido mentor, daremos prosseguimento ao serviço de assistência a eles dirigido.
O tempo urgia e já eram dezenove horas e trinta minutos. A irmã Emerenciana agradeceu a cooperação eficiente de Dr. Bezerra e despediu-se. Este informou que nos demoraríamos, um pouco mais, com o dedicado Felinto, para qualquer emergência.

Nefasta planificação desarticulada

O inimigo, furibundo, vendo-se fracassar no tentame de envolver o Sr. Ânzio, voltou-se totalmente para o Dr. Nicomedes, a quem aderiu psiquicamente, açulando-lhe os instintos primitivos, já em descontrole.

Porque se sabia descoberto desde a visita do enfermo à irmã Emerenciana, ele estabelecera um plano nefasto para interromper-lhe a vida física, rapidamente, levando o pai à desdita e ceifando, igualmente, a existência do tio leviano, a quem também destestava.

Pretendia levá-los a uma casa de encontros fortuitos e venais, na área do sexo desvairado, conduzindo, também, o genitor, que os surpreenderia na vulgaridade, descarregando toda a ira, na recuperação do nome das famílias dessa maneira enxovalhado.

Tal seria o preço que a insensatez deveria pagar.

A providencial busca, dias antes, de socorro pelo jovem e a sua prece ardente alteraram, pelo menos, no momento, a tragédia em delineamento, mesmo com todos os sucessos que, decerto, iriam ter lugar.

O jantar transcorreu quase em normalidade, em face da bulha das crianças e a alegria da anfitriã e da cunhada, que não cessavam de permutar opiniões, entremeadas de alguns mexericos em moda.

O Sr. Ânzio refizera-se, voltando à serenidade e conversando com naturalidade com o hóspede.

Lício prosseguia com a face rubra pela temperatura que lhe fora alterada pela sábia instrutora.

Terminada a refeição em clima de cordialidade, Dr. Nicomedes pediu licença para dar uma rápida volta de carro pela avenida Oceânica, a fim de aspirar o oxigênio da noite.

E mui habilmente acrescentou:

— Se o meu sobrinho me puder acompanhar, ficarei grato. Há tanto tempo não venho à capital que me surpreenderei com alterações do trânsito; assim, necessitarei, pelo menos hoje, de um auxiliar. Será possível?

— Creio que estou doente, pois me encontro febril. Talvez amanhã.

Dona Constância, sua mãe, no entanto, interveio, estimulando-o:

— Ora, filho! Você tem estado triste e cismarento nestes últimos dias. O passeio lhe fará bem. Além disso, será útil a seu tio.

O Sr. Ânzio, agora renovado, completou:

— Estou de acordo. Um passeio pela orla marítima é algo de muito bom gosto. Far-lhe-á bem, meu filho.

— Não demoraremos — concluiu o Dr. Nicomedes, que não dissimulava a alegria. — Pretendo deitar-me cedo.

Ainda os encontraremos despertos. Vamos, garoto.

Segurou o sobrinho pelo braço, desceram à garagem e ganharam a rua.

— Sigamo-los! — propôs o benfeitor. — E os acompanhemos com objetivos superiores, prontos para impedir algum disparate de consequências imprevisíveis.

A noite era um hino de estrelas engastadas no veludo escuro do zimbório, exaltando a grandeza do Pai Criador, e o ar que se espraiava da orla marítima estava balsamizante, reconfortador.

15 – O passado elucida o presente

Estacionando o veículo próximo a uma enseada, cujas águas refletiam a prata do luar, Dr. Nicomedes, que estivera tão silencioso quanto o sobrinho, externou:

— É-me difícil compreender a ambiguidade afetiva dos meus sentimentos. Tudo fiz para apagar as lembranças da nossa ditosa convivência e não consegui. Tempos houve que me esmaeceram na mente; periodicamente, no entanto, assaltavam-me, confrangendo-me a alma. E você?

— Não posso negar que lutei com bravura até amortecer as recordações... Impossibilitado de revê-lo e estar ao seu lado, no começo eu pensei que ia enlouquecer. O tempo misericordioso diminuiu-me a angústia.

— Conseguiu manter-se sozinho por todos estes anos?

— Esta pergunta não tem resposta. Nunca lhe impus conduta de exceção. Por que deveria aniquilar-me?

— E agora, que sente por mim?

— Medo de ser levado novamente às brenhas da paixão devoradora, prejudicando sua família e a mim mesmo, naturalmente perturbando sua vida. Há poucos dias busquei recurso espiritual para a minha conduta.

— E que recebeu?

— Orientação e amizade pura, como já me desacostumara a experimentar.

— Você está mal. A vida é apenas o corpo, meu caro, que se transforma, quando ocorre a anoxia cerebral, a ausência de oxigênio nos neurônios e demais tecidos. Morrer é consumir-se.

Loucura e obsessão

Não se envolva com essas superstições, do contrário a sua lucidez mental estará com os dias contados.

Lício não acrescentou mais nada.

— Estou informado de um lugar discreto e respeitável onde nos podemos refugiar por alguns minutos. Amigos narraram-me a excelência do ambiente e o seu refinamento.

— Não posso... Não devo... Por favor, dê-me tempo para reacostumar-me com a ideia. Hoje não estou em condições.

Febricitado em excesso, em face dos estímulos que a negativa produzia, ele segurou abruptamente o jovem atônito.

Dr. Bezerra ligava-se psiquicamente ao rapaz em luta, enquanto o obsessor dominava completamente o homem em desalinho.

Sem medir a gravidade, o Dr. Nicomedes *agrediu-o* sensualmente com volúpia doentia.

O moço debateu-se, embora as suas resistências estivessem a breve passo do desmoronamento.

O sedento, em aflição, sorve, alucinado, qualquer água que se lhe ofereça, mesmo que ela esteja contaminada, envenenada. Era o que acontecia ali.

Folgazões e ociosos espirituais aproximaram-se, atraídos pela cena singular, com doestos e galhofa ensurdecedora.

Felinto saiu do automóvel e concentrou-se fortemente.

De imediato chegaram vários indígenas e africanos da Casa onde mourejavam, que lhe vieram atender ao chamado.

— Cuidado! — gritou um deles. — Esta turma tem pacto com o Cão (palavra popular que simboliza a deidade satânica).

Surpreendidos pelas presenças dos trabalhadores do bem, correram em disparada, não sem fazerem provocações sórdidas.

— Apoiam o vício e nos combatem — gargalhou, cínico, um de carranca constrangedora. — Esses aí são protegidos dos diabos. Demos o fora!

Com essa providência seria possível controlar os desmandos no interior do automóvel.

O passado elucida o presente

Lício, amarfanhado pelos sentimentos díspares, começou a pedir, orando, a ajuda da irmã Emerenciana. Era a condição que o mentor requeria para interferir com decisão.

Apelou a Felinto para que fizesse entrar os Espíritos africanos que vieram atender-lhe ao apelo, o que foi feito, e estes, utilizando-se de meios especiais, deslindaram o Dr. Nicomedes do obsessor, que os quis enfrentar, mas desistiu, partindo a blasfemar com ira incontida.

— Chamarei os meus chefes — blasonou com fúria — para que me deem cobertura. Veremos quem vencerá.

Liberando-se da opressão obsessiva, o agressor ofegante parou por um momento, em razão da mente encontrar-se turbada pelos fluidos tóxicos.

O mentor segurou-o e impôs-lhe:

— Volte para casa. Basta, por hoje.

Ao mesmo tempo, aplicou-lhe energias relaxantes, que lhe diminuíram a tensão.

Vigorosamente controlado, justificou-se ao sobrinho:

— Retomemos. Não o quero à força. Terei tempo de o reconquistar. Tudo bem?

— Sim, tudo em ordem.

O torpor que acometeu o Dr. Nicomedes quase não lhe permitiu conduzir o carro com segurança.

Chegando ao lar, alegou insofreável cansaço e se foi deitar.

Lício refugiou-se no quarto, em agitação. Os seus sentimentos aceitavam o convívio, mas algo, a lembrança da consulta, a esperança de paz e a inspiração do venerável médico auxiliaram-no a resistir.

Jogou-se no leito e, recebendo energias refazentes, adormeceu com os nervos descontrolados.

— Agora, sigamos rumo aos trabalhos da irmã Emerenciana — propôs o mentor.

A reunião estava no auge. Era dedicada a tratamentos espirituais sob o comando da querida amiga.

Loucura e obsessão

Havia muitos necessitados que repletavam toda a Casa. Com presenças de Espíritos de ambos os lados da vida.

Como o nosso objetivo era acompanhar a terapia reservada a alguns consulentes da primeira noite, deixaremos de entretecer considerações a respeito dos métodos aplicados neste tipo de trabalho.

Desse modo, quando os trabalhos foram encerrados, um pouco antes da meia-noite, e a benfeitora veio ter conosco, o querido médico asseverou:

— Em razão dos acontecimentos que se precipitaram no drama de Lício, creio ser de bom alvitre que antecipemos algumas medidas, aproveitando-nos dos sucessos desta noite.

A irmã concordou plenamente e, chamando alguns auxiliares, passou a preparar o ambiente para uma reunião especial.

Orientando Felinto e mais alguns cooperadores para que fossem buscar Lício e Dr. Nicomedes, determinou que outros amigos seguissem ao lar dos médiuns mais adestrados, trazendo dois deles para o serviço de emergência.

Não se atribua que estávamos diante de uma improvisação. É sabido que, nos processos obsessivos, os adversários investem com toda a força, a fim de desanimarem os seus desafetos. Desse modo, quando há mérito das vítimas, são tomadas providências de emergência, interrompendo-lhes a planificação desesperadora. Assim sucedia no caso em pauta. As soluções do Bem são igualmente rápidas, desde que sejam propiciadas as condições necessárias por parte dos candidatos interessados.

Foi recomendado a Felinto que permanecesse imperceptível ao obsessor de Lício, trazendo o rapaz mediante indução hipnótica, a fim de ele ser acompanhado pelo perseguidor, que ficaria retido no lugar do trabalho. Os demais companheiros se encarregariam do tio, para quem não se faziam necessários mais amplos cuidados.

O passado elucida o presente

Como consequência, às duas horas da madrugada estávamos todos na sala reservada às consultas, onde o clima psíquico era de excelente qualidade.

Os médiuns, em desdobramento, foram despertados, enquanto os dois pacientes permaneceram adormecidos.

Vigorosamente sob controle, o infeliz perturbador agitava-se e esmurrava o ar, por perceber que caíra em hábil plano elaborado para o reter.

Iniciando o serviço socorrista com uma prece que a irmã Emerenciana proferiu, a seu pedido o querido mentor assumiu a direção do trabalho.

Induzindo o Espírito vingador à comunicação, este explodiu numa catilinária violenta, que resumimos:

— Eu sou Fagundes Ribas, a vítima desses infames pervertidos. Sofri-lhes a peçonha em repetidas reencarnações, até que a sorte me permite estar aqui, enquanto eles se encontram na Terra, facultando-me o desforço. Tenho sofrido como ninguém pode imaginar. Fui hóspede das regiões infernais por largo tempo, graças ao horror que mantenho contra os pederastas imundos, que continuam os mesmos. Hei de aniquilar-me no grande silêncio que apaga a vida, todavia, os levarei comigo. Tenho-os sob controle neste momento e ninguém os tomará de mim, porque isto viola os códigos da Justiça que estabelece: *quem deve paga.*

— É estranho ouvir-te falar de Justiça — obtemperou o mentor — quando fomentas o crime e conduzes à lascívia, induzindo almas doentes a aberrações e loucuras. Não ignoramos as tuas dores, o teu longo calvário, cada dia mais severo em razão da tua odienta atitude de revolta, acreditando-te com o poder de estabelecer leis e princípios de cobrança, sem dar-te conta de que, a teu turno, estás incurso no mesmo código que exibes contra os outros. Ouçamos, também, aqueles que participam do teu drama.

Despertando Lício e o tio, a irmã Emerenciana pediu-lhes atenção e serenidade. O primeiro recobrou a lucidez rapidamente, enquanto o outro, embriagado pelos fluidos deletérios que absorvera, apesar daqueles com finalidade relaxante que o mentor lhe aplicara, apresentou-se amargo, perturbado. Assistência especial foi-lhe providenciada, após o que pareceu adquirir o equilíbrio.

Surpreendeu-se de encontrar o sobrinho e, ato contínuo, os demais circunstantes que lhe causaram estranheza.

— Desejais entender a trama dos vossos destinos — ponderou o dirigente, calmo —, e aqui nos encontramos para tanto. Tende tento e observai, aproveitando-vos deste magno momento que vos definirá o futuro.

Conhecendo os propósitos do mentor, a irmã Emerenciana aproximou-se do jovem e, aplicando-lhe energias no *centro cerebral*, pediu com rigorosa inflexão de voz:

— Annette, volte à sua realidade. Recorde-se. Reviva o matrimônio, seu momento culminante, a festa anelada..., a tarde-noite de sonho, que se converteria em desar. Lembre-se do seu consórcio com Filipe. Evoque tudo...

Vimos o jovem cerrar os olhos, debater-se um pouco e mergulhar no passado, alterando-se-lhe a forma, que cedeu lugar à de uma jovem, pouco mais que adolescente, no apogeu da beleza juvenil.

Vendo-a, o indigitado Espírito gritou:

— Eis aí a criminosa! Qual o sortilégio que usou para retornar ao tempo da minha desgraça! Em nada mudou.

Utilizando-se de recurso equivalente, a benfeitora agiu sobre o Dr. Nicomedes, convocando-lhe a memória à ação:

— Agora é sua vez, Henri. Você lá se encontrava. Retorne ao passado, a fim de dar novo curso à sua atual existência.

Pelo mesmo processo, o induzido assumiu a personalidade referida. Tratava-se de um homem com aproximadamente quarenta anos, trajando-se com elegância, ao costume do fim do século XVIII, em França.

Sem poder conter-se, Filipe acusou:

— Defronto o infelicitador do meu lar, que se uniu à desnaturada para destruir-me.

O passado elucida o presente

— Até agora — declarou o Dr. Bezerra — somente acusaste. Ouçamos os outros, que têm algo a dizer.

E voltando-se para Annette, propôs-lhe:

— Fala, minha filha. Narra a tua desdita.

Sem mais delongas, sentindo-se estimulada, a jovem contou:

— Fui constrangida por meu pai a casar-me com este homem, quando eu contava 14 anos. Não o amava, mas comprometi-me a ser uma esposa devotada, já que me não podia rebelar ao impositivo que me obrigava. Vivíamos em Compiègne, cidade onde Santa Joana D'Arc esteve prisioneira e onde se realizaram grandes eventos históricos. Mimada pelos presentes que ele me ofereceu, casamo-nos e transferimo-nos para a sua propriedade, muito antiga às margens do rio Oise. Nascia-me, então, um certo interesse por ele, que, no entanto, não era amor, suficiente, porém, para uma vida calma no lar.

"Na noite nupcial, depois que todos se foram, ele me confessou que esperava de mim uma convivência fraternal, porque era incapaz para a comunhão conjugal. De certo modo, senti-me aliviada e prometi-lhe discrição e fidelidade, apesar da frustração que me assaltou, sabendo que, por todo o restante da minha vida, teria que submeter-me a uma renúncia total."

— Mente, a infame — interrompeu-a, Filipe, furibundo.

— Prossegue, minha filha — estimulou-a o orientador.

— A princípio vivíamos uma cordialidade que não levantou qualquer suspeição a respeito do nosso drama.

"Nesse ínterim, seu irmão Henri enviuvou e, a seu convite, veio ficar conosco algum tempo, de forma a recompor-se do abalo moral, pois que a esposa falecera em acidente equestre muito doloroso quão inesperado, pelo fato de ser uma excelente amazona... A partir da segunda semana, em que o hóspede se encontrava em nosso lar, a vida em comum foi-se tornando insuportável. Passou a dizer-me que notava o meu interesse pelo outro, que para ele me vestia e, certamente, que já nos preparávamos para o adultério. Profundamente surpreendida e chocada com a acusação, reagi, afirmando que nem sequer pensava na pessoa referida e a gentileza era o dever de anfitriã de que me procurava desincumbir...

"Iracundo, tornava-se selvagem, submetendo-me a tormentos morais inimagináveis, enquanto ameaçava interromper a sua e a minha vida, caso eu me queixasse a Henri. Ninguém pode imaginar o tormento de uma jovem inexperiente, seviciada por um marido enfermo...

"Tais foram as suas acusações que, sem o desejar, fui me aproximando do cunhado, cuja presença se me tornou um refrigério. Percebi que o agradava e, sem que nos apercebêssemos, passamos a amar-nos."

— Caluniadora infeliz! — estertorou Filipe.

— Tudo verdade — contrapôs Henri. — Meu irmão sempre foi um atormentado, em razão da sua deficiência. Eu, no entanto, ignorava quanto. Ao nos unirmos, num momento por ele facultado, em face de uma viagem que empreendeu, deixando-nos a sós, é que tive a dimensão do sofrimento de Annette e dos suplícios que lhe eram impostos. O casamento não se consumara, seis meses depois, apesar de os seus atos escabrosos serem impostos à quase menina.

— Vocês traíram-me vilmente.

— É verdade, e creio que o faríamos novamente. Amei a menina, desde quando a vi, embora a dor e a saudade me alanceassem. Mantive, porém, a discrição e o respeito, até quando a loucura dele empurrou-nos um para o outro.

"Quando eu lhe interrogava a respeito da tristeza que passou a refletir-se no rosto dela, contrastando com a beleza e a alegria juvenil anterior, ele propunha-me que a distraísse, que passeássemos... Parece-me que se sentia bem, atormentando-se, imaginando qualquer vulgaridade que não havia ocorrido.

"Após o nosso relacionamento, falei-lhe que me teria de ir, tão pronto ele chegasse, já que seria impossível continuarmos naquela situação ambígua.

"Os acontecimentos precipitaram-se. De regresso e como se adivinhasse o que houvera sucedido, examinou-a sob

O passado elucida o presente

humilhação terrível, exigiu-lhe a confissão, depois do que surrou-a e a reteve presa na alcova, enquanto desapareciam as marcas do seu selvagismo.

"Eu ignorava a ocorrência e informei-lhe dos meus planos para retomar a minha casa. Muito calmo, já sabedor do delito, exigiu-me, quase, que ali me demorasse por mais algum tempo, pois que deveria viajar outra vez e receava deixar a esposa a sós. Aquiesci, a mim mesmo prometendo dignidade durante a sua ausência. Afirmou-me que ela se encontrava enferma e desculpava-se por ficar na alcova. Ao partir, vim a tomar conhecimento do sucesso degradante e propus fuga a Annette, ao que ela anuiu. Arrumamo-nos, às pressas, e partimos, no dia imediato, deixando-lhe uma carta elucidativa, reprochando-lhe o caráter, embora a nossa não fosse a conduta ideal...

"Ele houvera, conforme vim a saber depois, planejado um retorno intempestivo, naquele dia da nossa fuga, a fim de surpreender-nos e ceifar-nos a vida sob a alegação do adultério comprovado. Não o fez, porque nos evadimos. Quando chegou, cientificando-se da ocorrência, enfureceu-se. Vingativo e petulante, mandou-me propor um duelo, assumindo a postura de um cavalheiro ofendido, e, como o problema veio ao conhecimento público, não tive alternativa senão aceitar e ganhar a luta, matando-o.

"O amor por Annette era superior às minhas forças, entretanto, o fratricídio tornou-se-me um suplício. Recordava-me dele caído, varado pelo projétil, empapado de sangue, ameaçando, no momento extremo: 'Se houver Justiça no lugar para onde vou, hei de ser vingado.'

"O médico que o acompanhava na emergência nada pôde fazer. A partir daquele momento, embora tivesse a felicidade ao alcance da mão, a melancolia me assaltou, e, menos de um ano depois, sucumbi... Era ele quem me infligia remorso e dissabor, quando se viu livre, do lado de cá, vivo e perverso. Impôs-me, após a morte, muitas e novas dores, com os marginais em cujo grupo se homiziou."

— Acusada pelo povo e familiares — Annette completou a narração —, parti para Paris, após vender o que me cabia, pensando em viver. Ainda não completara 16 anos... Foi isto a minha total ruína, porque, inexperiente, e sem apoio, segui vias torpes, degenerando na libertinagem por largos anos, embora estivesse em casas de luxo, igualmente infectas e degradadoras. A sífilis encerrou-me a carreira alucinada.

— Isto é suficiente para liberá-los da culpa? — irrompeu Filipe asselvajado.

— Não, não é o suficiente — concordou o mentor. — Pelo contrário, constituiu-lhes uma herança infeliz de que não se liberaram. Da mesma forma não lhe permitia o direito de, após exaurir Henri, com os seus sequazes além do corpo, perseguir Annette, na Terra e depois dela.

"A divina Misericórdia, que tudo oferece para ser preservado o equilíbrio, trouxe-vos para o Brasil, noutra experiência, em terras de Piratininga, onde o clima de resgate cármico era-vos mais bonançoso.

"Retornastes com o dever de vos reabilitardes, Annette renasceu para consorciar-se novamente contigo, Filipe, na pessoa de Fagundes Ribas, e enfrentar com honradez Henri, a quem encontraria depois. Isto se deu em uma fazenda de café, no interior do estado. A beleza, que a levara ao fracasso, foi-lhe novamente concedida para uso reparador e, sem a sua anuência, o matrimônio foi estabelecido entre os pais dela e ti.

"A antipatia que ela conservou nos painéis da memória e a suspeita que te macerava o campo das lembranças amargas foram os ingredientes para que se repetissem os dissabores e desajustes, quando deveríeis lutar contra as vicissitudes e crescer na fraternidade, na compreensão, a caminho do amor.

"Nesse ínterim, Henri, que era comprador de café, apareceu na fazenda, e o reencontro fê-los desequilibrar-se. Assinalada pelos vícios a que se acostumara na experiência anterior, e provocante, aturdiu o jovem de tal forma que este, a qualquer

O passado elucida o presente

pretexto vinha à propriedade, até que, por intermédio de uma ama subornada, fiel à patroa, concretizou a fuga para a capital. Enquanto dormias, conforme te recordas, ambos partiam para o lugar onde se haviam encontrado antes, e, com a carruagem aprestada, tomaram rumo desconhecido...

"Sabemos avaliar as tuas humilhações, as dores excruciantes que te levaram, homem orgulhoso e prepotente, à tumba antes do tempo."

Dr. Bezerra fez uma pausa. Os envolvidos na abjeção relatada choravam: Filipe em desespero, Annette com amargura, e Henri com arrependimento.

Logo depois, prosseguiu, relatando os motivos passados dos desencontros presentes.

— Não pretendemos trazer a presença de outras personagens para aclararmos o vosso infortúnio, porque todos sois infelizes, sem dúvida. Chegando à capital, os fujões instalaram-se bem, já que o amante, embora não fosse rico, possuía recursos expressivos. Algum tempo transcorrido e a antiga lubricidade de Annette conduziu-a à irresponsabilidade, à traição contumaz. Expulsa do lar pelo companheiro ultrajado, refugiou-se noutro, utilizando-se da aparência para os enganosos triunfo e poder, passando de um para outro lugar...

"A morte, que a todos chega, misericordiosa, trouxe os dois irresponsáveis de volta e vos engalfinhastes em luta destrutiva, que agora, numa terceira etapa, continua, não obstante a diferença de plano vibratório e constituição orgânica em que vos encontrais.

"Só o amor verdadeiro, sem a injunção da posse e do vício, vos pode salvar."

— Hei de matá-la já — contrapôs Filipe. — Tanto tempo de infortúnio para mim, que não o posso esquecer de um para outro momento. Reconheço que eu fui um doente, mas a esposa e meu irmão jamais poderiam adulterar sob o meu teto... Reencontrando-a, agora, nessa forma extravagante, com sentimentos confusos, vejo que não poderá fugir, e cada dia irá para

Loucura e obsessão

mais fundo abismo. Como os *demônios* interferiram em seu favor, amparando-a e ao criminoso, apressarei o desfecho.

— Ouve-me, meu irmão — imprecou com imensa bondade o mentor —, dói-nos o teu sofrimento. Conforme desejamos auxiliar as duas criaturas que sofrem na Terra, interessamo-nos em libertar-te da infelicidade, antes que ela te imponha recuperação por meios graves e irreversíveis. Se te parece difícil perdoar, desculpa-os. Deixa-os por conta da consciência pessoal, que não libera culpado algum sem a conveniente regularização do delito. Não suponhas que, desculpados, eles fiquem sem a responsabilidade do mal que se infligiram, utilizando-te para a própria desdita. Dá-te a oportunidade de aspirar à felicidade que te acena e te aguarda.

O mentor se aproximou do médium e, tomando as mãos de Filipe, exprobou-o ao Bem com tamanha doçura que as resistências antagônicas foram quebradas.

Inspirada pela irmã Emerenciana, Annette acercou-se hesitante e suplicou:

— Perdoa-me a loucura! Não sabes como sofro, encarcerada num corpo que não é o meu. Traí e cometi desdouros que me pungem quais punhais afiados. Eu não me recordava de tanta desgraça. Ó Deus, tende piedade de nós.

Filipe, colhido pelo inesperado gesto da antiga esposa, respondeu:

— Não posso perdoar, no entanto, dê-me tempo e este me ajudará a desculpar. Pelo menos, não a perseguirei, caso eu encontre algum apoio em qualquer lugar onde me possa acalmar.

— Esta é a tua Casa — consolou-o o médico espiritual —, porque é a Casa de Jesus. Não retornarás aos sítios de hediondez. Começarás o tratamento aqui mesmo, e, posteriormente, a reencarnação te aguardará para o recomeço feliz. Pelo que posso depreender, Lício te ajudará muito, porquanto renascerás por intermédio do Dr. Nicomedes e sua esposa.

Dr. Bezerra entregou-o à irmã Emerenciana e informou ao antigo Henri:

O passado elucida o presente

— Ele volverá aos teus braços com imensa carência de amor e o receberás com ternura, liberando-te do mal que, na tua área genésica, na próstata, está preparando campo para uma neoplasia maligna... A tua conduta moral apressará, ou não, o surgimento do câncer, ou o impedirá. Serás o autor dos teus futuros dias.

"Por consequência, respeita e ajuda Annette, na forma de sobrinho inquieto. Auxilia-a a ajustar-se e não tornes à viciação."

A Lício, o benfeitor propôs:

— Recordarás de grande parte destas ocorrências, mesmo com algumas lacunas. As lembranças te ajudarão a frear os impulsos da perversão.

"Canaliza as forças sexuais da tua juventude noutra direção, em labores dignos que te promoverão a paz, contribuindo para a liberação dos teus problemas. Não será fácil, pois que te exigirá decisão, disciplina e vigilância. Um mal que se enraíza, quando extirpado, fere as áreas sadias, qual escalracho no trigal, que, ao ser arrancado, carrega trigo bom.

"Evita os sonhos da imaginação desequilibrada e os lugares onde as facilidades proliferam. É mais fácil prever o desastre e tomar providências do que remediá-lo.

"Preenche os espaços mentais com leituras salutares e conseguirás os meios para a vitória.

"Se te resolveres por ouvir-nos, estaremos ao teu lado, certamente sem retirar-te os problemas, auxiliando-te, todavia, na necessária solução. Enquanto a tua conduta nos permitir auxiliar-te, fá-lo-emos."

Annette-Lício chorava, e a face refletia-lhe a imensa angústia, predispondo-se à renovação, a outra conduta.

Conduzidos aos seus lares, após a oração de louvor e agradecimento que fomos convidados a proferir, encerraram-se as atividades.

A madrugada punha os primeiros sinais de claridade no nascente, para que o astro rei vencesse as sombras dominantes.

16 – Libertação pelo amor

Durante o dia, visitando os amigos que receberam assistência pela madrugada, constatamos os salutares efeitos da providência terapêutica.

O Dr. Nicomedes referia-se a um estranho e preocupante pesadelo, do qual despertara com dores musculares generalizadas, que supunha, intimamente, ser o resultado da excitação e do cansaço da viagem. A indisposição orgânica e psicológica refletia-se-lhe no rosto pálido e com olheiras.

Lício reportou-se a um sonho curioso, no qual sofrera grandes aflições, ao mesmo tempo experimentando um expressivo alívio da angústia que o havia tomado nos últimos dias. Conseguira recompor uma boa parte da ocorrência, apesar de não a entender quanto gostaria. Os conselhos que o mentor lhe dera arquivaram-se-lhe com relativa nitidez, ensejando-lhe bem-estar.

Cada um explicou os sonhos a seu modo. No entanto, nos painéis íntimos do Espírito estavam impressos os novos códigos a serem vivenciados.

Não se suponha, com esta ação, que os problemas ficaram solucionados. Ainda permaneciam vinculados às personagens em processo reparador outros Espíritos que eles teriam que reconquistar. Outrossim, as tendências viciosas a que se acostumaram ambos certamente não desapareceram. Diminuiu a volúpia e a ansiedade mórbida que vergastava o Dr. Nicomedes, enquanto Lício, que se lhe prendia

Libertação pelo amor

emocionalmente, passou a sentir uma ternura mais natural, desprovida dos condimentos carnais.

Nos dias que se sucederam por toda uma semana, os visitantes terminaram por sentir-se felizes, e os implicados no problema conflitante puderam dialogar largamente, numa tentativa de se auxiliarem mutuamente, transformando os desejos abjetos em sentimentos fraternos elevados.

As despedidas foram o oposto da chegada para o jovem. Uma saudade amena dominou-o e a figura do tio se lhe tornou a representação de um benfeitor querido com quem podia falar com clareza a respeito dos seus sofrimentos e junto a quem encontraria apoio e entendimento. Aquele prometera-lhe vir em socorro ou recebê-lo na família, quando a situação se lhe apresentasse insustentável.

O verdadeiro amor, que une as almas e as eleva, triunfara por sobre a herança do instinto indômito, possuidor e selvagem.

Quando as pessoas que se amam compreenderem a excelência desse sentimento e o canalizarem no sentido superior, os dramas e as tragédias passionais, os infortúnios e as alienações que dele decorrem, na sua feição egoísta, desaparecerão da Terra, e uma peregrina felicidade a todos unirá.

O tempo e o prosseguimento da terapêutica se encarregariam do nosso jovem, que renascia dos escombros do passado para uma vida nova, devendo experimentar e vencer as naturais dificuldades que um tentame de tal porte lhe impunha. A primeira etapa, a da decisão, fora realizada bem, graças à mercê de Deus e ao devotamento dos nobres benfeitores.

Um universo de reflexões tomou-me a mente, como decorrência da luta redentora que os nossos amigos agora passavam a travar de maneira consciente, erguendo-se para a paz, adiando, por sublimação, a felicidade.

Vemos o oposto, na sôfrega e irrefreada busca do prazer que enlouquece, quando as criaturas, se exaurindo, fogem de um para outro gozo, frustradas e amargas, derrapando para abismos mais profundos.

Loucura e obsessão

A facilidade com que se expressam muitos estudiosos do comportamento, propondo liberação em vez de educação, vivência no desequilíbrio que pretendem dar cor de fenômeno natural, ao revés de reajustamento, confirma o materialismo da nossa cultura hodierna.

Mais lamentável é o fato observado no conhecedor da realidade do Espírito, e que pressupostamente, tomando postura moderna, propõe que seja assumida a realidade interior e jogada no palco das paixões em desgoverno.

É certo que não recomendamos uma posição castradora, inibitiva, pois que cada qual responde pela própria ação.

Todavia, conhecendo a Lei da Causalidade, cumpre-nos sugerir maior reflexão acerca dos envolvimentos emocionais e psicológicos, buscando as suas raízes na conduta anterior e intentando corrigir o que constitua conflito e dor, mediante atitude adequada no presente, que se torna uma terapêutica de eficiência para futuros resultados.

Aprofundar feridas é método de abrir maior campo para infecção. Assim, fazer concessão ao fator que desencadeia o problema é forma de torná-lo mais agudo, terminando por tombar na conjuntura expiatória.

A reencarnação tem caráter educativo, gerador de hábitos novos, e é instrumento disciplinante, em face dos limites que propõe pelos impositivos da evolução.

O homem não deve ser considerado como a máquina para o prazer, mas o ser eterno em contínuo processo de crescimento. O corpo é-lhe instrumento por ele mesmo — o Espírito que o habita — modelado conforme as necessidades que o promovem e libertam.

A visão global do ser — Espírito, perispírito e matéria — é a que pode dar sentido à vida humana, facultando o entendimento das leis que a regem.

***

Libertação pelo amor

À hora convencional rumamos, o mentor e nós, aos labores com a nobre Emerenciana, que daria curso à assistência aos adversários espirituais de Carlos.

Conforme sucedera nos serviços já referidos, foram trazidos, em desdobramento pelo sono, os médiuns adestrados, e o amigo Empédocles se encarregou de conduzir o filho ao recinto. Felinto, sempre solícito, permaneceu conosco, aguardando poder ser últil em qualquer oportunidade.

Iniciada a reunião, após as providências de defesa, e proferida a prece pelo Dr. Bezerra, a diretora mandou que trouxessem o irmão infeliz que se caracterizava de *Exu*, ali havendo recuperado a forma e mantido em internamento para a etapa que ora se realizava.

Adormecido, apresentando ainda algumas compreensíveis deformações, foi conduzido ao médium de psicofonia e logo despertado pela hábil coordenadora da tarefa.

Denotava cansaço e alguma turbação psíquica, defluentes dos fluidos tóxicos largamente ingeridos e cuja eliminação abrupta produzira-lhe o esvaziamento interior, embora só a longo prazo venha a libertar-se totalmente.

Com voz pausada, a benfeitora trouxe-o à atualidade e explicou-lhe:

— Sabemos das razões do teu suplício e aqui estamos para ajudar-te. Filho de Deus que és, quanto também o somos, chega o momento da tua renovação e compreenderás a sabedoria da Justiça divina. Antes, porém, recua no tempo e volve à senzala, ao poste de sacrifício. Recorda...

O sofredor cerrou as pálpebras do médium e caiu em pranto de dor e de revolta, impossibilitado de falar.

Concomitantemente, Dr. Bezerra aplicou o mesmo recurso em Carlos, que voltou à forma arrogante, que o infelicitara e de cujos efeitos agora padecia.

Percebendo a ocorrência, o Sr. Empédocles, registrando a chegada da mãe adotiva do passado, autossugestionou-se e volveu à infância, quando os pais haviam sido sacrificados pelo infeliz senhor.

Composta a cena por força ideoplástica modeladora que recompunha o passado, dois auxiliares trouxeram a antes atormentada genitora da criança, libertada da configuração a que se entregara na sede implacável de justiça arbitrária.

Esta foi levada ao outro médium de cujas faculdades deveria utilizar. Igualmente convidada ao antigo cenário, ali reconstituído, assumiu a personalidade na qual se desencadeara a pugna selvagem.

Dando-se conta do que ocorria, pois que se recordou dos últimos trabalhos nos quais reencontrara o filhinho, marejou os olhos de pranto, num misto de alegria e de saudade do ser querido.

A mentora, segura da gravidade do momento, da sua alta significação naquelas vidas, expôs sem afetação:

— Aqui nos reúne a Misericórdia de Deus — ela irradiava peregrina luminosidade — para apagarmos os incêndios, que o ódio ateou, com a água pura do amor. Criados para a glória, detemo-nos no sofrimento por opção pessoal, pois que, criado por nós, este sofrimento é o látego que elegemos para a própria depuração como efeito da rebeldia a que nos apegamos. Não obstante a preferência infeliz, um momento chega em que as *ovelhas tresmalhadas* são compelidas ao retorno ao rebanho, seguindo o Pastor paciente que as aguarda, afetuoso. Ninguém é considerado em privilégio ou desdita; todos que chegam estão cansados e sofridos, encontrando o repouso para as fadigas e o medicamento para as doenças. Este é o vosso momento.

"O irmão José Manuel", continuou, acercando-se do antigo escravo, "desejou, não há muito, destruir outra adversária do seu verdugo, por desejá-lo apenas para si, constatando que a maior força é a do bem. Despindo-se da aparência que lhe dava uma falsa posição de poder, reencontra-se, frágil e dependente, como o somos todos nós, ante as poderosas Leis da

Libertação pelo amor

Vida. No entanto, a fim de aquilatar o acerto da providência que tomamos, é do nosso desejo esclarecer-lhe que a antagonista que lhe disputava a presa não é outra alma senão a esposa que o inimigo trucidara..."

Dr. Bezerra conduziu o médium que a incorporava, e quando os dois se contemplaram, foi inevitável a explosão de felicidade no pranto que lhes jorrava do íntimo, agora sem o ácido que os queimava cruelmente.

— Por que eu iria destruir-te? — indagou ele ofegante.

— Como te reconheceria naquela situação? — interrogou ela ansiosa.

— Ambos, em nossa loucura, disputávamos o mesmo bandido — redarguiu Manuel. — A simples recordação do celerado que nos destruiu a todos alucina-me. Tenho que desforçar-me. Farei isto, por nós todos...

A evocação dos crimes, pelo atormentado, fê-lo desequilibrar-se, reassumindo os anteriores traços da figuração que o caracterizava antes.

— Para evitar queda no aspecto *demoníaco* — falou-me, discretamente, Felinto —, a benfeitora optou pelo confronto por intermédio dos médiuns, cujos perispíritos lhes bloqueariam a potência dos resíduos remanescentes. É o momento da ruptura final ou fixação mais demorada, exigindo cuidados especiais, sem a violência de permeio.

A benfeitora vigilante projetou o pensamento sobre a antiga esposa, que o segurou pelos braços e propôs:

— Acalma-te! Não destruas o nosso momento. É necessário valorizar o nosso reencontro ou o perderemos. O que mais desejas: desgraçá-lo e perder-nos a todos ou atender-nos para nele pensar depois.

A indagação no dialeto que lhe era familiar, como todo o diálogo mantido, inclusive, pela benfeitora, fê-lo estancar o volume de cólera e, recompondo-se com sacrifício, respondeu:

— Estar contigo é o que nunca supus fosse possível. Então, eras tu, a *Bombojira* que o perseguia?

— Sim. O horror projetou-me nas furnas onde fui submetida a tratamento longo, tornando-me uma desventurada. Isto, no entanto, já não importa.

Ela continuava telementalizada.

— E o nosso filho? O bandido matou-o?

— Não, sua esposa trouxe-o para o próprio lar e entregou-o a uma escrava que dele cuidou como se fora seu filho. O homem cruel terminou por confiar e amar aquele que era o fruto do nosso amor.

Chegando o seu momento, a senhora, que o retinha nos braços, aproximou-se, distendeu-o à mãezinha, que o recebeu e o apresentou:

— Vê, é ele, nosso anjo!

José Manuel, sem controle da emoção, ajoelhou-se, e ia golpear a cabeça no solo, como sinal de gratidão a Deus e de sacrifício pessoal. Ela o deteve, elucidando:

— A maior prova da nossa gratidão é permanecermos felizes com o filho. Toma-o nos teus braços.

O outro se deteve e, cambaleante, se ergueu, segurando o filhinho, com efusão de felicidade, rindo e chorando, a mover-se no exíguo recinto da reunião, como o faria se estivesse no pátio da casa-grande.

Ninava-o, cantando velha balada dos seus antepassados, recordando as praias virgens e as florestas densas da sua terra querida.

Estávamos igualmente comovidos. Assim, mergulhamos na oração gratulatória e intercessória ao mesmo tempo, pelos e em favor dos envolvidos naquela demorada e maléfica trama, que o amor agora desarticulava.

A esposa o interrompeu, conduzida pela poderosa mente da irmã Emerenciana, e falou:

— Estamos gratos, sim, a Deus. Agora é a parte do sacrifício. Em vez de ferires a cabeça, é o momento de abrirmos o coração.

— Que faremos, então? — indagou, sorrindo.

Libertação pelo amor

— Perdoaremos a quem nos molestou, mas guardou em paz o filhinho para nós.

Tomado pelo impacto da surpresa, ele tentou devolver-lhe a criança e rebateu:

— Nunca o farei!

Ia entrar no desconcerto da emoção atormentada, quando ela retrucou:

— De Deus é o filho, de Deus é a Vida. Se Deus o perdoa, por que nós não o faremos? O Pai nos devolve o filho, por que nós não lhe podemos restituir a paz?

"O nosso pesadelo no ódio foi muito longo. Enquanto enveredamos pela treva, nosso filhinho seguiu a claridade do bem. Quando morreu, veio em nossa busca e não nos encontrou. Soube da nossa infinita desdita, porém não pôde rever-nos nem estar conosco. Teria que lutar muito para nos socorrer um dia, e foi o que passou a fazer.

"Essa batalha vem ele travando há mais de um século. Reencarnou-se e fez-se pai, pois que assim é a roda das existências, recebendo nos braços, para que se pudesse redimir, aquele que nos jogou no calabouço da infinita aflição.

"Fica sabendo, portanto, que o nosso adorado filho de ontem foi, há pouco tempo, na Terra, o amado pai do nosso infelicitador. Como pedimos a Deus que nos concedesse o filho em paz, este pai suplica pelo filho desditoso, a fim de que sejamos irmãos em resgate redentor."

José Manuel deteve-se, perplexo.

Demorou-se raciocinando e, agitando-se, andou de um para o outro lado; por fim balbuciou, fulminado:

— Que estratagema! Não sei se é abençoada ou maldita a circunstância. Se nos vingar-nos, teremos que infelicitar o filho amado daquele que é o nosso filho querido.

— Sim, e como nos verá ele a conduta? Está conosco, utilizando-se da forma correspondente à idade com que o deixamos na Terra...

— E os crimes que o bárbaro cometeu contra nós?

— Praticou-os contra ele mesmo. Observa-o, humilhado e sob controle, quanto nós próprios nos encontramos. Ele tem sofrido a nossa presença nefanda há quanto tempo? Ei-lo enfermo mental sob o jugo dos seus erros, que nós ambos pioramos com nossa fúria, para quê? Tirar-lhe o corpo não é tomar-lhe a vida. Se prosseguirmos com nosso plano, já não o teremos, pois que ele, pagando à Consciência divina os seus crimes, nos escapará. Que será de nós? E como nos verá o filho, que retornou como seu pai? A quem seguirá senão ao que mais necessita, e, no caso, será a ele?!

"De minha parte, declaro: amo-te; porém, o perdoo. Eu sei o que é sofrer e conheço o travo ímpar do desconforto moral e da aflição. Não imporei mais desdita a ninguém."

O interlocutor estava algo aturdido. Assim mesmo, num relance de claridade fitou a mulher e o filhinho nos seus braços e derreou-se na cadeira, acedendo, com débil voz:

— Não há outro caminho a percorrer. Peço a Deus que me perdoe também e nos ajude nesta conjuntura imprevista...

A esposa voltou a abraçá-lo, e a irmã Emerenciana, tomando o centro da sala, explicou:

— Estranháveis a dor que vos macerava até há pouco e pedíeis justiça. Acreditáveis que éreis inocentes, colhidos pela mesquinha fatalidade que se compraz na desdita das criaturas. Enganai-vos.

"O eito da escravidão foi efeito de loucuras que praticastes em existências passadas, na Europa, donde fostes degredados em Espírito, para renascerdes na África, que vos proporcionaria o calvário libertador. O orgulho ferido, as reminicências e o egoísmo uniram-se para vos destroçar, e não o que vos fizeram os caçadores de escravos e o infeliz senhor. Também eu provei o fel da amargura, a tenaz do degredo nas carnes da alma. Semilouca de dor, elegi o perdão antes que a vingança e, por amor a um filho que optou pelo crime como vós, aqui permaneço a fim de o ajudar. Não há, como vedes, efeito sem causa, razão pela qual ninguém sofre sem merecer.

Libertação pelo amor

"Hoje recomeçais o vosso processo de redenção após demorado estágio, por preferência pessoal, no sofrimento, que vos capacitará para mais avançadas conquistas. Confiai em Deus e tende coragem. São infinitos os caminhos do Amor, que se nos apresentam pelas mais variadas maneiras, convidativos e abençoados. Se soubermos distinguir os mais breves e libertadores, prontamente fruiremos a paz.

"Agora, repousai por algum tempo, após a fatigante peleja. Despertareis além destes sítios e destas vibrações, em lugar formoso que vos aguarda e donde partireis para outras etapas com amores que esquecestes temporariamente, porém, que velavam por vós nesta imensa noite de agonia. Deus vos abençoe!"

As entidades foram se deixando envolver pelas dúlcidas vibrações daquela suave-enérgica mãe espiritual e adormeceram, inclusive Carlos.

Deslindadas dos fluidos dos médiuns, logo após o encerramento dos trabalhos, que se deu mediante comovedora oração de graças que a mentora proferiu, trabalhadores especializados conduziram-nas a outro campo de ação para hospitalizá-las em lugar próprio de refazimento e estudos em favor do futuro.

O mesmo procedimento foi feito como de hábito com os médiuns e Carlos, este sempre aos cuidados do Sr. Empedócles, que retornou à última personalidade terrestre.

Novamente detivemo-nos a confabular com a diretora da Casa, a respeito do recurso da doutrinação indireta, usando a esposa em renovação, mais facilmente aceita pelo oponente do que alguém que se lhe não vinculasse afetuosamente.

— A doutrinação, amigo Miranda — elucidou-me —, é uma terapia de amor e somente com essa força, em nosso campo de ação espiritual, logramos o resultado a que ela se propõe. A informação lógica rompe as barreiras mentais e auxilia a razão, todavia, só o amor bem vivido arrebenta as algemas do ódio, da indiferença e proporciona o perdão.

Loucura e obsessão

"Longos discursos e debates mediúnicos em muitos núcleos espíritas às vezes servem apenas para a exibição de cultura e habilidade verbal; raramente para esclarecer e libertar os que se sentem lesados e estão sofridos, buscando entendimento, mesmo sem que se deem conta disso, e socorro. Não será, por acaso, essa a técnica de que a Vida se utiliza para conosco? Mais lição silenciosa no tempo do que verbalismo apressado na hora da ocorrência."

Sorriu, benévola, no que todos a acompanhamos bem-humorados.

E porque outros misteres ali tivessem curso, permanecemos observando e aprendendo, a fim de aproveitarmos o *milagre* bonançoso do tempo.

17 – Terapia desobsessiva

Desde quando se iniciaram as terapias espirituais em favor de Carlos e Lício, a irmã Emerenciana estabeleceu um programa paralelo de assistência fluídica por meio de passes diários, a fim de manter-lhes o equilíbrio emocional possível, ao mesmo tempo impedindo que Espíritos zombeteiros, ociosos ou exploradores das energias fisiopsíquicas viessem piorar a situação dos pacientes, mesmo que a eles não estivessem diretamente vinculados.

Sucede o mesmo, na área espiritual, ao que ocorre na área física. Putrefação à mostra atrai as moscas que lhe espalham a degenerescência.

A *emanação psíquica* enferma serve de nutrição a parasitas espirituais que lhe são atraídos e nela se comprazem, originando-se ou ampliando-se as obsessões por acaso já existentes.

A providência acautelatória, portanto, se revestiu de muita sabedoria, defluente da larga experiência no trato com os portadores da parasitose espiritual.

O tratamento das alienações mentais, incluindo-se a obsessão, é muito desgastante, por motivos óbvios, exigindo moralidade, paciência, fé e títulos de enobrecimento por parte daqueles que se lhe dedicam ao mister. O terapeuta comum, quando portador desses requisitos, exterioriza a *força curadora* que passa a envolver o paciente, dando-lhe ou aumentando-lhe as resistências. Ao mesmo tempo, uma conduta exemplar confere méritos àquele que a possui, atraindo a consideração e complacência dos bons Espíritos que passam a auxiliá-lo, dele se utilizando na ação do Bem.

No que tange ao labor terapêutico para as obsessões, tais requisitos são fundamentais, porquanto, não os identificando naqueles que os aconselham e lhes apontam o bom caminho, os Espíritos doentes rechaçam-lhes as palavras, ante a evidência de que elas são expressas sem conteúdo de verdade, pois que não são vividas.

O doutrinador espírita, naturalmente, deve verbalizar e viver o ensino, constituindo o exemplo que demonstra a qualidade do que apresenta, pelas realizações íntimas e externas que produz.

Como efeito, o paciente sintoniza com os bons conselhos do seu doutrinador, nele encontrando apoio emocional, como outros enfermos no seu médico, para vencer ou contornar as dificuldades que lhe surgem durante o tratamento.

No que tange à família, é importante que se considere a contribuição como valiosa, porquanto todo problema psíquico e mesmo físico em alguém traz uma correlação com os membros do clã. Especificamente, no capítulo das obsessões, é evidente que o enfermo se torna, de alguma forma, instrumento de cobrança, mesmo que indireta, para aqueles com quem vive e a quem se vincula por impositivos do passado.

O grupo familiar é constituído por seres que se necessitam para os cometimentos evolutivos inevitáveis.

O grupo de trabalhos desobsessivos também possui graves responsabilidades, que não devem ser desconsideradas. Membro atuante da equipe, cada companheiro exerce um tipo de tarefa que se reflete no êxito do conjunto, conforme a conduta que matenha. Não terminando o tratamento dos obsessores e dos obsessos quando são encerrados os processos da sessão mediúnica, na casa espírita, ei-lo que prossegue além das vibrações materiais com maior intensidade...

Há quem estranhe essa providência, esquecendo que, antes da divulgação do Espiritismo e da educação bem conduzida

Terapia desobsessiva

da mediunidade, os socorros desobsessivos eram processados dentro desses padrões, o que, aliás, é feito nos lugares onde a Doutrina ainda não chegou nem a mediunidade esclarecida pode ser utilizada como seria de desejar.

A providencial misericórdia de Deus dispõe de recursos inumeráveis para alcançar os fins a que se destina. Não obstante, conjugando-se os esforços, em ambos os lados da vida, mais eficientes e rápidos são os resultados, ensejando, ao mesmo tempo, às criaturas encarnadas, o conhecimento da realidade de ultratumba e a aquisição de valores pela ação da caridade desenvolvida.

No que respeita ao compromisso que os bons Espíritos assumem nesses valiosos empreendimentos, são investidos, ao máximo, a sua dedicação, a sua assistência e conquistas morais imprescindíveis para a regularização da contenda entre os adversários em luta.

Foi, desse modo, providencial a decisão da benfeitora, destacando especialistas em fluidoterapia, auxiliares para permanecer nos lares dos doentes, que lhe forneciam constantes resultados em torno do andamento do processo ou quaisquer outras ocorrências que lhes diziam respeito.

Assim, acompanhávamos, por intermédio de Felinto, o que sucedia com os amigos em tratamento.

Carlos, no dia imediato ao deslindamento de José Manuel, já liberado da constrição da mulher-mãe, que o desculpou no primeiro encontro, e graças às energias que recebia dos passistas espirituais, despertou muito bem, com humor relativamente renovado e otimista até certo ponto.

A mãezinha não pôde sopitar a agradável surpresa, logo atribuindo aquele resultado à dedicação da irmã Emerenciana. Embora não compreendesse como sucedia o tratamento do rapaz, teve a certeza do seu benefício, redobrando de entusiasmo íntimo e formulando plano para sensibilizar o filho em favor dos valores da vida espiritual.

Loucura e obsessão

O Sr. Empédocles, que anotara na melhora do rapaz, passou a induzir a esposa ao diálogo oportuno.

A senhora utilizou-se, pois, do ensejo e, após o café matinal, numa conversa em que aparentava despreocupação, referiu-se:

— Há alguns dias visitei uma casa de caridade espiritual, que me foi recomendada, em busca de conforto moral e de paz. Desde que Empédocles partiu, que adicionamos à saudade, a solidão e o sofrimento. A nossa religião afirma que a vida continua e eu creio nessa verdade. Assim, refleti, muitas vezes: "Se ele prossegue vivendo, acompanha os nossos sofrimentos. Como foi um homem justo e bom, onde quer que esteja, e sei que estará em um lugar de bênçãos, ele não ficará indiferente às nossas aflições. Como, porém, saber o que ele nos pode oferecer, ou o que deveremos fazer?" Assim, recorri a um senhor que é médium e tive uma entrevista com o seu guia espiritual, que, segundo penso, corresponde ao nosso anjo da guarda.

— Mamãe! — exclamou o filho surpreso. — A senhora não está metendo-se com *essas coisas*, pois não?! Elas são muito perigosas!

— Inicialmente, eu também pensava assim — redarguiu, serena e inspirada pelo marido. — Fui receosa, mas necessitava de fazê-lo. Era como se uma força superior me impelisse a tanto. Desacostumada àquele gênero de culto, senti-me um tanto confusa no começo. Logo após, observando as reações fisionômicas dos que consultavam o médium, fui me tranquilizando. Quando chegou a minha vez, orei com fervor, suplicando o divino auxílio que não me foi negado. O médium falava de uma forma tão real que eu podia sentir que ali defrontava, pela vez primeira, o *mistério* da sobrevivência. Era ele e não o era. A sabedoria e acuidade dos conceitos, o conhecimento do meu problema, tudo me indicava estar tratando com um Espírito de Luz portador de esperança e de paz.

— E que foi a senhora fazer?

Terapia desobsessiva

— Pedir ajuda para nós... A sua doença assim tão complicada...

O rapaz mergulhou em cismar demorado, após o que disse:

— É curioso tudo isso. Antes eu sofria pesadelos que não me davam trégua, toda vez que adormecia, raramente repousando. Durante estes dias, porém, houve uma diferença. Os sonhos continuaram, mas não me desequilibraram. Sentia-me num tribunal sendo julgado por crimes horrendos de que na hora eu me recordava. A acusadora era uma mulher-demônio; depois foi um homem-satanás. Diziam que eu os matei e o mesmo fizera a seu filho. Dentro de mim eu sabia que era verdade, apesar de agora não me recordar. Houve uma discussão forte, mas não agressiva, e ela me perdoou. Noutra noite foi a vez do homem, que terminou por fazer o mesmo... As pessoas do tribunal, juízes e advogados, eram benignas, sérias e muito justas. Nas vezes em que tal ocorreu, papai estava presente e intercedia por mim... Recordo-me bem de uma senhora negra e idosa, jovial e bondosa, que me sorria, me defendia e me amparava com um outro ser de barbas venerandas e incomparável doçura no olhar, na face, na voz...

— São eles, meu filho. Louvado seja Deus!

— Eles, quem?

— Os Espíritos bons! A senhora idosa e negra é a irmã Emerenciana. Guia do médium com quem eu falei e me prometeu auxiliar. Os outros eu não sei quem são, mas tenho certeza de que são anjos do bem.

A senhora levantou-se, abraçou o filho e ambos choraram.

— Vamos lá hoje, meu filho — pediu-lhe, emocionada, a senhora Catarina.

— Tenho medo, mamãe. Sou um louco e posso ter uma crise...

— Você não é louco. Está enfermo, é certo. Se vier a crise, lá é o lugar ideal. Ademais, com a proteção de Deus nada nos sucederá. Não percamos a oportunidade que nos chega em festa.

Loucura e obsessão

O pai envolveu o enfermo numa onda de coragem que o renovou. Carlos, estimulado pela vibração positiva, anuiu, afirmando:

— Iremos, sim, e se for como a senhora diz, passaremos a frequentar a Casa.

— Graças a Deus! Este é o filho querido que estava dormindo, e os clarins divinos o despertaram outra vez para a vida.

Após uma ligeira pausa, ela acrescentou:

— Procure fazer algo que lhe preencha os espaços mentais, a fim de que nada venha a perturbar os nossos planos. Leia algo bom, a Bíblia, o Novo Testamento, meu filho, isto mesmo, enquanto eu cuidar da casa.

A alegria irrompeu naquele lar onde o sofrimento se agasalhava por trás de uma cortina de sombras.

À noite, no horário das consultas, vimos adentrar-se o Sr. Empédocles e os cooperadores trazendo dona Catarina e Carlos para a entrevista com a benfeitora.

Minutos depois, Felinto nos indicou a presença de Lício, que igualmente viera sob a tutela dos seus fluidoterapeutas espirituais.

O rosto do jovem apresentava diferente expressão, agora assinalada pela esperança. Parecia sentir-se mais à vontade do que por ocasião da primeira visita.

Seguindo o hábito, conforme nos referimos antes, a reunião teve o seu ritmo normal, quando se iniciaram as consultas, obedecendo ao mesmo critério. Haviam sido distribuídas fichas por ordem de chegada para manter-se a disciplina.

Acompanhamos diversos casos novos, os mais variados, quando após chegou a família Viana.

D. Catarina exultava, enquanto Carlos, com o sistema nervoso um tanto abalado, observava com curiosidade.

Foi a irmã Emerenciana quem facilitou a entrevista, saudando-os:

— Sejam bem-vindos em nossa Casa!

Terapia desobsessiva

— Ah! minha irmã! Deus seja louvado! A felicidade está entrando em nossa família outra vez. É como se meu marido ainda estivesse aqui conosco... Hoje eu trouxe meu filho Carlos, a quem convidei e ele aceitou.

— Já nos conhecemos, não é Carlos? — interrogou a entidade gentil. — Temos estado juntos em algumas destas noites, não é verdade, meu filho?

O jovem mal pôde balbuciar o monossílabo:

— Sim, é...

— Jesus, meu filho, é o Médico divino de todos nós. E Ele nos permitiu trabalhar juntos em favor da sua saúde com outros companheiros, que não são "juízes", mas irmãos da caridade.

A mentora demonstrava com carinho estar informada dos comentários feitos e confirmava a claridade das lembranças.

— Meu Deus! Ela sabe de tudo — apressou-se, o rapaz, surpreso, confirmando.

— Não de tudo, mas de alguma coisa, é certo que sim. Tudo é vida, são bênçãos, e ninguém se encontra sozinho, por mais que o deseje. O nosso irmão Empédocles, por exemplo, está aqui conosco, acompanhando todas as suas ansiedades e dores, intercedendo ao Pai em favor de ambos. Tem razão, a nossa filha, ao afirmar como se ele "ainda estivesse aqui conosco". A morte não apaga sequer as lembranças, quanto mais a vida. Prosseguimos, além do corpo, rumando para Deus, conforme ensinam todas as religiões, com pequenas variantes. A vida é, desse modo, um tesouro de alto preço, que nos cumpre valorizar cada vez mais. Feliz é todo aquele que o compreende, e aplica esse conhecimento em favor de si mesmo.

Fazendo uma pausa oportuna, prosseguiu, esclarecendo:

— Carlos encontra-se no limiar da saúde relativa que o Senhor lhe concederá. Uma grande carga de fatores que o angustiavam já foi retirada. Muito, porém, ainda lhe falta. Há de crescer no bem e no amor, a fim de reparar danos que foram causados pela imprevidência e que necessitam ser regularizados. Dependerá de você mesmo, dos investimentos de bondade e de autoiluminação que se permita fazer. A vida adquirirá sentido novo e tudo quanto lhe pareça valioso associe ao novo plano da sua existência.

"Lentamente irá compreendendo a realidade maior, que é a do Espírito eterno, e se instruirá nas leis que regem os destinos, a fim de não mais tombar nos erros que infelicitam e degradam. Use a prece como um sustentáculo nas horas difíceis e não dê campo às ideias deprimentes, viciosas, que abrem brechas para o infortúnio."

Após dirigir palavras de incentivo e de orientação a D. Catarina, que não ocultava a felicidade, encaminhou-os à câmara de passes, advertindo:

— O *menino* ainda necessita de assistência médica, apesar das melhoras apresentadas. O seu psiquiatra, ao constatar a mudança do quadro, ficará surpreso com o resultado do tratamento e alterará, certamente, a medicação.

D. Catarina, não sabendo como externar o reconhecimento e a felicidade, tomou a destra da mentora e osculou-a, orvalhando-a com lágrimas.

Era a vez de Lício e este se apresentou mais seguro.

— Como passa, meu filho? — indagou a amorável amiga.

— Muito bem, graças a Deus e à irmã.

— Graças a Deus, sim, e isso é o importante.

— A senhora soube que o meu tio esteve aqui?

— Sim, tomei conhecimento e providências para interromper a cilada que fora programada, envolvendo o seu genitor, tanto quanto o grave desequilíbrio que a ele assaltava, quando saíram de automóvel...

— Recordo-me... Então, foi a senhora. Estive em tempo de enlouquecer ou suicidar-me naquele dia. Se fora antes, que isso houvesse acontecido, eu me teria arruinado como a ele também.

— Tratava-se de um estratagema do mal, para apressar a tragédia... Você ainda não está livre de novas circunstâncias afligentes, sendo-lhe necessário vigiar e orar muito, até vencer este período de adaptação emocional e orgânica.

"Conforme você se recorda do sonho, naquela noite decisiva, a sua vida atual é o refluir dos atos passados, quando Annette e Filipe se comprometeram..."

Enunciados os nomes, Lício recordou-se do encontro espiritual, agora se conscientizando dele. Os clichês mentais arquivados retornaram à memória, graças à indução das palavras-chave, no problema, especialmente a que era a sua personalidade francesa...

A benfeitora auxiliou-o na evocação das cenas, completando:

— O seu tio é o companheiro de desditas, por duas vezes perturbador do seu antigo esposo, a quem você igualmente infelicitou.

"Isto, no entanto, é o passado, e o que agora nos importa são as realizações presentes em favor do futuro."

— E posso confiar no meu tio, que me promete ajuda quando necessário?

— Confiar, pode; porém, conviver, não. A convivência responde por muitos males, quando estão juntas as almas cujas feridas dos sentimentos ainda não cicatrizaram. O dia a dia diminui distâncias que o respeito impõe, e propicia a vulgaridade, a abjeção, quando os que estão muito próximos não se encontram forjados nos metais da honradez e do equilíbrio. Veja a grande maioria dos matrimônios, cujos cônjuges se diziam amar com eterno sentimento, e, ao se *descobrirem*, durante a vida em conjunto, não têm a necessária resistência ou consideração recíproca, como seria de desejar, partindo para a agressão e o despautério, o crime, a separação... Casar é muito fácil; difícil é manter o casamento.

"Você necessita de amigos, não de um amigo especial, confidente, como é do agrado de toda pessoa em conflito. Conhecendo o seu problema e sabendo que as suas raízes se encontram em vidas passadas, você deverá *digerir* com calma esse conhecimento e estudar o Espiritismo, conforme Allan Kardec o apresentou ao mundo, e encontrará a estrutura cultural, racional e emocional para erguer a sua vida em termos diferentes. Jesus disse que 'é necessário morrer o homem velho, para nascer o homem novo', isto é, erguer sobre os escombros do passado os ideais eternos da vida.

"Aqui estaremos dispostos a ampará-lo, tanto quanto outros Amigos o auxiliarão, caso você nos permita fazê-lo."

Alongou-se a veneranda entidade em esclarecimentos e carinho, encaminhando o moço à assistência pelos passes.

Quando seguia à outra sala, despediu-se o rapaz, rogando:

— Não me abandone, Anjo do Bem!

— Que o Senhor a todos nos proteja sempre — concluiu ela com leve sorriso de ternura.

Como as consultas prosseguissem, aproveitei de um momento do Dr. Bezerra e indaguei:

— A irmã Emerenciana, para minha surpresa, sugeriu que Lício estudasse as obras do codificador do Espiritismo. Ora, trabalhando ela nesta Casa, não é de estranhar-se?

— Desculpe-me, o amigo — respondeu, afável —, não vejo onde colocar a estranheza.

"A verdade é universal e não é patrimônio que saibamos, de ninguém. Allan Kardec foi o missionário escolhido para trazer 'O Consolador', unir a Ciência à Religião, colocar a ponte entre a razão e a fé, legando à Humanidade essa obra ímpar, que é o Espiritismo. Ora, da mesma forma que os homens — Espíritos encarnados — o estudam, na Terra, nós outros — Espíritos desencarnados — compulsamos os seus livros para aprender, como você também o faz, e aprofundar observações e estudos maiores, em razão de nos encontrarmos no mundo das causas, vivenciando experiências mais especiais.

Terapia desobsessiva

"A benfeitora assim procedeu porque conhece essa fonte inexaurível, que é o Espiritismo, e encaminha, quantos lhes podem assimilar e viver o conteúdo, a instituições espíritas fiéis à Codificação, aplicando a caridade maior, que é a de iluminar as consciências humanas, a fim de não mais se comprometerem.

"Aqui são realizados trabalhos muito úteis, numa primeira fase dos problemas humanos e espirituais. Todavia, para uma aprendizagem libertadora e geratriz do cabedal de luz, o conhecimento espírita constitui o repositório de sabedoria que ampara o indivíduo e o impulsiona montanha acima, no rumo dos acumes.

"A nossa irmã, conforme nos elucidou, mantém compromissos neste campo de ação, mas não retém pessoa alguma na retaguarda, sempre preocupada em impulsionar todos para a frente e para a Vida. Assim, age com tranquilidade."

Havendo silenciado, aquietei-me em meditação, buscando entender a grandeza das almas que servem ao bem, sem rótulos nem limites, na abrangência da verdade que dignifica e torna feliz o homem.

18 – O despertar de Aderson

A extraordinária melhora apresentada por Carlos não pôde ser considerada como prenúncio de sua total recuperação psíquica e física.

As marcas dos erros imprimiram-lhe limites orgânicos muito severos, que desencadearam o processo catatônico, cujos resultados viriam a largo prazo como é natural.

O afastamento dos dois adversários liberaram-no espiritualmente da constrição, cada vez mais alienante, ensejando-lhe um reencontro muito animador com a lucidez. Todavia, mesmo durante o dia e na entrevista com a benfeitora, permaneciam os sintomas da enfermidade, que a terapêutica médica iria auxiliando a corrigir, no momento, com maior eficiência, em razão da psicosfera haver-se modificado, desaparecendo a constante intoxicação fluídica e as perturbadoras presenças que o assaltavam durante o sono físico.

Os adversários, encaminhados à renovação, liberavam-se, por sua vez, da própria desdita, o que não implica anulação, para o seu infelicitador, dos males que lhes foram infligidos. A provação de quem desrespeita os códigos da soberana Justiça impõe-lhe a reparação dos prejuízos causados. A ação enobrecida se encarrega desse mister, razão por que o trabalho do bem é de urgência, conclamando a todos para executá-lo, no qual se logra a transformação moral para melhor e a aquisição dos valores positivos que se investem como forma de quitação dos débitos.

O despertar de Aderson

Assim, o homem deve ter em mente que o máximo dos sacrifícios em favor do próximo e de si mesmo é sempre menos dorido do que os atos danosos contra alguém, mesmo que de pequena monta. Desse modo, a renúncia e a abnegação, o devotamento e a bondade em largos testemunhos de amor pesam menos do que alguns gramas de remorso.

Era o que defrontávamos no drama de Carlos. Ele agora deveria investir, com esforço mental e sacrifício pessoal, os valores ao alcance, a fim de granjear mérito para a mudança do seu quadro provacional. E a irmã Emerenciana deixara a questão mui bem aclarada.

Continuavam, no mesmo ritmo, os labores que a benfeitora realizava, enquanto o culto ruidoso, seguindo o cerimonial já conhecido, se desdobrava.

Médiuns vários encontravam-se em transe, e os Espíritos que se comunicavam eram, invariavelmente, portadores de altas fixações com a vida física que não conseguiram superar por meio da morte. Na sua ignorância, comprazam-se com os interesses anteriores, nutrindo-se de imagens viciosas, que ali se tratava de extirpar, mediante o fenômeno da incorporação mediúnica e pela assistência que lhes ministravam os benfeitores da Casa, auxiliando-os lentamente a desimantar-se e a se descobrirem, ou induzindo-os a outras conquistas.

Não obstante a densidade vibratória das energias, mais *físicas* que *espirituais*, em razão do número de entidades em trânsito nas faixas mais grosseiras, observávamos que não ocorriam interferências maléficas, por estar o trabalho sob rigoroso controle, resultado de larga experiência naquela área, como pela providencial equipe de cooperadores desencarnados conscientes, esclarecidos e dedicados ao auxílio de iluminação.

Desse modo, concluindo as consultas, a amiga espiritual veio ao círculo onde as pessoas se encontravam, para os atendimentos e instruções finais. Aderson novamente foi colocado no centro, auxiliado por dois companheiros encarnados. O olhar parado, a face pálida, refletindo-lhe a desvitalização, sem nenhuma reação aparente, era o Espírito encarcerado no corpo silencioso, que a consciência culpada construíra para a reabilitação.

Tomando-lhe as mãos e fitando-o nos olhos, a mentora repetiu a terapia já nossa conhecida, convocando-o à realidade, pois não tinha mais o que temer. A fuga já terminara e fazia-se mister enfrentar os efeitos dos males causados. Na ordem que lhe dava, expressava confiança e infundia-lhe fé no futuro. Havia uma emanação de bondade que acompanhava o fluxo da energia de que se fazia revestir.

A princípio, o paciente em nada reagiu. À instância do convite, pareceu despertar de um longo letargo, alterando o ritmo respiratório, movimentando as pálpebras e os lábios. Um fluxo sanguíneo fê-lo corar-se e já voltava ao estado anterior, quando ela determinou:

— Hoje é o nosso dia de despertamento, e você terá que reagir. Ouça-me, e não se esconda mais. Já lhe conhecemos a história. Recorde-se, enfrente-se, e viva! Aderson, viva!

Ele tremeu, como se fora vítima de uma ligeira convulsão, debateu-se com agitação e voltou ao torpor habitual.

Podemos perceber o júbilo que se estampou na face do médium, refletindo a emoção da benfeitora, que lograra expressivo rendimento espiritual no tentame.

Os serviços encaminhavam-se para o encerramento, o que se deu após oportuna alocução da diretora espiritual, conclamando todos à reforma íntima e ao constante trabalho em favor do bem geral, considerando-se o número assustador de criaturas em rudes sofrimentos num como no outro lado da vida.

— Não nos podemos deter, nesta Casa — concluiu com delicadeza e sabedoria —, nos jogos do verbalismo retumbante e vazio, nos debates filosóficos das várias escolas que se atribuem primazia umas sobre as outras, ou nas investigações científicas, nas quais elevados mensageiros, na Terra e fora dela, se desincumbem com nobreza e proficiência.

O despertar de Aderson

O nosso, é o trabalho do consolo e do amparo imediatos ante a incidência crescente da loucura e do suicídio, que espreitam milhões de criaturas, além daquelas que já lhes tombaram nas intrincadas redes. Por isso, não temos tempo a perder. Todos marchamos para a Unidade, embora existiam as diferentes trilhas e caminhos a percorrer. Cada qual realiza o melhor ao seu alcance, sem subestimar o que o outro executa. Nosso compromisso é com Jesus, que os homens tentaram submeter, e que, livre, mais tarde, após a crucificação, retornou, em triunfo, para auxiliá-los na ascensão que não conseguiam. Que tenhamos o valor moral de segui-lo com fidelidade, e lograremos uma conquista de alto significado.

Proferindo sentida oração, ao som de cânticos em surdina, encerrou o culto.

Liberando o médium, na sala de consultas, após aplicar-lhe forças restauradoras, veio ter conosco.

Observamos que o fiel instrumento, que deveria encontrar-se extenuado pelas largas horas de psicofonia mui completa, apresentava-se bem e com ótimo aspecto físico.

Percebendo-nos a observação íntima, ela falou-nos jovialmente:

— Os que aplicam as horas nos jogos das paixões dissolventes gastam as forças físicas e emocionais, como alguém que acende uma vela pelas duas extremidades, queimando excesso de combustível, o que acelera a sua extinção. Em nosso campo de atividade, conforme é do conhecimento do nosso Miranda, "quanto mais se dá, mais se recebe". O intercâmbio mediúnico, em clima de amor e de serviço pelo próximo, proporciona permuta de forças, que se renovam e estimulam, no organismo perispiritual, a regeneração celular, o surgimento de outras saídas, sem desgaste excedente de energias. Em tudo, a vigência das *Leis da Causalidade*... Conforme a criatura atua, assim se situa.

Concordamos, perfeitamente convencido desse postulado evangélico muito familiar ao nosso cotidiano.

O amor de Deus estua em toda parte, convidando todas as criaturas ao crescimento íntimo, à ação em favor do progresso. Qual sol permanente, não cessa de clarear as sombras, embora as nuvens das paixões, frequentemente, intentem bloquear-lhe a claridade em expansão.

Ali estava pulsante a lição do trabalho cooperando em favor da ordem geral, sem jactância, no anonimato, quase, da verdadeira humildade.

Os rostos dos clientes que se apresentavam tensos e congestionados, no início das reuniões, alteravam a expressão, logo terminadas as atividades. Iluminadas pela esperança e abastecidas de coragem que lhes infundiam valor, essas criaturas retomavam às lides do cotidiano, renovadas em espírito.

O bem, em razão disso, não se circunscreve a limites nem se submete a nominações, escolas ou grupos. Como o oxigênio puro, a tudo vitaliza e, sem ele, a vida perece.

Concluídas as providências pertinentes àqueles labores, em conversação edificante, na qual o estímulo ao trabalho era a tônica predominante, aguardamos a nova etapa.

— Muito significativa a lição que Jesus nos legou — afirmou Dr. Bezerra, no curso da palestra. — Quanto conhecemos da sua vida, reflete a ação contínua em favor dos homens. Mesmo quando, em solilóquio, mergulhava, através da meditação, no pensamento divino, fazia-o, auscultando a vontade do Pai, a fim de retornar ao convívio bulhento dos companheiros e necessitados que o buscavam. Dormia pouco e quase não repousava. Ganhando os minutos, aplicava-os todos no ministério iluminativo, libertador. Em momento algum se permitiu a ociosidade, lesando a dádiva do tempo. Desejando seguir-lhe o exemplo, não há alternativa senão trabalhar sempre e sem cessar.

Porque se fizesse um natural intervalo, solicitei permissão e referi-me:

O despertar de Aderson

— As melhores horas da minha última existência na Terra foram as da ação constante. Até onde me posso recordar, o trabalho constituía, em nosso lar modesto, a metodologia eficiente de valorização da vida. Incorporado ao cotidiano, tornou-se-nos um hábito salutar e não um dever desagradável como a muitos indivíduos parece. Na idade adulta, o conhecimento do Espiritismo levou-nos a uma visão mais profunda a respeito da atividade que fomenta o progresso, em face da penetração na realidade maior da vida, que não se encontra adstrita, apenas, à estreiteza material... Recordando-me daqueles momentos, bendigo a Deus por havê-los valorizado, apesar de forma insuficiente.

Dr. Bezerra, atento e gentil, arrematou:

— O *Universo pulsante*, que os modernos cientistas já afirmam ser não mais uma máquina, conforme os conceitos materialistas do passado, mas sim um *Grande Pensamento*, é o exemplo dessa ação incessante... Nele, não há vácuo, nem repouso... A vibração da vida está presente, a tudo interpenetrando e movendo.

As opiniões valiosas calavam-me com profundidade na alma, quando se anunciou o momento para o socorro a Aderson.

A convite da benfeitora Espiritual retornamos à pequena sala das consultas, onde Felinto e alguns outros auxiliares haviam armado um equipamento semelhante aos videocassetes modernos.

Dois assistentes, adrede selecionados, haviam seguido o paciente e família no retorno ao lar, a fim de o trazerem, mediante o desdobramento pelo sono, para a reunião, ali chegando naquele instante.

Organizado um semicírculo em frente a duas cadeiras, nas quais se sentaram a mensageira e Dr. Bezerra, este proferiu comovedora oração ao Terapeuta divino, rogando auxílio, e a reunião teve o seu começo. A irmã Emerenciana despertou o enfermo, que, para minha surpresa, mantinha a mesma fácies, qual se fora uma máscara incapaz de refletir as emoções e a vida. Tal como se apresentava no corpo, a mesma imobilidade estava presente no seu estado espiritual.

A mensageira aplicou-lhe passes de dispersão fluídica, desintoxicando-o, numa tentativa de arrancá-lo do estado de hibernação profunda, no qual se recolhera buscando esconder-se da própria consciência.

— Este é o dia do seu reencontro — afirmou-lhe a mentora. — Você tem compromisso com a vida e não poderá ficar, indefinidamente, detido na inconsciência. Todos conhecemos a sua história, que você se recusa a admitir. Você é suicida, que devia à existência física vários anos que não cumpriu. Você matou o corpo, mas não morreu...

Fiquei chocado com aquela afirmação sem rebuços. Eu fora informado antes de que ele desencarnara por apoplexia: desse modo, não via como considerá-lo um suicida. Não tive, porém, tempo de interrogar Felinto a respeito, porque a mentora instava, reafirmando:

— Você matou o corpo, no entanto, continua vivendo. Recorde-se, Aderson... Suicida, você é suicida!

O choque produzido pela voz enérgica, numa indução poderosa, fez o Espírito agitar-se e, rompendo uma cadeia de forças que o imobilizavam, reagiu possesso:

— Não!... Não me matei!... Eu nem esperava... ou queria morrer... naquele dia... Não me matei!...

Percebi o alívio da benfeitora, que desejava essa ruptura, arrancando-o daquele mundo cruel de silêncio e mumificação, pois que, em outro tom de voz, ela prosseguiu:

— Matou, sim, o corpo, mediante os tóxicos que você ingeriu ao largo do tempo, como decorrência do seu egoísmo e dos monstros a que deu guarida em seu mundo mental. Fora outro o seu comportamento, e viveria mais um decênio no corpo físico. Que fez, porém? Agasalhou a inveja e a perversidade, distante dos sentimentos de humanidade, sem compaixão, nem amor. Viveu para si, acumulou mágoas e insensatez, enquanto a vida o invitou à fraternidade, ao serviço do bem.

O despertar de Aderson

— Ninguém me amou! — desabafou, em convulsão.

— Assim você o crê, porque nunca amou. Temia dar-se e invejava aqueles que se doavam uns aos outros. Não acreditava em pureza, pois que vivia em clima mental de perversão e promiscuidade, observando a conduta dos seus irmãos através das lentes distorcidas da sua enfermidade moral.

— Por que me acusa? — interrogou, ofegante.

— Não o fazemos em forma de acusação; antes, desejamos que você enfrente os acontecimentos, a fim de que deles se liberte. Fugir de si mesmo ou anestesiar a consciência é experiência inútil, pois que ninguém o consegue em definitivo. Onde você se refugie, continua com você mesmo.

— Sou inocente! — bradou, ainda estertorando.

— Você sabe que não o é. Outros crimes lhe pesam na consciência, cobrando-lhe a reparação. As suas vítimas sucumbiram, não somente na trama difamatória, mas no suicídio a que você levou mais de uma... Portanto é homicida igualmente, não resolvendo o seu problema, o autoaprisionamento no corpo.

— Eles se mataram, não por minha causa...

— Veremos, meu filho... Você mesmo o constatará pela segunda vez. Acompanhemos alguns lances da sua última existência corporal, que selecionamos para este momento.

A um sinal, a fita gravada foi posta no aparelho e as imagens passaram a refletir-se em uma tela de média proporção, com uma peculiaridade especial: a da terceira dimensão. Era como se nos encontrássemos acompanhando os fatos no momento em que sucediam.

Aderson se apresentava na chamada *idade da razão*, quando começou o expediente infeliz das cartas anônimas difamatórias e o hábito de levantar, verbalmente, suspeitas destrutivas contra quem lhe caía sob a alça de mira da inferioridade. Simultaneamente às imagens vivas, captávamos os pensamentos de cada momento, precedente e durante a ação nefasta, que se lhe irradiava da mente maldosa.

Loucura e obsessão

Confesso que era a minha primeira experiência nesse setor de avaliação do passado de alguém, em terapia das suas vivências próximas e pretéritas, por meio de um equipamento tão sensível. Já conhecêramos o cinemascópio, as ideoplastias vivas, os clichês mentais que ressumavam dos depósitos profundos do perispírito, as evocações por indução telepática, as espontâneas, menos aquela técnica fascinante, em que a vida retornava esfuziante e se podia penetrar no íntimo dos fatos, que eram o emocional e o mental de cada personagem apresentada.

As cenas sucediam-se em ritmo crescente, selecionadas, conforme referido. O enfermo balbuciava defesas injustificáveis, passando do desespero convulsivo à revolta e à blasfêmia, para ir-se aquietando, desperto, conscientizando-se da gravidade dos atos praticados.

Foi o suicídio da jovem, a quem difamara mediante carta criminosa ao seu enamorado, que mais o afligiu. Ele acompanhava-lhe a onda mental, as dores que lhe precederam ao autocídio, a sua infinita amargura e desconhecimento do autor de tão cavilosas acusações, e, porque ela o sensibilizava afetivamente, ele rendeu-se, suplicando:

— Parem com isso! Interrompam a peça condenatória. Não podia imaginar, no começo, que tudo chegaria a este ponto... Quando me entreguei a esta loucura, eu era e sou ainda mais infeliz do que as minhas vítimas. Eu me encontrava louco, e não podia, não me queria deter. A volúpia dos desgraçados é sorver até a última gota a própria degradação. Ó Deus meu!

— Agora que você sabe — confortou-o a Amiga dos infelizes —, reorganize-se interiormente e reprograme a sua atual existência. Você buscou o encarceramento orgânico para fugir sem resgatar... Use o expediente para beneficiar-se, começando a reparação das faltas cometidas. Até agora você expiou em trevas íntimas, o que não é suficiente para recompor-lhe a paz. Indispensável a ação que regulariza o erro e ajuda aos prejudicados, erguendo-os de acesso ao bem-estar pessoal.

O despertar de Aderson

E se as vítimas, ao acaso, já se encontram em posição melhor do que a sua, é a hora de socorrer a outrem, não diretamente vinculado a você, todavia incurso em necessidades que poderão ser supridas.

— Que pode um alienado fazer? — indagou, revelando a lucidez a respeito da própria situação no corpo.

— Pediremos ao nosso venerando médico Dr. Bezerra de Menezes que lhe explique.

O mentor, que aguardava o instante para auxiliar, acercou-se e, com imensa bondade e sabedoria, prosseguiu, explicando:

— No autismo, que lhe toma a vida mental, após cuidadoso exame que fizemos em seu cérebro físico, não encontramos lesões que o impeçam, a partir de agora, de manter uma vida com relativa normalidade. Os limites e bloqueios que você lhe impôs, são de ordem psíquica profunda, sem equivalentes danos nos equipamentos especiais que por ela respondem. Partindo para uma nova ação de pensamentos lúcidos do eu espiritual, com insistência, os neurocensores passarão a captá-los e, lentamente, irão transformando-os em ideias que fluirão, irrigando a mente consciente e estimulando-a às atividades que oferecem o retorno ao equilíbrio psicofísico.

"No começo, serão apenas lampejos rápidos; depois, tênue claridade, até que você alcançará o possível, o que lhe seja permitido, em razão dos seus títulos de merecimento, por enquanto, não serem muitos... Durante o sono fisiológico, porém, você receberá, no processo de desdobramento da personalidade, estímulos novos e constantes para mais perfeita fixação de propósitos.

"Ser-lhe-ão aplicados recursos especiais no perispírito, na área do *centro cerebral*, despertando-lhe as potencialidades ainda bloqueadas, para que se destravem os controles da memória, da razão, prosseguindo, no centro motor, de modo a recoordenar os movimentos, reestruturando os

Loucura e obsessão

equipamentos nervosos, que serão melhormente utilizados em favor da sua própria reabilitação. O estacionamento não resolve o problema, nem a fuga, estimulada pelo remorso, auxilia na solução das dívidas. Assim mesmo, não será de aguardar-se resultado miraculoso. O processo de reajustamento emocional é lento como qualquer outro tipo de reequilíbrio.

"À medida que a consciência libere energias positivas, regularizar-se-ão os ritmos da onda mental responsável pela ação coordenada entre a afetividade e a segurança interior, canalizando as forças psíquicas para o restabelecimento relativo da saúde. Da mesma forma que a culpa edificou a prisão sem grades do remorso em desconcerto, o desejo de recuperação rompe as amarras que o retêm no presídio celular. Como providência complementar de relevo, estas impressões permanecerão luarizando-o em nome da esperança, que consolidará o seu equilíbrio. Por fim, estas sessões regressivas serão repetidas algumas vezes, de forma que sejam aceitas as injunções do sofrimento reparador mediante as quais se lhe desanuviará a razão ante os desígnios da Justiça."

Fez uma pausa oportuna e concluiu:

— Do ponto de vista neurológico não detectamos qualquer lesão de consequência irreversível. As sequelas serão mais de ordem psicológica, como efeito dos desmandos perpetrados, do que de outra natureza.

Aderson, embora estivesse sob estas perspectivas abençoadas, não pôde sopitar uma indagação:

— E se eu falhar?

— Repetirá a experiência aflitiva, em condições menos favoráveis, já que não há exceção para ninguém, nos estatutos divinos. Pensar na possibilidade de fracasso é gerar insucesso por antecipação. O agricultor seleciona as sementes e as plantas, confiando nos fatores climatéricos que lhe escapam, sem pensar em derrota... Assim também, na ensementação do bem, a todos nos cumpre desenvolver esforços máximos dentro do que nos é lícito fazer, porquanto o restante pertence a Deus.

Lágrimas silenciosas perolaram os olhos do paciente agora submisso e resignado, afirmando, sem palavras, os propósitos salutares de realização libertadora.

Foram aplicados novos recursos fluídicos e o paciente adormeceu, sendo, posteriormente, reconduzido ao lar.

A reunião terminou com uma comovedora oração gratulatória, na palavra austera e nobre do Dr. Bezerra.

Minutos depois, porque as circunstâncias nos permitissem, indagamos ao querido médico:

— O que tivemos foi uma regressão de memória, embora a técnica se fizesse diferente. Anteriormente, o senhor afirmara da inutilidade ou perigo, caso lhe fosse aplicada esta terapia. Por quê?

— Referíamo-nos, então — ripostou com paciência —, à terapêutica de tal natureza, porém, sob indução de um encarnado. A dificuldade maior, de início, seria a do autista não responder aos estímulos verbais do indutor. Além dessa, o desconhecimento da causa, por parte do indutor, que o paciente se negava a admitir, não lograria arrebentar a *parede* invisível que o Espírito erguera, para esconder a culpa não aceita, embora exista no inconsciente profundo. Dissemos, também, que o excelente método de recente aplicação não produz resultados positivos, como é natural, em toda e qualquer psicopatologia: e, se tal ocorresse, estaríamos diante de um fenômeno violador do equilíbrio das Leis de Causa e Efeito. Os logros alcançados são muito valiosos, favorecendo a uma ampla faixa de alienados, como ocorre com o psicodrama e outras terapêuticas valiosas que proporcionam campo ao resgate dos erros sem o *encarceramento* do endividado. Nas civilizações mais avançadas da Terra, a preocupação com o delinquente é a de reeducá-lo, a fim de que se recupere, cooperando com a sociedade. Aí estão as prisões-domiciliares, as colônias agrícolas e outros métodos que substituem as punições medievais,

Loucura e obsessão

que destruíam a dignidade e o valor do indivíduo, em vez de curá-lo dos males que o infelicitavam. Entre nós, diante dos soberanos códigos, é mais importante reparar do que expungir em lágrimas, reedificar do que aprisionar nos estreitos limites da impiedade vingativa... O mais importante é destruir o mal, conquistando o homem que lhe sofre a injunção. O amor de Deus se manifesta sempre em mil oportunidades de redenção, e a reencarnação é, dentro de todas, a mais abençoada. Convém recordar, porém, que mesmo reencarnado, o Espírito *renasce* ou *morre* diversas vezes, durante o ciclo da vilegiatura carnal. Isto é, cada novo erro que comete torna-se-lhe uma forma de *morte* da oportunidade feliz, enquanto toda conquista significa-lhe um novo renascimento para a verdade e para o bem.

Ao silenciar, anotei que não se fazia necessário adir mais nada.

Mergulhávamos, então, em reflexões, enquanto a Alva erguia, lentamente, o manto da noite, derramando a sua taça de luz na paisagem que despertava, em maravilhosa festa de cor e beleza.

19 – Socorro de libertação

Na oportunidade própria, analisando, com o Dr. Bezerra de Menezes, a problemática sempre grave e complexa da obsessão, o Amigo esclareceu-me:

— Enquanto as paisagens mental e moral do homem não mudarem o clima de aspirações responsáveis pelos problemas que geram, o intercâmbio obsessivo permanecerá. Dependências afetivas, necessidades emocionais e campos de vibrações odientas são sustentados nos jogos dos interesses entre os desencarnados e os homens. Porque estes não se elevem espiritualmente, aqueles encontrarão ganchos, nos quais se prendem, passando de *hóspedes* a *gerentes* da casa mental que lhes cede lugar. O crescimento moral do ser é impositivo inadiável do seu processo evolutivo, que está a exigir decisão vigorosa para ser levada adiante sem mais tardança. Os atavismos que lhe predominam, em arrastamentos comprometedores, devem ceder lugar às aspirações enobrecidas, que o atrairão para objetivos libertadores.

Fez breve silêncio, a fim de dar um curso didático à conversação valiosa, e logo adiu:

— Ouspensky, pensador russo, que se fez excelente discípulo de Gurdjieff, dividiu os homens em dois grupos: fisiológicos e psicológicos, para bem os situar na área das suas necessidades e aspirações. Os primeiros são aqueles cujo comportamento se submete ao repouso, ao estômago e ao sexo, enquanto os outros são os que vivem conforme o sentimento e a mente. Prefeririamos considerar que há os que ainda transitam sob o comando da sua natureza animal, primitiva, aqueles que vivem sob a predominância da natureza espiritual e os que se encontram na fase intermediária, em caminho do estágio mais grosseiro para o mais sutil.

"Os primeiros são homens-instinto, mais dirigidos pelas sensações, enquanto os últimos são homens-razão, comandados pela emoção. Aqueles vivem para comer, gozar e dormir, sem tempo mental para sentir os ideais de beleza e de progresso. Os outros, não obstante se utilizem das sensações que decorrem das imposições fisiológicas, cultivam os sentimentos, e as emoções sobrepõem-se aos caprichos dos prazeres fugidios e imediatos. O homem, no qual predomina a natureza animal, reage sempre e com violência; detém o que tem e não reparte, em razão do egoísmo que o vitima. Aquele em quem a natureza espiritual se destaca age, porque pensa com calma, nas circunstâncias mais graves, preservando o equilíbrio; possui sem reter, multiplicando em benefício do próximo, promovendo a comunidade onde se encontre e desenvolvendo os sentimentos do altruísmo, que o felicita.

"O amor, no período das dependências fisiológicas, é possessivo, arrebatado, físico, enquanto, no dos anelos espirituais, se compraz, libertando; torna-se, então, amplo, sem condicionamentos, anelando o melhor para o outro, mesmo que isto lhe seja sacrificial. Um parece tomar a vida e retê-la nas suas paixões, enquanto o outro dá a vida e libera para crescer e multiplicar-se em outras vidas.

"Os que se encontram em trânsito entre as experiências primevas e as conquistas da razão, apesar dos vínculos fortes com a retaguarda evolutiva, acalentam ideais de enobrecimento, sofrem tédio em relação aos gozos, padecem certas insatisfações e frustrações, porque já não lhes bastam as sensações fortes, exauridoras, tendo necessidade de mais altos valores íntimos, que independam do imediato, do jogo cansativo dos desejos físicos. Ambições mais nobres se lhes

Socorro de libertação

desenham nas áreas mentais, e os desejos sofrem alteração de estrutura. Pressentem a glória do amor e a dádiva da paz, engajando-se nos movimentos idealistas, apesar das incertezas e dubiedades que os assaltam vez por outra.

"Como é natural, há uma prevalência de homens-instinto nos quadros sociais da Terra, em relação a um número menor de homens-razão, que se empenham por criar condições de progresso e realização em favor dos que estão atrás.

"Movimentando-se entre os dois contingentes, estão aqueles que despertam para as realidades espirituais, galgando os degraus de ascensão a duras penas."

O benfeitor novamente silenciou, por breve momento, para logo prosseguir:

— Estagiando uma larga faixa dos Espíritos na primeira fase, suas paixões são agressivas; seus desejos, dominadores; suas aspirações, primitivas, sem as resistências morais que dão valor ético ao ser, partindo para sucessivos revides e cobranças, quando contrariados nos seus gostos ou feridos nos seus falsos brios, ou desagradados nos seus apetites... Porque em idêntica posição vibratória, disputam entre si os espólios infelizes dos interesses de que se nutrem, vivendo em *intercâmbio obsessivo*, quando o amor é apenas força de desejo, ou no ódio, quando cegos pela revolta e envenenados pela vingança.

"Um pouco acima, os intermediários são também fáceis presas das alienações espirituais, por falta da consolidação dos ideais libertários, o que os faz recuar, tombando nos círculos das disputas rudes e alucinadas.

"À medida que o homem suplanta a dependência dos vícios e se eleva, emocionalmente, acima do estômago e do sexo, terá conseguido o valioso recurso terapêutico preventivo em relação a essa *parasitose* infeliz, que o mantém em círculos viciosos, nas faixas mais primárias das reencarnações reeducativas.

Loucura e obsessão

"O Espírito não foi criado por Deus para sofrer. O sofrimento é sua opção pessoal, em face da vigência do amor que felicita, em todo lugar, aguardando por ele. Todavia, como decorrência da sensualidade a que se escraviza, retarda a felicidade que lhe está destinada. Damos, aqui, à palavra sensualidade, uma abrangência maior: paixão pelo comer, vestir, gozar, viver nos limites dos interesses pessoais, mantendo os sentimentos adstritos aos impositivos orgânicos, dos quais não prescinde, sem espaço mental ou emocional para a renúncia, a abnegação, a fraternidade... Enquanto vigerem aqueles arcabouços primários na personalidade, o intercâmbio com outros semelhantes é inevitável.

"O mesmo ocorre, sem dúvida, entre os indivíduos que vivem as emoções da sua natureza espiritual, cuja sintonia é natural com as fontes da vida, de onde procede a inspiração do bem, do bom e do belo, atraindo-os para as conquistas gloriosas do amor.

"Assim, é sempre conveniente recordar que a obsessão é uma ponte de duas vias: o Espírito que a transita e segue na direção do homem somente logra passagem porque este lhe vem em busca, em face das mesmas necessidades, compromissos e grau de evolução. A ocorrência, portanto, da enfermidade obsessiva somente se dá porque ambos os litigantes são afins, sendo a aparente vítima o endividado, e o cobrador, que deveria perdoar, o infeliz real, carente de socorro e misericórdia. De socorro, para que adquira a paz; de misericórdia, a fim de que se desembarace do sofrimento que se alonga desde a hora em que foi ludibriado, traído ou abandonado, e que, mantendo-se na injusta exigência de reparação, passa para a posição mais desditosa, que é a de algoz.

"Diante, pois, de perseguidos e perseguidores, nunca se deve esquecer que o mais desventurado é aquele que se desforça, porquanto agride as Leis da Vida e gera animosidade para si mesmo. Todavia, assim procede por loucura, que decorre da infelicidade que o domina.

Socorro de libertação

"A terapêutica desobsessiva é, desse modo, muito complexa, envolvendo todos aqueles que se lhe dedicam em grave e elevado cometimento credor de carinho e respeito."

Calou-se o benfeitor, e anuímos, convencidos pelo esclarecimento.

A exigência da evolução pessoal é de urgência para todos nós, por meio da qual a renovação social se dará naturalmente.

Havia, porém, muitos labores a executar. Desse modo, acompanhamos o benfeitor diligente, cujo tempo era multiplicado na ação contínua em favor do bem. Passamos o dia nas atividades em pauta.

Na reunião para aquela noite estava programada uma tarefa que a irmã Emerenciana denominara "socorro de libertação".

Seguindo a praxe ritualística da Casa, após a abertura dos trabalhos, ela psicofonicamente elucidou que a gravidade do cometimento exigia muito esforço e dedicação dos companheiros encarnados, razão por que teria lugar na esfera mediúnica, mediante a cooperação dos membros mais dedicados do grupo.

Antenor, em razão das suas amplas possibilidades na psicofonia, fora programado para intermediário da comunicação.

Percebendo-me as interrogações íntimas, o irmão Felinto acudiu-me, esclarecendo:

— Trata-se de um paciente de nossa Casa, filho do diretor-presidente da instituição. Vítima de pertinaz obsessão, a que faz jus, não granjeou títulos de enobrecimento para que o problema tivesse a solução conforme o desejo de todos, particularmente dos pais, que são abnegados trabalhadores do bem e portadores de méritos valiosos. Todavia, há circunstâncias e ocorrências que não puderam ser solucionadas da forma como é considerada a saúde na Terra. Hoje, cremos, se dará o desfecho da trama que se arrasta por muito tempo. O genitor do paciente será o encarregado da doutrinação do inimigo do seu filho. Vem esperando por este momento com grande ansiedade, sem dar-se conta do que realmente irá acontecer.

A psicosfera que se respirava era salutar e de alta saturação benéfica.

A irmã Emerenciana, que se afastara do médium, agora conduzia indigitado sofredor, que foi atraído ao perispírito de Antenor, de imediato entrando em estertores e transfigurando, pouco a pouco, a face do médium e o seu conjunto: expressão, gestos, voz.

— Nunca o perdoarei! — exclamou, em agonia dolorosa.

Um senhor, com pouco menos de 50 anos, aproximou-se, visivelmente emocionado. Estava aureolado por tênue claridade. A mentora influenciava-o psiquicamente com vigor. Dele se irradiava envolvente bondade natural, que nos despertou imediata simpatia.

— Não te pedimos que o perdoes — disse, com a voz ligeiramente trêmula. — Rogamos que lhe dês oportunidade de reparar os males que praticou em relação a ti e àqueles a quem amas. Sem querer justificá-lo, digo-te que ele estava louco. O traidor, que rouba a confiança e estrangula a amizade, nas forças do seu crime, encontra-se fora de si. Basta que tenhas piedade e lhe concedas o que a ti ele não ofereceu, levando-te a este estado...

— Só palavras, que em nada modificam a situação. Você tem o direito de interceder por ele: é seu filho, o infame que a mim desgraçou.

— Eu o sei e me apiedo de vós ambos. Choro o meu filho infeliz e lamento por ti, meu pobre irmão. Ele acaba de completar 20 anos e já se vão dezesseis de dores inomináveis para nós e para ele. Quando se iniciou a doença, ele foi, pouco a pouco, perdendo os recursos da fala, da compreensão, enquanto se lhe aumentou a agressividade, a irritação, a par do retardamento mental... Tu falas de dor, todavia, sem desejar relacionar sofrimentos, sua mãe e eu, desde então,

Socorro de libertação

nunca mais pudemos repousar, à noite, pois é quando mais ele se excita e se desespera... Acostumamo-nos a quase não dormir. Ali está ela, chorando conosco. Olha-a, desfigurada e triste, sofrida e extenuada, sem ódio por ti, que trouxeste, por intermédio do nosso filho, desventura ao nosso lar. Quantas vezes ele nos bateu na face! Quantas outras, tu lhe tomaste as mãos e nos agrediste também! A princípio, não sabíamos o de que se tratava. Críamos apenas no diagnóstico médico, que afirmava ser um incurável distúrbio neurológico que lhe lesara grandes áreas orgânicas. Da aflição inicial e da amargura que nos tomou, passamos à piedade... Quando a fé em Deus e na sua justiça nos clareou a noite das dores, ante a certeza da reencarnação e da sobrevivência do Espírito à morte física, passamos a amá-lo e a ter mais coragem...

— Não me tente sensibilizar — interrompeu-o, congestionado —, pois que isto mais me revolta. Ele é seu filho querido, porém, traiu-me, roubando-me ao lar a filha amada, a quem corrompeu e desgraçou, levando-a ao suicídio... E se passava como meu amigo, a quem abri a minha casa e lhe concedi a honra que não merecia, de conviver com a minha família. Cada um de nós, agora, zela e luta por seu próprio filho. Nunca mais soube dela, a filha, a quem ele destruiu...

Ao referir-se à causa da desventura, o choro convulsivo dominou-o de forma irrefreável.

A uma orientação mental da diretora que conduzia o pensamento do genitor sofrido, a irmã Anita aplicou no comunicante energias tranquilizadoras, diminuindo-lhe o desespero e mantendo a harmonia nos aparelhos nervoso e respiratório do médium, afetados pela ingestão dos fluidos tóxicos, que os sobrecarregavam.

— O nosso — continuou o doutrinador, comovido — não é o desejo de inocentar o criminoso, não obstante, queremos impedir que o irmão venha a tombar em erro equivalente, porquanto somente a Deus compete a equação destes problemas, em razão da sua sabedoria infinita, que dispõe de meios para regularizar os males, sem engendrar outros semelhantes ou piores. Falas do suicídio da filhinha, que teve os sonhos de menina trucidados pela ignorância do sedutor; no entanto, conforme não desconheces, ele também sucumbiu sob a sanha da mesma alucinação, interrompendo, anos mais tarde, a existência corporal, varando o cérebro com uma bala destruidora. Com aquela atitude originou-se a paralisia em que se amarra, porém, com a tua vingança, ele sofre mais amplos limites mentais...

— Não é assim — cortou-lhe a palavra. — A sua limitação é resultado do tiro que lhe afetou a razão, destruindo o órgão dela encarregado.

— Comprazo-me em descobrir que conheces a Lei de Causa e Efeito, mas surpreendo-me por constatar que, não obstante a identifiques, permaneças desafiando-a hoje, a fim de sofrê-la amanhã...

A elucidação oportuna colheu o interlocutor desavisado com grande impacto.

— É certo — deu prosseguimento — que o cérebro atingido, em face do gesto de revolta contra a vida, deixou impressões no perispírito, que lhe modelou a nova usina mental com as deficiências correspondentes à ação nefasta... Apesar disso, porque o afliges, Espírito a Espírito, o enlouqueces, e, em razão da tua presença ameaçadora, ele se debilita, o que te permite tomá-lo e agredir-nos, arrojando-o contra as paredes, os objetos e o solo... Se tiveres misericórdia e o deixares por um pouco, ele prosseguirá encarcerado nas grades do suicídio, porém, menos desditoso, podendo pensar, além do uso do cérebro danificado, e compreenderá a sabedoria e a necessidade do sofrimento. Vê-lo-ás padecendo, se isto te faz bem...

— É certo que me agradará, todavia não terei o prazer de saber-me ser quem lhe inflige a cobrança, quem o submete, a fim de que nunca mais traia ou desgrace a quem quer que seja. É isto, o gosto da vingança!

Socorro de libertação

— Um gosto ácido, que igualmente queima e requeimará quem o liba. Aproveita-te deste momento, nós te pedimos por Jesus Cristo, o assassinado sem culpa, que perdoou e volveu a amparar os que o negaram, traíram e lhe esqueceram todos os benefícios.

— Não o farei! Jesus foi crucificado porque desafiou as leis então vigentes. Pagou, pela morte, os ideais da sua vida.

— Então, te rogo, em nome da mãe dele, sem *culpa* alguma, cujo crime único foi ser genitora extremada e nada poder fazer em favor do Filho, cuja missão e grandeza, em sua humildade, talvez não tivesse o conhecimento, na sua total dimensão, porém, daria a sua pela vida dele. Pedimos-te, portanto, em seu nome, e em homenagem a esta mãe, também crucificada na agonia...

O perseguidor recebeu o apelo com um grande choque e titubeou. Tratava-se de um Espírito lúcido, que agia conscientemente e conhecia a realidade na qual se encontrava.

Nesse ínterim, a irmã Anita se afastara, agora retornando com uma entidade adormecida, que se encontrava na faixa etária dos 16 anos, reencarnada e portadora de suave beleza assinalada por funda melancolia.

Quase incorporando o doutrinador, a irmã Emerenciana, que tomara a providência de mandar buscar a jovem, em Espírito, falou:

— Indagas pela filhinha, a quem não tens visto desde aquela época, a da desventura, a ela que tanto te deixou magoado, a ponto de odiá-la por algum tempo. Pois bem, ei-la que aqui está. Voltou à carne e é surda-muda, resgatando no silêncio o engano da alucinação suicida.

A irmã Anita aproximou-se de Antenor mediunizado e apresentou a jovem, carregada, que foi despertada carinhosamente. Estava na mesma idade em que se evadira do lar, e conservava, de alguma forma, os traços da anterior louçania, vários rasgos faciais...

Ela descerrou os olhos e os espraiou em volta, sem compreender o que se passava, amparada pela senhora desencarnada que a conduzia.

O genitor reconheceu-a e foi, abruptamente, vencido por diferentes emoções.

Ajoelhou-se, fazendo o médium, automaticamente, tomar a mesma postura, numa atitude familiar a determinados cultos religiosos e posições emocionais. Abraçando as pernas da filha e chorando, explicitou:

— Perdoa-me, filha querida, perdoa-me! Quanta dor e saudade!... Ó Deus, quanta dor ainda!...

As lágrimas embargaram-lhe a voz.

O doutrinador tomou as mãos do médium e o ergueu, esclarecendo:

— Deus é amor e te traz a filhinha de volta. Embora esteja reencarnada, poderás agora acompanhá-la, ajudá-la, e reparar, também, os teus erros. Terás sido, por acaso, um pai sem falha? Não terá ela saído do lar, a fim de liberar-se um pouco da tua opressão? Medita!

O Espírito, ali trazido, lentamente, foi recobrando a lucidez, e, envolvido pelas vibrações do antigo genitor e pelas forças psíquicas da irmã Anita, balbuciou, a medo:

— Pa...pai!... Onde... estou?

Os dois abraçavam-se, sustentados pelos benfeitores presentes, enquanto alguns membros encarnados da reunião participavam, comovidos, ante o feliz evento, contribuindo, desse modo, com altas cargas de energia útil para o tentame.

— Agradece, meu irmão, este momento — propôs-lhe o genitor da vítima. — Agradeçamos todos, e, como sinal do teu reconhecimento, liberta a quem te fez infeliz.

Houve um silêncio demorado na sala, inundada por vibrações superiores. Foi o comunicante quem o quebrou, dizendo:

— Você pede-me que o liberte e não tem ideia do que solicita. A palavra liberte terá um significado muito profundo,

Socorro de libertação

quase terrível para você e para ele, para a família, caso eu concorde com o apelo. Estamos tão intimamente ligados quanto a planta parasita na árvore que a hospeda. Com o tempo, as raízes da naturalmente enxertada penetraram na seiva da outra, gerando tremenda simbiose. Ambos nos necessitamos para viver. Embora eu aqui me encontre, estou vinculado a ele... Se eu arrancar-me do seu convívio físico e mental, me desequilibrarei muito, e o corpo dele morrerá...

A palavra produziu um choque.

A mentora manteve o apoio sobre o doutrinador, que se abalou, mas, recompondo-se, prosseguiu:

— Faze a tua parte, e o restante é com o Pai Celestial, realmente o dono da vida.

— Seu filho morrerá, então, infelizmente. Sem mim, ele não sobreviverá. Escolha: tê-lo comigo, ou, sem mim, perdê-lo.

A mãe do enfermo estava a ponto de desequilibrar-se.

A irmã Anita retirou a jovem, após adormecê-la, e o Dr. Bezerra de Menezes, que até então auxiliava, sem atuar diretamente, aproximou-se da senhora muito sofrida e tocou-lhe a fronte. Ela estremeceu, e ele disse-lhe, mente a mente:

— Confia em Deus. Nossos filhos são filhos da Vida, quanto o somos também. Não temas, e confia. Ocorrerá o melhor, o que seja de mais edificante para ti, o filho e o esposo. Acalma-te e aguarda!

Ela registrou a palavra amorosa e foi dominada pela energia refazente do benfeitor, que a penetrou, dulcificando-lhe o corpo e a alma cansados.

A decisão seria do pai, que prosseguia telementalizado pela mentora. Ele dirigiu um olhar interrogativo à esposa, nublado de pranto, e ela, reencorajada, meneou a cabeça, afirmativamente, balbuciando para o marido: "Seja feita a vontade de Deus!" Ele, então, apostrofou, reanimado:

— Abraão não tergiversou em levar o filho ao altar do sacrifício, submisso a Deus... Darei a minha vida pela do meu filho, dependendo da vontade do Senhor, se for o caso. Assim, meu irmão, haja o que houver, te suplico: tem misericórdia dele e de ti mesmo...

Não pôde prosseguir. O esforço era demasiado, mesmo com toda a ajuda que recebia.

Profundamente sensibilizado, o comunicante encerrou o diálogo:

— Perdoai-me, os pais e vós outros por tanta desgraça. Reconheço que agora sou o mais infeliz de todos. A minha insistência na perseguição gerará mais infortúnio: todavia, a minha renúncia produzirá a amargura. Entre as duas conjunturas, elejo a que menos mal irá causar-vos. Desse modo rogando a Deus que tenha misericórdia de todos nós, me despeço, e prometo que libertarei aquele que me fez o mal, a quem tentarei perdoar de todo o coração.

— Deus te abençoe e te guarde! — concluiu o médium-doutrinador.

Todos estávamos comovidos.

Logo que a entidade se afastou, a irmã Emerenciana tomou a palavra e exortou-nos ao amor, à irrestrita confiança em Deus, à fé, entretecendo judiciosas considerações sobre o caso em pauta. Dirigiu-se aos pais do enfermo, que a ouviram com verdadeira unção e reconhecimento.

Logo depois, foi encerrada a reunião, e o grupo se desfez, cada qual seguindo o seu rumo.

20 – Processo desencarnatório

Encontrávamo-nos surpresos ante o desfecho da comunicação mediúnica, cujo prognóstico futuro, em relação ao obsidiado, me produzira compreensível impacto. A referência do *parasita espiritual* fora clara e, realmente, na esfera das vidas em *simbiose*, a extirpação de uma agride e mata, às vezes, a outra. Todavia, embora o assunto não me fosse inteiramente desconhecido, a oportunidade de constatá-lo surgia-me pela primeira vez.

Aguardamos esclarecimentos que nos iluminassem a razão, e quando, mais tarde, o venerável Dr. Bezerra nos convidou a seguir o casal, em cujo cometimento a irmã Emerenciana se associava, não me furtei a algumas indagações.

A bondosa mentora esclareceu que os pais, Sr. Anselmo e D. Clotilde, haviam-na buscado, anos atrás, na expectativa de solução para o problema de saúde do filho Alberto. Tomando conhecimento da sua gravidade, ela os cercara de carinho, infundindo-lhes ânimo e auxiliando-os no robustecimento da fé, sem ensejar-lhes a esperança ilusória de uma total recuperação para o paciente. Descobrira razões profundas e de difícil regularização, motivadoras da expiação, em cujo quadro se destacava a *parasitose obsessiva*. Não ressumavam apenas os fatores causais, da reencarnação anterior. Espírito calceta, inveterado no erro, Alberto agravara, cada vez mais, em sucessivas experiências terrestres, o seu próprio processo evolutivo. Não obstante, ela evitara informar aos genitores, ansiosos e sofridos, quanto era difícil que se lhe pudesse amenizar o quadro expiatório. Somente por meio da compreensão, que eles adquiriram ao largo do tempo, da necessidade da ação, da justiça regularizando as infrações morais, é que aceitariam com resignação os dispositivos inescrutáveis da Lei.

À medida que o casal descobria a excelência da fé, mediante a inabalável certeza da imortalidade, da justeza das propostas da reencarnação, foi crescendo e assumindo responsabilidades na Casa, tornando-se membros atuantes e devotados. O sofrimento, que o filho lhes proporcionava compartir, foi a causa da aquisição do equilíbrio emocional e da estruturação espiritual segura, nos postulados do Bem. O Sr. Anselmo passou a estudar as obras espíritas, que lhe ofereceram base para o entendimento, e, homem lúcido, não teve dificuldade em assimilar, incorporando-os à conduta, os ensinamentos hauridos na revelação dos imortais.

Por fim, tornou-se diretor-presidente da singela Casa de Caridade, quando, esclarecido e perseverante, foi convidado à tarefa de doutrinação de perturbados espirituais, nos momentos próprios, em casos especiais... Numa dessas ocasiões, há dois anos, aproximadamente, dialogara com Anselmo, penetrando na realidade viva da enfermidade do filho.

Naquele ensejo, ela lhe aclarara que há obsessões que funcionam como bênção, facilitando a liberação do algoz que, noutras circunstâncias, certamente deixaria de reparar os males praticados, mais se infelicitando, em face dos desatinos a que se entregaria. Outrossim, lhe explicara que a cura, pelo afastamento do alienador, não resolveria o problema, já que a verdadeira saúde é interior, a do Espírito, e que, muitas vezes, somente no Além-túmulo esta se expressa em sua totalidade. Porque a morte não é o fim da vida, obviamente, na libertação, está a felicidade.

A mentora silenciara, por alguns minutos, em suas recordações, e prosseguiu dizendo:

Processo desencarnatório

— A morte, todavia, mesmo entre os mais convictos na imortalidade, é um fantasma cruel que lhes ronda os passos, inquietando-os. No caso em tela, assume proporções mais diaceradoras. Ouçamos o que conversam os pais, a quem estamos acompanhando.

— Certamente — referiu-se D. Clotilde, interrompendo o silêncio no carro e chamando ao diálogo o esposo mergulhado em reflexões — o que o Espírito malfeitor desejou dizer, se é que entendi, não foi de referência à morte imediata do nosso Alberto... Você concorda comigo?

Medindo as palavras, a fim de evitar desnecessário acréscimo de sofrimento para a esposa sensível, ele respondeu:

— É provável que sim... Tenho pensado, ultimamente, a este respeito. Não seria egoísmo de nossa parte reter o filho na cruz de traves invisíveis, somente para tê-lo ao nosso lado? E se o Senhor lhe concedesse a libertação? Feliz, ele nos aguardaria, além do portal de cinza, propiciando-nos indizível júbilo, mais tarde.

— Não, porém, morrendo. Ele deve viver...

— E viverá; todavia, sem dores, sem o pavor que o assalta.

— Que será de nós?

— Deus proverá! Além disso, se, ao contrário, ocorrer nossa morte antes da dele? Quem se encarregará de cuidá-lo e socorrer-lhe as necessidades? Encaminhado a uma Instituição, que o hospedará sob remuneração que deixaremos, poderá receber tratamento e assistência técnicas, mas e o amor? Assim, confiemos em Deus.

— E a irmã Emerenciana, se quisesse, não poderia afastar o perseguidor, mantendo o nosso anjo sofrido?

Convidada nominalmente, no diálogo, a sábia benfeitora olhou-nos, e sorriu compreensiva.

— Não é outra coisa — elucidou-lhe o marido — o que ela tem feito... Pensemos, sem egoísmo, e consideremos a situação daquele que ontem foi vítima do nosso Alberto... Como os seus pais examinariam o desfecho nos termos que nos fossem

221

Loucura e obsessão

favoráveis? Convém, não nos esqueçamos, que estamos diante da regulamentação da Justiça...

— Todavia, a morte!...

— Não sejamos precipitados ou pessimistas. Pensemos em termos de vida. Estávamos dialogando, há pouco, com vivos ou mortos? Em toda parte a vida é presença real e a morte é somente ignorância dessa realidade.

Ensimesmando-se, e chorando discretamente, a senhora silenciou.

Chegando ao lar, o casal foi recebido por gentil familiar que assistia o jovem enquanto os pais se encontravam ausentes.

A senhora estava aflita, e narrou, apressadamente, que Alberto se encontrava muito mal.

Quando chegamos ao quarto, deparamo-nos com uma cena comovedora.

Um jovem, de corpo volumoso, agitava-se no leito. As marcas da limitação mental se estampavam na face do idiota, e, mesmo com os cuidados que o amparavam, o conjunto físico era desagradável à vista, numa primeira e apressada impressão.

Respirava com dificuldade, e gemia, exteriorizando um estado íntimo agônico e opressivo.

A mãezinha correu ao telefone e chamou o médico com urgência. O pai se deteve no quarto e pudemos *ouvir-lhe* a mente raciocinando. Ele constatava o significado da palavra *liberte*, conforme se referira o desencarnado, igualmente infeliz. Percebeu que o filho estava morrendo.

— Desde quando ele está assim? — indagou, à parenta, a senhora Clotilde.

— Há cerca de duas horas tudo começou. Eu estava tricoteando, na sala, quando ouvi um ruído inusitado. Corri ao quarto e encontrei-o encostado à cabeceira da cama, com os olhos projetados para fora das órbitas, como se acompanhasse alguma cena pavorosa. Depois, contorceu-se e

Processo desencarnatório

agitou-se, qual se alguma coisa estivesse sendo arrancada de dentro dele. Por fim, deu um grito e arriou, respirando com dificuldade e vertendo um pranto silencioso, como jamais eu o vira fazer...

A genitora ajoelhou-se ao lado da cama, segurou a mão do filho e começava a falar-lhe com ternura, enquanto chorava com resignação, apesar da imensa dor que a vencia.

A irmã Emerenciana aproximou-se da senhora e vitalizava-a com energias de sustentação na área coronária, depois, na cardíaca, enquanto a estimulava à coragem e à confiança no futuro.

Ela não ouvia as palavras, entretanto, senti-as como reconforto e serenidade.

Nesse momento, o caroável Médico da caridade acercou-se do moribundo e começou a aplicar-lhe recursos de dispersão fluídica, desvinculando-o do envoltório carnal. A operação complexa demorou vários minutos.

O jovem adquiriu lampejos de lucidez nos olhos marejados de lágrimas, fitou os pais, como se lhes desejasse externar gratidão e amor, tal a sensação de ventura que experimentava, livre da terrível constrição que padecera pelos largos anos.

A mãezinha sentiu-lhe o aperto de mão, equilibrado, afetuoso.

— Ele se está despedindo de nós! — exclamou, angustiada. — Segure-o!

O Sr. Anselmo sentou-se-lhe ao lado, ergueu-lhe o tórax e a cabeça, que encostou ao seu ombro e, amparado pela mentora, falou:

— É a libertação, meu filho querido. O Pai deseja e espera a salvação de todos e não a sua perda. Não tema! Este capítulo de dor está encerrado; abre-se um novo, na sua e em nossas vidas. Você seguirá; todavia, não nos separaremos, continuando a avançar pela mesma trilha. Arrebentam-se as algemas e você recobra os seus movimentos. Poderá, agora, voar, livre e feliz. A noite cede lugar ao dia. Bons amigos o aguardam. Chame por Jesus e seja dócil... Nós iremos logo mais.

Ele estremeceu e tentou balbuciar algumas palavras:

— Pa... pai!... Ma... mãe!...

A respiração fez-se-lhe mais difícil. Cerrou os olhos e começou o quadro comatoso, prenunciador da morte.

O benfeitor, após a operação delicada, cessou a técnica de que se utilizava, enquanto suave oração se evolava das almas contritas dos pais, que se despediam.

Neste comenos, chegou o médico, que percebeu, de imediato, a gravidade do caso. Mesmo assim, examinou-o, superficialmente, e, homem acostumado aos momentos *in extremis*, não teve dúvidas e acentuou:

— Tarde demais! Ele está entregando a alma a Deus. É questão de pouco tempo.

Demoramo-nos no recinto até ao amanhecer, quando Alberto desencarnou e Dr. Bezerra deslindou os últimos liames, entrando o corpo na imediata eliminação das energias vitais restantes.

Adormecido, ele permaneceu no local, recebendo apropriada assistência por parte do benfeitor, até que se fizesse oportuno removê-lo dali, o que se daria após a inumação cadavérica.

Enquanto o tempo transcorria, num momento próprio, interrogava a irmã Emerenciana quanto aos cuidados que ali foram ministrados, se a prática era normal em todos os casos.

Pacientemente, ela esclareceu-me:

— Cada desencarnação se dá conforme haja transcorrido a existência carnal. Muitos fatores concorrem a fim de que os processos da morte biológica se deem. Neste, consideramos os títulos de merecimento dos pais, capitalizados em favor do filho enfermo, que expiava, sem outra alternativa. Concluindo a dívida, é justo que receba o contingente de esperança e de paz que merece. Além do mais, o prejudicado mais próximo concedeu-lhe o aval de liberdade, encerrando-se este capítulo doloroso na vida de ambos, com perspectivas de futuros recomeços felizes.

— E se não houvesse esta assistência, que ocorreria?

— O processo da agonia se faria mais longo e mais penoso, aumentando-lhe o aturdimento espiritual.

— E ele recobrará a lucidez de imediato?

— Não rapidamente. Quase vinte anos de entorpecimento psíquico, em face dos danos de que foi vítima o perispírito, exigem um processo natural, paulatino, de recuperação, no qual as impressões se acentuam de maneira diversa, propiciando o ressumar dos conhecimentos adormecidos. Sob cuidados especiais, ele se readaptará, recobrando as faculdades que desorganizou.

Não desejando ser imprudente, mas sedento de informações, voltei a inquirir:

— E que ocorre, neste momento, com o seu antigo perseguidor?

A bondosa instrutora, sempre incansável e desejosa de instruir-me, elucidou:

— À medida que a obsessão se faz mais profunda, o fenômeno da *simbiose* — interdependência entre o explorador psíquico e o explorado — se torna mais terrível. Chega o momento em que o perseguidor se enleia nos fluidos do perseguido de tal maneira que as duas personalidades se confundem... A ingerência do agente perturbador no cosmo orgânico do paciente termina por jugulá-lo aos condimentos e emanações da sua presa, tornando-se, igualmente, vítima da situação, impossibilitando-se o afastamento. Por outro lado, a magnetização e intoxicação fluídica do agressor sobre o *hospedeiro* transforma-se em *alimento* próprio para a organização celular, que, se não a recebe, de repente, desajusta o seu equilíbrio. No princípio, gera distonia, desarticulação, para depois adaptar-se e aceitar a energia deletéria sem maiores choques nos elementos que constituem o universo celular...

"É natural, portanto, que o explorador esteja, neste momento, experimentando uma forma específica de *morte*, que decorre da falta de alimento a que se entregou nos últimos largos anos. É o efeito da exploração, que agora se lhe apresenta como carência.

"Como, porém, ninguém fica ao desamparo do amor, ajudando-se a Alberto é inevitável que a ele também se atenda. Neste momento, a nossa Anita, chefiando um grupo de cooperadores de nossa Casa, está colaborando em favor do seu reajustamento e readaptação ao novo *hábitat físico-mental*."

— E ele sofre?

— Naturalmente. Arrancando-se alguém de um vale pestilento e erguendo-o a uma paisagem ampla, no acume de um monte, com oxigênio puro, este experimentará a diferença de pressão atmosférica, decorrente da altitude, até acostumar-se à nova situação. Na área espiritual, em que os campos vibratórios são bem diferenciados, os Espíritos sentem com maior amplitude o efeito da movimentação neles. Ninguém transfere um organismo vivo de um para outro clima, sem que ele deixe de sofrer o efeito da mudança. O mesmo ocorre na vida espiritual, em que não há improvisação, nem regime de preferência. As asas da angelitude, que alçam às regiões felizes, como os grilhões retentivos que chumbam ao solo e impõem o rastejar doloroso, são construídos por cada criatura, com o material que elege para atuar.

Os pais do recém-desencarnado, embora a dor os dilacerasse, davam o testemunho com dignidade.

Em razão do passar das horas e cientificados da ocorrência, foram chegando os demais familiares e amigos para os cumprimentos de solidariedade, sendo que alguns, lamentavelmente, para perturbar o clima espiritual na câmara mortuária.

Processo desencarnatório

Não fossem a presença dos benfeitores e as orações sinceras de algumas pessoas sensatas, e a irresponsabilidade, o descaso, o desrespeito à dor dos pais, por parte desses visitantes, teriam atraído Espíritos perniciosos e exploradores das energias finais do corpo, em processos lamentáveis de usurpação fluídica.

Companheiros da Casa, que o Sr. Anselmo dirigia, vieram auxiliar a família com o apoio fraternal e a prece de intercessão amorosa. Minutos antes da saída do féretro, Anselmo, visivelmente conduzido pela benfeitora, propôs-se a dizer algumas oportunas palavras, que captaram a atenção dos presentes.

Entreteceu breves considerações sobre a morte e a vida, exaltando a sobrevivência e detendo-se no exame da felicidade que domina o prisioneiro que se liberta, na alegria dos reencontros ditosos com aqueles que lhe precederam na viagem ao *país da luz*, terminando por dirigir-se a Alberto, que embora não captasse as palavras, naquele momento, estas lhe chegavam como ondas sucessivas de harmonia e bem-estar.

Quando o féretro seguiu ao cemitério, a irmã Emerenciana providenciou que permanecessem no lar alguns amigos Espirituais, e seguimos, sob a direção do Dr. Bezerra, ao Hospital-Colônia, em nossa Esfera, onde ficaria internado o ex-obsidiado, conduzindo-o conosco.

Concluída esta nova etapa, perguntei ao instrutor se esse procedimento — a desencarnação do enfermo em razão do afastamento do obsessor — era frequente, ao que ele me respondeu, com voz pausada e modulação profunda:

— Muito mais constante do que se pode imaginar. A minha primeira experiência nessa área ocorreu quando me encontrava na Terra. Compreendo a dor dos pais de Alberto, porquanto minha esposa e eu a sofremos nos recônditos da alma quando do um ser querido nosso e nós e seus familiares passamos por idêntico transe.

Loucura e obsessão

"Sensibilizado pelas nossas lágrimas, num diálogo que mantivemos com alguém que fora prejudicado pelo nosso amigo querido e que se lhe convertera em inclemente cobrador, ao suplicar-lhe que se compadecesse de todos nós, ele anuiu, após demorada conversação, porém, nos alertou: 'Sem mim, ele morrerá, tanto depende a sobrevivência do seu corpo do teor de energias que lhe forneço...' E, prometendo não mais retornar para o seu lado, aconteceu a ruptura dos liames físicos do rapaz, que desencarnou..."

— E como se dá a desencarnação nesses casos?

— Sabemos que o perispírito é o *corpo* que transmite ao soma o indispensável para a sua manutenção. Sendo a *parasitose obsessiva* o resultado da ligação do perispírito do encarnado com o do Espírito, o intercâmbio de energias faz-se automaticamente. Ora, à medida que se torna mais acentuado o intercâmbio fluídico, a energia invasora passa a influenciar as células sanguíneas e as histiocitárias, que começam a produzir anticorpos e defesas imunológicas no nível que lhes corresponde, alterando o equilíbrio fisiopsicossomático do paciente. Às vezes, aquela energia deletéria facilita a invasão bacteriana, favorecendo a instalação de vários processos patológicos de efeitos irreversíveis, que encontram apoio na consciência culpada.

"Interrompendo-se, repentinamente, o concurso desse fator energético, o perispírito do *hospedeiro* sofre abalo violento e os seus centros vitais se desajustam, refletindo-se no sistema reticuloendotelial e nos gânglios linfáticos, que respondem, no plasma sanguíneo, pelo surgimento das hemácias e dos leucócitos, dos trombócitos, macrófagos e linfócitos que são o resultado de incontáveis grupamentos que se originam nos laboratórios complexos e extraordinários do baço, da medula óssea, do fígado e de todo o conjunto ganglionar... O organismo físico se desarmoniza, e a mente em desconcerto nada pode fazer em favor do reajuste e funcionamento das peças celulares, ocorrendo a expulsão do Espírito encarnado...

Processo desencarnatório

"No processo desencarnatório de Alberto, contribuímos em seu favor, considerando-se toda a carga de dor que aceitou antes da reencarnação, desejoso de recuperar-se, e tendo em vista os valores morais granjeados pelos pais e a ele oferecidos em razão do imenso amor que os vincula.

"Ele fora mau e traidor para aquele que lhe padeceu a sanha: entretanto, possuía valores positivos que ofereceu a outros tantos que lhe passaram a amar. Ninguém há tão ruim que a alguém não ame. E quando este amor parecer não existir, encontrá-lo-emos soterrado sob os escombros das ilusões e dores, que diversas circunstâncias avolumaram ao longo do percurso evolutivo. Eis por que o nosso sentimento de amor não deve cessar de crescer, tampouco jamais desfalecer ante quaisquer circunstâncias ou acontecimentos adversos. O amor é luz que se não deve apagar nunca."

Porque houvesse silenciado, pedi licença para mais uma interrogação, e como anuísse em a ela responder, indaguei:

— O senhor encontrou o rapaz a quem se referiu, após vir para cá?

— Sim, ele nos aguardava: à família e a nós. Convivemos sob as bênçãos do Senhor, por vários anos. Logo depois, aceitando o desafio do progresso, que não cessa, e convidado a crescer pelo amor de Deus, voltou à Terra, onde hoje se encontra reencarnado, junto a quem prejudicara antes e que, por sua vez, o prejudicou — liberando, a fim de que a fraternidade, o desprendimento e a ação do bem a ambos elevem e integrem no organismo coletivo do amado planeta que nos constitui colo materno, e que deveremos promover a "mundo de regeneração", portal da felicidade sem dor, nem mágoa, nem desar.

O silêncio natural convidou-me à gratidão a Deus, enquanto o querido mentor alongou o pensamento amoroso na direção dos infelizes mergulhados nos fluidos carnais, cumprindo os seus deveres, no rumo da meta evolutiva.

21 – Comentários preciosos

A morte, examinada do ponto de vista terrestre, prossegue sendo a grande destruidora da alegria e da esperança, que gera dissabores e infortúnios entre os homens.

Interrompendo os programas estabelecidos, propicia frustração e amargura naqueles que permanecem no corpo, em razão das conjunturas em que se encontram.

Não possuindo, os homens, a visão correta sobre a realidade da vida, investem, no corpo e nos objetivos imediatos da existência física, o máximo de valores, esquecendo-se de colocar na sua planificação a inevitável ocorrência da desencarnação.

Anestesiando a razão, mediante processo automatista, quase inconsciente, a fim de ignorar-lhe a presença, evitam a abordagem do fenômeno biológico de transformação, assim evadindo-se do dever de uma análise mais profunda a respeito do ser e da vida.

Como consequência, quando se deparam com essa fatalidade, são tomados, quase sempre, de estupor ou desespero, de amargura ou revolta.

O egoísmo, que lhes predomina na natureza, fá-los anelar pela permanência física dos seres queridos, mesmo quando enfermos ou limitados, sem que sejam consideradas as bênçãos que os aguardam após a libertação.

Eis por que, do ponto de vista espiritual, a morte significa o retorno para o lar, donde se procede, antes de iniciada a viagem para o aprendizado na escola terrena, sempre de

Comentários preciosos

breve duração, considerando-se a perenidade da vida em si mesma.

Desse modo, em expressivo número de vezes, para morrer é necessário possuir merecimento.

De certo modo, foi o que sucedeu com Alberto. Concluída a prova expiatória, ressarcido o débito, ele recebeu o aval para a libertação.

O conhecimento da vida espiritual pelos seus genitores facultou a aceitação e o consolo acerca da ocorrência, evitando-se dramas pungentes, que somente complicariam a situação.

Enquanto a irmã Emerenciana e o Dr. Bezerra de Menezes rumaram a atividades outras, ficamos, Felinto e nós, na residência do Sr. Anselmo e D. Clotilde, intentando preservar o clima de paz, ao mesmo tempo resguardando-a da sortida de entidades viciosas ou perversas.

Telementalizado pelo amigo Felinto, acompanhamos o diálogo que se travou entre os pais saudosos.

Foi o senhor Anselmo quem o iniciou:

— Não lhe parece bom, agora que o nosso filho se encontra em liberdade, que nos aproveitássemos deste momento para homenageá-lo, repartindo com os necessitados tudo aquilo que lhe pertenceu enquanto esteve conosco?

A senhora, colhida de surpresa, respondeu, interrogando:

— Já?! Não poderíamos deixar isso para mais tarde? Eu gostaria de preservar o quarto do meu filho, guardar os seus pertences, manter o ambiente conforme ele o deixou...

— Parece-me medida carinhosa — respondeu o marido —, incompatível, no entanto, com aquilo que temos aprendido, com o que já sabemos.

"Tornar útil para os carentes o que ficaria morto em armários fechados, favorecer os necessitados com aquilo que permaneceria como adorno sem sentido, creio, é o mais expressivo testemunho de amor ao nosso filho, fazendo que a sua morte estimule a vida e a sua libertação propicie

Loucura e obsessão

felicidade a quantos experimentam penúria, que o bendirão, agradecendo-lhe o socorro...

"Recordaremos o nosso anjo, ora descrucificado, sem o atrair aos apegos materiais, mediante objetos e roupas, mas pela memória da ternura e do afeto que permanecem vencendo as distâncias e os limites físicos.

"Certamente, isto poderá ser feito em qualquer momento.

A ideia veio-me para fazê-lo agora, a fim de que já nos acostumemos com a nova situação, evitando recordá-lo jungido ao sofrimento, assim enviando-lhe pensamentos otimistas, em vez de lembranças amargas ou deprimentes."

A senhora sofrida, ante a argumentação clara e objetiva, anuiu de boa mente, justificando-se:

— Você tem razão. Começarei a arrumar as roupas e os objetos de uso pessoal de Alberto, a fim de os levarmos à nossa Casa e ali repartirmos com os irmãos mais necessitados, reservando algumas pequenas recordações, que guardaremos com carinho, em sua homenagem...

— Muito bem! De pleno acordo.

O apego às coisas, sub-repticiamente mascarado de homenagem à memória dos seres amados que desencarnaram, atesta o primarismo das emoções, que ainda não se libertaram do instinto de posse, responsável por muitos males entre os homens.

O verdadeiro amor liberta, repartindo bênçãos que lhe caracterizam a empatia de que se reveste.

Quando se ama, realmente, a generosidade aflora nos sentimentos, mesmo nos indivíduos mais avaros que, abrindo o coração, igualmente abrem as mãos em gestos de bondade.

Quantos lares se encontram lotados com o supérfluo, guardando roupas e agasalhos de quem não mais os pode usar, diante da farândola dos nus e desabrigados, que padecem frio e necessidade, e que podiam ser atendidos?!

O excesso, em uns, normalmente produz a indiferença pelo carente.

Comentários preciosos

Quem não se exercita em dar alguma coisa dificilmente chegará a doar-se.

O amigo Felinto, que me acompanhava as reflexões, veio-me em auxílio, fazendo algumas anotações.

— A violência, na Terra — acrescentou —, na atualidade, além dos fatores econômicos, sociológicos e psicológicos muito conhecidos e debatidos, também tem gênese na indiferença dos que possuem, em relação àqueles que precisam.

"A ostentação campeia, absurda, ferindo a miséria que, revoltada, se arma de agressividade para tomar; o desperdício cresce, chocante, humilhando a escassez, que se levanta para arrebatar; o luxo excessivo transita, indiferente, produzindo cólera na necessidade, que investe, odienta, para o aniquilar...

"Enquanto os homens não compreenderem que os recursos são oportunidades de cooperação e o poder é investimento para a justiça e o equilíbrio entre as criaturas, essas guerras, urbana e doméstica, devastadoras, prosseguirão fazendo incalculável número de vítimas, que as estatísticas não poderão registrar."

Naquele domicílio de saudade e ternura, em vez de alojar-se a mágoa e a insensatez da revolta, apresentava-se a bondade diligente reunindo haveres para que a luz da caridade amainasse as pesadas sombras do desespero reinante lá fora.

Desse modo, os pais de Alberto reuniram mimos e lembranças, roupas e calçados, cama e outros móveis, para doá-los, de imediato, recolhendo-se ao leito, cansados, mas felizes pelo bem que iriam propiciar em memória do filho.

Na conversação, que se fez espontânea, entre mim e o caro Felinto, comentei:

— Tem-me sido muito valioso o presente estágio na Casa de Caridade dirigida pela irmã Emerenciana. Sem dar-me conta, eu guardava alguns preconceitos trazidos da experiência carnal em relação a diversos cultos e seitas religiosas que se multiplicam na Terra. Não obstante reconhecesse a necessidade

Loucura e obsessão

de todos eles, em face da variedade de comportamentos evolutivos entre as criaturas, não me detive a examinar a questão com o carinho e a relevância de que se revestem. Abraçando o Espiritismo com enternecimento e dedicação, anelava por apressar o progresso humano por meio da divulgação e vivência desta Doutrina libertadora, que tem a ver com "todos os ramos do conhecimento", e restaura, plenamente, o Evangelho de Jesus, na sua parte moral de sabor perene. Acompanhando e vivendo estas novas experiências, enriqueço-me de recursos inesperados. Todavia, o culto externo, as práticas mais violentas, ainda me produzem, não o posso negar, algum choque, em face da formação doutrinária a que me permiti por várias décadas.

— É compreensível esse comportamento — anuiu o companheiro experiente. — As leis que regem o progresso são de crescimento paulatino, quando aplicados na vida e no homem. Embora "Deus tenha pressa" em relação à nossa evolução, não nos apressa, por meio da violência, impondo-nos os soberanos Códigos, antes auxilia-nos a entendê-los. O Espiritismo é uma conquista recente que a Humanidade logrou, mas que ainda não tem sabido valorizar e compreender plenamente. Doutrina antiga, presente nas mais variadas culturas do passado, avança com o progresso dos povos, hoje revelada na sua beleza e profundidade mais expressivas sem que, no entanto, se constitua a "última palavra", já que evolverá com a cultura e o conhecimento, na direção do infinito. Nem todos os povos, porém, em seu tempo, penetraram com segurança no âmago da revelação espiritual, adaptando-a à sua capacidade de entendimento e de aplicação, o que deu origem aos mais variados quanto esdrúxulos cultos e religiões de que se tem notícia. Por intermédio de Allan Kardec, todavia, as informações dos imortais alcançaram o máximo da lógica pelo crivo da razão, tornando-se fator decisivo para o comportamento feliz dos homens, por encerrarem a síntese do saber e do sentir que constituem as duas asas que alçam o Espírito à angelitude.

Comentários preciosos

No entanto, nem todos estamos em condições de incorporar estes ensinamentos à nossa conduta. Como constata, são bem poucos entre nós os Espíritos-espíritas, apesar dos grandes esforços dos benfeitores mais elevados, que nos reúnem para conferências, cursos e explicações em nossa esfera de ação. Os longos atavismos aqui permanecem, demorando em ser superados. É natural, portanto, que os fluxos e refluxos das reencarnações estejam sujeitos aos hábitos e fixações de cada qual. Ora, o amor de Deus não é partidarista, abençoando uns em detrimento de outros filhos, conforme se apregoou por largos séculos de intolerância e fanatismo. Além disso, considerando-se os bilhões de Espíritos hoje reencarnados na Terra, não nos seria lícito classificá-los e atendê-los apenas por meio das crenças que esposam, mas assisti-los consoante as necessidades que apresentam.

Fazendo uma pausa breve, prosseguiu:

— Jesus foi censurado por conviver com os pecadores e as gentes que não seguiam as prescrições da Lei, em razão da ignorância em que se debatiam e dos limites emocionais em que se movimentavam. Esteve no lar do cobrador de impostos, detestável, dialogando com samaritanos e tomando um deles como símbolo para elucidar quem seria o próximo do padecente agredido e abandonado... Jamais se escusou, atendendo a todos e visitando-os nos seus redutos quando possível. Allan Kardec, seguindo-lhe o exemplo, jamais agrediu, elucidando com sabedoria e retirando de cada fato e experiência, sem preconceito ou presunção, o ensinamento capaz de servir de guia para os seus discípulos e leitores. Da mesma forma, em todos os instrutores da Humanidade, o exemplo é dado por eles, que iluminam os da retaguarda, buscando-os sem a acidez da censura ou do reproche e os impulsionando para cima, atraindo-os da sombra para a luz. É compreensível, portanto, que atendamos as várias faixas da compreensão humana, utilizando-nos do *idioma* que nos faça entendidos e apresentando a excelência da linguagem

Loucura e obsessão

do bem desvestida de modismos e aparatos dispensáveis, mas que se faziam, até ali, necessários para a comunicação... Isto não quer significar que estejamos de acordo com tais práticas, assim permitindo-nos um posicionamento particular, que é aquele de não estar contra... Utilizando-nos do material que encontramos, buscamos realizar a tarefa de socorro e iluminação que nos compete. Já imaginou, o amigo, se Jesus tivesse os nossos pruridos e se negasse a vir ter conosco, em razão do nosso atraso e das nossas superstições? No entanto, participou do nosso dia a dia, interessou-se pelos nossos hábitos e viveu tão próximo que se pareceu confundido conosco, elegendo-se, no entanto, o testemunho, a sós, na grande lição de vida, mediante a doação total da sua vida, para que melhor o sigamos.

"Sem a pretensão de nos considerarmos mais bem aquinhoados do que nossos irmãos, ainda necessitados das expressões mais materiais pelas quais revelam sua fé e realizam o seu culto a Deus, vamos, lentamente, auxiliando-os na libertação das crendices, na superação das fórmulas e na conquista dos títulos de benemerência pelo amor e pela caridade, estruturando o comportamento na sadia moral, isto sim, requisitos estes mais importantes, conforme aprendemos no trato com a Doutrina Espírita."

Após um silêncio oportuno, sem que houvéssemos indagado, continuou:

— Entre Jesus e Kardec estão quase dezenove séculos, de modo que o pensamento iluminado do nazareno pudesse alcançar toda a sua eloquência filosófica e ético-moral para o benefício das criaturas. Kardec é o homem do futuro, e o Espiritismo é a lição imperecível que os tempos irão auxiliando os indivíduos a assimilar, penetrando-se da sua sabedoria, que um dia conduzirá os destinos da Terra. Confiemos, e, até esse momento, sirvamos onde e como a Providência nos permita para o nosso progresso e felicidade. Há muito

Comentários preciosos

por fazer, nesta hora grave, investindo todos os nossos valores intelecto-morais em prol do futuro.

E, novamente, após silenciar, concluiu:

— O que vimos, quando do atendimento a Alberto, no labor desobsessivo, mais não foi do que a terapêutica de iluminação da consciência do perseguidor, conforme se opera nas Sociedades Espíritas, e de que o Codificador se fez o preclaro modelo. Os companheiros encarnados já não recorreram a qualquer simbolismo ou tradição de culto, buscando a realização da tarefa em *espírito e verdade*, mediante a superação das fórmulas habituais. A imensa população espiritual que se detém na ignorância das Leis da Vida vem sendo conquistada, pouco a pouco, à medida que se alteram para melhor as condições morais do planeta, a fim de que, em se reencarnando, não necessitem mais das velhas cerimônias a que se submeteram por milênios demorados. Deste modo, muitos dos que ora estão no plano físico, imanados aos cultos ancestrais, amparados pela paciência e pelo esclarecimento libertador, galgarão novo estágio, para avanços mais expressivos no futuro. A nós, não nos compete chocar, para depois libertar. Aplicamo-nos o método de acompanhar o candidato, auxiliando-o até o momento em que ele tenha condições de discernir e seguir, consciente das responsabilidades que lhe dizem respeito. O nosso programa é de educação para a eternidade, com vistas ao próprio progresso, que o serviço nos enseja. Na Casa da Caridade sucedem-se lições de alta sabedoria em linguagem simples e multiplicam-se exemplos de abnegação sem retoque, ampliando a faixa dos socorros aos infelizes e sofredores de ambos os planos.

Dia virá, quiçá proximamente, em que, superando formalismos e condicionamentos, todos nos uniremos num só ideal de amor, auxiliando-nos, reciprocamente, e avançando para a conquista da Grande Luz. O mais, caro amigo, são impositivos transitórios do processo histórico da evolução de todos nós. É necessário que ampliemos o campo visual, a fim de lograrmos alcançar mais amplos horizontes, abarcando a maior cota de percepção e entendimento da vida. Todo limite encerra pequenez e todo impedimento constitui dificuldade, que devemos superar.

Calou-se o amigo lúcido, dando-me oportunidade para melhor digerir os conceitos apresentados.

Com o lar envolto pelo silêncio e alguns amigos espirituais ali presentes que o amparavam, Felinto convidou-nos a um passeio pela cidade, utilizando-se da noite serena e perfumada.

O zimbório estrelado era um apelo à reflexão.

Alguns noctívagos transitavam, alimentando os anseios atormentados dos sentimentos em desalinho.

Chegando a uma praça ajardinada, observei que da igreja suntuosa se retiravam inúmeros Espíritos, após algum culto ali realizado.

Na maioria dos semblantes havia unção e reconforto, enquanto noutros, como sói acontecer na Terra, a indiferença permanecia sem qualquer sinal de introspecção ou conquista iluminativa.

Não saíra da observação, quando vi passarem duas senhoras respeitáveis, irmãs carnais, que eu conhecera na Terra e haviam sido muito arraigadas na convicção religiosa do Catolicismo.

Pedi licença a Felinto e aproximei-me, saudando-as com certa efusão de júbilos.

Após breve período, ambas me identificaram, demonstrando satisfação e surpresa.

— Já se encontra por cá, em definitivo? — indagou-me uma delas, a senhora Frida.

— Sim — retruquei, alegre —, há quase trinta anos.

As senhoras demonstraram admiração e responderam, quase simultaneamente:

— Nós o ignorávamos... Aliás, todo dia somos surpreendidas por ocorrências semelhantes, que procedem da Terra... Velhos amigos são reencontrados e outros ali permanecem,

Comentários preciosos

sem que tenhamos deles qualquer notícia. Como o amigo se recordará, aqui nos encontramos há quase quatro décadas e só muito lentamente vamos tomando conhecimento da realidade que nos envolve.

— Agora mesmo — acrescentou a senhora Frida — fui informada de que meu filho Henrique está na fase final do processo que precede a morte, devendo chegar a nosso plano depois de amanhã. Isto é, se for aprovado para viver neste núcleo onde nos demoramos. Vimos à igreja orar, de modo a nos prepararmos para acompanhar-lhe o processo final. Estamos rumando ao seu lar e ali ficaremos participando das atividades concernentes à sua separação do corpo. Preocupamo-nos com o seu estado, porque o filho, que havia recebido orientação religiosa na infância, após o meu retorno passou por várias vicissitudes e, em razão do segundo matrimônio de Victor, meu marido, com uma jovem sem formação cristã, o menino terminou por abandonar a fé e, na idade adulta, aderiu ao materialismo, deixando que nele se desenvolvessem os sentimentos ateus, agressivos e amargos. Um câncer recente minou-lhe o organismo e, agora, sem qualquer apoio de ordem íntima, por falta de estrutura espiritual, debate-se na revolta, percebendo a chegada da hora final no corpo...

— E a senhora não tem intercedido por ele, buscando ajudá-lo? — indaguei, solidário à sua preocupação.

— Certamente que sim — elucidou-me, com expressão triste. — Todavia, somente podemos ajudar com êxito a quem se ajuda com interesse, não é verdade? Temos orado, buscado socorrê-lo e, graças a essas providências, a situação não se lhe fez pior. O nosso sacerdote explicou-nos, por diversas vezes, questões que me fizeram recordar do amigo Miranda, quando nos falava de Espiritismo, de reencarnação. Lembra-se?

— E a senhora constatou a legitimidade desses conceitos? — indaguei satisfeito.

— Ainda não — respondeu com naturalidade. — Estamos informadas, nós ambas e muitos que aqui estagiamos, que

Loucura e obsessão

algumas almas são promovidas ao *Reino* e que outras voltam a repetir o estágio terreno, mas confessamos que não o compreendemos totalmente. De nossa parte, estamos completando o nosso período purgatorial, que, francamente, é melhor do que supúnhamos, a fim de sermos transferidas, como aconteceu com vários amigos, que foram mudados de nossa região por determinação superior.

Fiquei surpreendido ante o desconhecimento da realidade espiritual de que davam mostras as amigas. É verdade que não fora aquela a primeira constatação de fato àquele semelhante. No entanto, quarenta anos de desencarnação eram tempo suficiente para uma mudança de atitude mental. Confirmavam-se as palavras de Felinto, que ainda me ressoavam na acústica da alma. Olhei-as, ingênuas e confiantes, seguras nas suas convicções, e nada lhes disse. Augurei-lhes resultados felizes e abracei-as, informando à senhora Frida que iria orar pelo feliz despertar do filho, após o transe da desencarnação. Ela agradeceu e despedimo-nos, fraternalmente.

Felinto, que acompanhara o nosso diálogo, compreendendo-me o embaraço, socorreu-me, completando:

— Não há violência, como esclareci há pouco, no processo evolutivo de ninguém. Cada ser galga o degrau do progresso com as próprias forças, embora os estímulos e auxílios que receba. Nossas irmãs, como se pôde constatar, vêm de um passado espiritual com profundas fixações católicas. Apesar dos largos anos que lhes assinalam a desencarnação, mantêm-se vinculadas aos antigos conceitos, que irão superando através do tempo. Poder-se-á argumentar que, considerando a situação de Espíritos sem o envoltório material, seria fácil explicar-lhes, com clareza, a realidade na qual ora se movimentam. Todavia, se assim se procedesse, antigas ocorrências que lhes marcaram o estágio na Erraticidade seriam recordadas em prejuízo delas mesmas e da sua paz. Como são diligentes e operosas, devotadas ao bem e assinaladas

Comentários preciosos

por uma fé honesta, adquirem títulos de enobrecimento e maturidade para as experiências mais felizes na área da renovação espiritual, no futuro.

Compreendi que ele me convidara ao passeio, de forma a demonstrar-me, mediante o fato, a legitimidade dos conceitos emitidos em nossa conversação, fazia poucos minutos. A sabedoria do novo amigo, discreto e gentil, constituía-me exemplo vivo para recolher bênçãos que me auxiliariam no porvir.

Em silêncio, agradeci a Deus e deixei-me arrastar em meditação profunda, sob o pálio da noite coroada de astros, buscando o entendimento e a razão acerca da vida.

22 – Reflexões salutares

A vivência do conhecimento é de suma importância para a real aquisição dos valores iluminativos que enobrecem o Espírito. Em razão disso, por mais respeitável seja o teórico, os seus conceitos, não experimentados na prática, tornam-se adorno intelectual para a própria vaidade, sem que se revelem úteis para quem padeça urgente necessidade de recurso que solucione os desafios à frente.

O universo de cada ser humano prossegue vasto, para ser adentrado mesmo que pelos profissionais das "Ciências da alma". Conduzindo, cada qual, a soma das experiências transatas, que respondem pelos fenômenos e episódios atuais, a identificação das causas exige, além da habilidade do terapeuta, um seguro conhecimento da reencarnação, a fim de penetrar-se com equilíbrio nesse cosmo, e, sem violência, auxiliar o paciente a deslindar-se das constrições a que se encontra atado.

Certamente porque identificando o homem na sua realidade integral, Jesus afirmava que nós julgamos "segundo a carne", a aparência, enquanto Ele, que conhecia o ser no seu conjunto total, a "ninguém julgava".

Ocorrências de hoje procedem dos fatores ocultos no ontem, que desencadearam as reações só agora aparecidas.

Ansiedades e frustrações, afetos e animosidades, calma e pavor, confiança e suspeita, inquietação e segurança, que se manifestam no comportamento do indivíduo, têm a sua gênese, às vezes, na atual existência; sem dúvida, todavia, na

Reflexões salutares

sua quase totalidade, são efeitos das ocorrências pretéritas, que o tempo arquivou na memória perispiritual, mas não consumiu. São semelhantes às ramas verdejantes que surjem à flor do solo, presas a tubérculos volumosos, que crescem e se desenvolvem ocultos, nas camadas inferiores da terra, e cuja vida aumenta, enquanto cessa a que permanece na superfície.

No inconsciente, é certo, jazem muitos fatores que desencadeiam os episódios desconcertantes, decorrentes das vivências anteriores que o Espírito conheceu e registrou na memória extracerebral.

Na área moral, são idênticos os acontecimentos: conforme a conduta numa fase, cada qual avança para os resultados que se manifestarão noutra.

Ali, na humílima "Casa da Caridade", renovávamos conceitos dantes não vivenciados, acompanhando vidas em estiolamento que ressurgiam ao toque da palavra iluminada pelo amor, de que a mentora se fazia instrumento.

Conhecendo, por experiência pessoal, o látego demorado da aflição, sabia que a primeira providência ante o desespero é a do socorro que restaura o equilíbrio, para depois auxiliar na técnica de remover-lhe a causa danosa ou, pelo menos, enfrentá-la.

Temperamentos forjados na revolta buscavam-lhe o recurso espiritual para revides e vinganças; sentimentos destroçados recorriam-lhe à ajuda para aquisições atormentadas; mentes desalinhadas pediam-lhe meios para cometimentos infelizes; esperanças mortas chegavam-lhe, desinteressadas pelo prosseguimento da vida; criminosos em potencial acercavam-se aguardando estímulo para a ação covarde, e ela, a benfeitora dos esquecidos pela sociedade sorridente e equivocada, a todos atendia, confortando-os e encorajando-os para a luta, sem desfraudar-lhes a confiança, ministrando, porém, o auxílio conforme a real necessidade de cada um, a sua capacidade pessoal de entendimento e de *digestão* emocional.

Loucura e obsessão

Socorrendo-os, mudavam-se-lhes as disposições íntimas, iluminavam-se-lhes os semblantes com a confiança em Deus, reconfortavam-se.

É certo que não resolvia os problemas apresentados, pois que eles são heranças pessoais, intransferíveis, sendo injusto e desaconselhável tentar fazê-lo. Sem embargo, predispunha aqueles que se lhes encontravam envolvidos a lutar pela solução, a não abandonar o esforço.

Falando-lhes o idioma do sofrimento, sem teorias bombásticas, nem conceitos complicados, aplicava o que sabia na arte de ajudar, agindo, e, desse modo, ensinando como se deve fazer.

Mas nem todos que ali se encontravam ou que lhe buscavam o concurso constituíam a classe dos carentes socioeconômicos... Também chegavam os endinheirados, os bem situa-dos no mundo, os que se consideravam ou eram tidos como poderosos, buscando amparo e diretriz, não menos necessitados do que os outros, os olvidados e desconsiderados...

Diferindo do comportamento generalizado em relação a eles, o atendimento seguia a ordem natural, porquanto, ali, não havia privilegiados nem mais aquinhoados. Todos eram iguais, porque as suas necessidades diferiam na forma e não no conteúdo, tratados com idêntica deferência afetiva, sem afetação nem destaque, sem indiferença nem desrespeito.

A linguagem do amor deve sempre vibrar no mesmo tom melódico, variando a entonação naqueles que se fazem candidatos, sem terem aprendido, por enquanto, a vivência desse recurso divino.

Aliás, era assim que Jesus agia: nem consideração excessiva, nem desprezo pelos homens de destaque nesta ou naquela área. Via-os e atendia-os a todos com igualdade, pois que neles identificava o Espírito realizando transitória experiência no seu processo de evolução.

Quando eu me encontrava na Terra, em razão dos preconceitos sustentados, surpreendia-me ao constatar a presença de personalidades destacadas pela educação, cultura e poder

Reflexões salutares

em núcleos do sincretismo religioso, supondo que aqueles indivíduos deveriam ou poderiam eleger campo mais compatível com o seus valores, para os frequentar.

E confesso que, não obstante não ter o direito de fazê-lo, censurava-lhes a escolha, sem dar-me conta, na presunção pessoal, de que, por minha vez, era reprochado por aqueles que pensavam diferente de mim, que encontrara no Espiritismo a luz libertadora...

Agora, reflexionando sobre o assunto e reencontrando--os ali, compreendi que, Espíritos que somos todos, eles em novo tentame evolutivo traziam suas raízes fixadas naquele terreno espiritual, onde se completavam emocionalmente. Retornavam às origens, sem os pruridos que a vaidade e a soberba revelam nos fracos morais e a pretensão encarcera nas malhas da vacuidade.

O grande e superior *investimento* da Divindade é o homem, na inexorável marcha da ascensão libertadora.

A tolerância, em razão disso, constitui aquisição do conhecimento decifrador das aparentes incógnitas da vida. Quanto mais o homem sabe, melhor compreende os comportamentos humanos, desarmando-se de ideias preconcebidas, da censura sistemática, dos prejuízos de raças, de castas, de crenças, de grupos...

Reflexionando, demoradamente, sobre estas questões, o amigo Felinto, desculpando-se por interferir nas minhas elucubrações, considerou:

— O homem primitivo passou a crer, em razão do pavor que lhe infundiam as "forças desgovernadas da Natureza". Avançando, lentamente, alcançou a fase litolátrica, abrindo espaço mental, através do tempo, para chegar à Consciência Cósmica, defrontando e vivendo uma fé racional, ampla, universal. Recordo-me de que, no período anterior aos descobrimentos marítimos, o termo universal tinha a sua abrangência restrita à área mediterrânea, onde permaneciam a cultura e a civilização conhecidas. Logo depois foi ampliado o conceito, e, hoje, saindo dos limites terrestres, é realmente galático. Ora, esse avanço não se deu de um para outro momento, senão através dos milênios. É justo que entendamos este processo, sabendo que nem todos os homens lograram fazê-lo com igualdade de condições. Primeiro, porque nem todos se encontram na mesma faixa de evolução intelecto-moral, e segundo, porque as marchas e contramarchas do progresso individual respondem pelos que avançam e por aqueloutros que retardam o passo.

"Seria justo que censurássemos o homem da Nova Guiné, por exemplo, que apenas sai do 'período da pedra polida' e somente há pouco descobriu o fogo? Justificar-se-ia o reproche ao pigmeu da África ou ao silvícola do Amazonas em fase antropofágica, apenas para referir-nos a alguns casos isolados?

"Transfiramos esses Espíritos para as aprendizagens na chamada área da civilização urbana, e que teremos? Qual o culto religioso que adotarão e que tipo de comportamento ético-moral desenvolverão?

"Não queremos, com esta imagem, dizer que os militantes deste ou daquele culto pertencem a tal ou qual cultura de hoje ou de ontem.

"Verificamos que não são poucas as megalópoles da Terra, onde o homem vive em guetos sórdidos e favelas hediondas, que em nada ficam a dever às tribos primitivas em miséria e promiscuidade, sendo que, naquelas, há a predominância da malícia, do ódio, da vergonha, da embriaguez dos sentidos pela corrupção, enquanto, nas últimas, se demoram apenas a ignorância e os instintos ainda não educados..."

Fazendo uma pausa ligeira, prosseguiu, sem crítica ou azedume:

— Piores, ainda, são os programas de extermínio racial, de ontem, como o *apartheid* de hoje, as sangrentas lutas religiosas no Oriente e no Ocidente, o tráfico de "escravas brancas", de crianças, de rapazes e moças chamados servilmente de "objetos sexuais", de drogas, de venda de proteção, de guerras...

Reflexões salutares

sob o beneplácito dos poderes humanos que os observam com falso sorriso de compreensão, porque por eles mesmos fomentados e mantidos.

"Utiliza-se, hoje, a palavra *direitos* quase que com desprezo pelo que representam, fazendo-se deles degrau para a autopromoção, para a agressão e até para o escárnio.

"A verdade, caro amigo, é que qualquer forma de preconceito, de discriminação, por melhores argumentos em que se pareçam apoiar, são perigosos, condenáveis, por ferirem a vida e o direito que todos possuem de dar-lhe a direção que lhes aprouver, menos, é certo, o de atentar contra a do próximo, da comunidade, ou, com a sua usança, perturbar, inibir ou prejudicar a dos demais.

"Todo discriminador é prepotente em si mesmo. Eis por que é sempre perniciosa a postura daquele que se supõe possuir o conhecimento da verdade, elegendo-se fiscal e censor da conduta daqueles que não se conduzem dentro da sua faixa de comportamento ou de fé. São, seguramente, almas em perigo, que discrepam e agridem, que exigem respeito aos seus valores, negando-o aos demais.

"Não foi esse o comportamento que tiveram, no passado, em relação a Sócrates, a Jesus e a todos aqueles que pensavam e agiam diferentemente deles? Guardadas as proporções de época e de oportunidade, eles se revelam hoje conforme as circunstâncias e possibilidades, exigindo-nos exercícios de paciência, de tolerância e de amor para com as suas formas de ser. Aparentam evolução, todavia não na têm ainda; disfarçam-se de sábios e são, somente, intelectualizados, sem maturidade cultural, emocional nem moral.

"Quando Allan Kardec adaptou o conceito pestalozziano, nele substituindo a palavra *perseverança* por *tolerância*, encontrava-se inspirado, como sempre lhe acontecia, propondo seguro comportamento para o espírita, aliás, pouco seguido e considerado, apesar de muito citado, proposto e comentado."

Loucura e obsessão

Silenciando novamente, concluiu, com bom humor:

— Enquanto os intransigentes e ortodoxos de todo tipo condenam, censuram, exigem, os que confiam e amam trabalham, ajudam e edificam o homem integral para um futuro feliz e uma sociedade melhor.

Naquele momento, a movimentação já se fazia grande no recinto.

Era o dia das consultas, e pessoas de várias procedências chegavam, ansiosas, mantendo-se expectantes, conduzindo suas penas e torpezas, suas necessidade reais e imaginárias que apresentariam à abnegada instrutora espiritual.

Quando Antenor chegou, pude perceber-lhe, pela primeira vez, a preocupação estampada na face, sem revolta ou enfado.

Renunciando às chamadas comodidades da vida, apesar da sua profissão cansativa e mal remunerada, estava sempre jovial e disposto ao serviço.

Percebendo-me a muda interrogação, o gentil Felinto mais uma vez acudiu-me, esclarecendo:

— O devotado médium, sem qualquer regime de exceção, experimenta apuro financeiro, acrescido da enfermidade da esposa, que ficou febril, no lar, enquanto ele veio para o socorro aos semelhantes.

"Mediunidade sem sacrifício e ministério do bem sem renúncia são adornos da vaidade ou atividade desportiva na área da fé espírita. Como a maioria dos médiuns ainda prefere a bajulação dos distraídos e se permitem a competição pelos destaques entre os iludidos, vemos os companheiros dedicados padecendo sobrecargas pesadas que, inobstante, promove-os, espiritualmente, a cometimentos felizes no futuro.

"A mediunidade, conforme sabemos, exige exercício disciplinado, sintonia com as esferas superiores, meditação constante, isto é, vida íntima ativa e bem direcionada, ao lado do conhecimento do seu mecanismo e estrutura, de modo a tornar-se faculdade superior da e para a vida.

Reflexões salutares

"Quem, portanto, se candidate ao seu ministério, disponha-se, adredemente, ao sacrifício e aos silêncios homéricos ante os acusadores gratuitos e adversários espontâneos que, além dos inimigos do Bem, são os invejosos, os competidores malogrados e os censuradores habituais... O tempo que seria gasto na defesa deverá ser aplicado na perseverança do trabalho e na autoiluminação, compreendendo e desculpando os seus opositores, sabendo que tal lhe acontece porque, além de ser devedor, necessita desses estímulos, sem os quais, talvez, parasse a meio do caminho.

"O caro Antenor, que não mede sacrifícios para servir, confia, e, graças ao seu espírito de doação, não permanece esquecido. Hoje mesmo a mentora deixará prescrição de produto caseiro para a sua esposa doente, com que se refará, inspirando alguém que lhe trará trabalho, com o qual resolverá a premência financeira."

Vimos o médium adentrar-se na singela câmara de atendimento e o acompanhamos; sinceramente comovido, ele estava para ajudar, mesmo necessitando de auxílio; para consolar, apesar de estar chorando interiormente...

Quantos indivíduos que, por motivos fúteis, deixam de cumprir os deveres assumidos? No campo da mediunidade espírita, quantos trabalhadores que se omitem, que desertam ou que faltam ao dever sob pretextos irrelevantes? E não são poucos os adeptos que desanimam ante os resultados mediúnicos, que lhes parecem tardar, sem que o esforço contínuo lhes assinale o Espírito de serviço ou a dedicação lhes caracterize a atividade.

Mergulhando na prece, o médium, com palavras singelas, não articuladas, exorou o socorro divino para a esposa, os consulentes e para si mesmo.

Uma onda de piedade fraternal dominava-o, enquanto considerava os necessitados que aguardavam a palavra e o auxílio da irmã Emerenciana, buscando ele esquecer-se das próprias preocupações, a fim de melhor tornar-se instrumento para o trabalho.

As lágrimas lhe chegaram, espontâneas, do sentimento aos olhos, coroando-lhe a honestidade da rogativa, que, de pronto, foi atendida, porquanto a dedicada irmã Anita, acompanhada pela mentora, adentrou-se no recinto, e, após saudar-nos, ambos aplicaram-lhe energias de reconforto moral e ânimo renovado. A primeira foi encaminhada ao lar para assistir a enferma, enquanto a benfeitora, controlando-lhe a faculdade, dispôs-se à psicofonia socorrista.

No salão contíguo iniciava-se o ritual.

Mais um ministério de amor e caridade abria-se em favor dos infelizes, diminuindo os quadros das psicopatologias e as estatísticas da delinquência e do suicídio.

O *amor, que cobre a multidão de pecados*, continuava ali a derramar luz sobre a noite densa das almas.

23 – Expiação e reparação

Dentre os problemas que mais atormentavam os consulentes da irmã Emerenciana, os que se faziam de maior urgência eram os que se referiam à saúde, às finanças e à afetividade...
Era muito expressivo o número de clientes aspirando a soluções que lhes facultassem realização sexual com disfarce de amor, paixões descabidas acondicionadas nas justificativas das necessidades, dispondo-se a quaisquer atitudes que os levassem a lograr esses desejos. Pouco lhes importavam as consequências futuras, os danos causados àqueles que lhes pareciam impedimento, os prejuízos às famílias e compromissos que dificultavam os seus interesses mesquinhos. Propunham-se a ajudar, a remunerar, a *alimentar* as Entidades perversas desde que recebessem, em volta, a realização por que anelavam...
A mentora sábia ouvia-os com paciência, identificando-lhes o primitivismo, as enfermidades emocionais e morais que os estiolavam, esclarecendo uns e outros, ao tempo em que os encaminhava à prática do bem, à reconsideração das atitudes, à mudança de pensamento.
Alguns, insatisfeitos, não mais retornavam. Imediatistas, desejavam o prazer de agora, não lhes interessando o amanhã... Outros, no entanto, aquietavam-se ou compreendiam o erro em que se encontravam, ante a doce energia e os elevados conceitos recebidos. Renovavam-se, passando a participar das atividades da Casa, enquanto lhes durava a problemática

Loucura e obsessão

e abandonando-as, até à irrupção de novas aflições, que os traziam de volta, submissos e humildes, com protestos de devotamento ao serviço e à iluminação íntima. Ficavam, porém, alguns, que se sentiram edificados, dando rumo equilibrado às existências e dedicando-se ao auxílio fraterno.

Aqueles que padeciam de necessidades financeiras, desemprego, fome, imploravam soluções rápidas, mediante *trabalhos* que lhes removessem a sorte madrasta, ou as *feitiçarias*, de que se diziam vítimas, ou de fatores outros que afirmavam prejudicá-los. Referiam-se, poucos, à própria indolência, ao desinteresse pelo trabalho do qual foram despedidos, mas que a orientadora recordava por meio de admoestações claras e oportunas. Os realmente aflitos, sob as injunções reparadoras, recebiam conforto, aclaramento da circunstância sob a luz da reencarnação, que passaria a indicar-lhes rumo de segurança para remover-lhes as causas e superar-lhes os efeitos.

Assim, sucediam-se as pessoas, conduzindo suas penas e injunções evolutivas que o processo reencarnacionista impunha.

A caridade moral, espiritual e material não era, ali, apenas um conceito filosófico-religioso de adorno, mas sim uma ação libertadora para quem pedia, quanto para aqueles que a repartiam.

Desse modo, repetia-se o clima das consultas, mais ou menos já conhecidas, quando defrontei, quase ao encerramento do labor, com o jovem Lício, que apresentava excelente disposição física, decorrente, é certo, do estado psíquico.

Interessei-me, de forma edificante, em conhecer-lhe as conquistas, passando a anotar o diálogo que se estabeleceu entre ele e a benfeitora.

— Sou uma outra pessoa — acentuou, após a saudação carinhosa. — Não quero dizer que me desapareceram os estados de alma anteriores, mas aclarar a respeito das minhas novas disposições e das forças que tenho haurido nos passes

Expiação e reparação

que recebo, assim como nas orações, nas meditações e leituras a que me tenho entregue, quanto o tempo me permite. Além de desejar agradecer, venho solicitar orientação a respeito de como e do que fazer, a fim de preservar o atual estado que me domina, definindo os rumos da minha existência em relação ao futuro.

A irmã Emerenciana, no gesto que lhe era habitual, dando uma ênfase coloquial e afetiva ao diálogo, ergueu o médium e aproximou-o do jovem, respondendo com o carinho e a seriedade que lhe caracterizavam o Espírito:

— O seu processo de ajustamento à vida realiza-se com a segurança que é de desejar. Não será um esforço de breve duração, antes, um empreendimento expiatório e reparador de largo porte, que lhe concederá a libertação, passo inicial para a sua felicidade. A expiação dos delitos vem se dando mediante as suas cotas de suor e de dor íntima. Solidão é reajustamento das engrenagens do sentimento; lubrificante fino sobre as peças da emoção que o abuso enferrujou... O tempo e a constância do esforço resolvem a questão, que perde o valor deprimente de que se reveste no começo, para facultar júbilo e paz interior pelos logros conseguidos. Agora é indispensável pensar em reparação. Socorrer os que foram prejudicados, soerguê-los do abismo em que se demoram, por culpa de quem agiu erradamente em relação a eles, é parte importante do programa de renovação pessoal do candidato à recuperação moral. O nosso irmão Fagundes Ribas, enfermo pelo ódio, deve ser ajudado pelo amor, de modo a reencetar a marcha com melhores disposições espirituais...

— Que fazer, então, abençoada mensageira? — indagou, interessado.

— Nas ocorrências do porte que afligem o filho querido, quase sempre encontramos a presença de embrionária faculdade mediúnica que serve de instrumento para o desforço das vítimas, como sucede, aliás, em quase todos os episódios

obsessivos, e que podemos educar, canalizando as possibilidades para a reparação, para o bem.
— Quer a irmã dizer, então, que eu sou médium?
— Sim, afirmo-lhe a presença da mediunidade numa fase própria para ser educada para o serviço do bem e do seu próprio crescimento espiritual. O bem que se faz sempre diminui o mal que se fez, conforme a contabilidade do Amor. Serão, porém, indispensáveis os valores que devem ser adquiridos com empenho, de modo a facultar-lhe a sintonia correta com os bons Espíritos, que o deverão conduzir. Assim, o nosso irmão Fagundes, quanto outros mais sofredores e doentes da alma, virá, por seu intermédio, receber esclarecimentos e conforto, que lhes alterarão a forma de conduzir-se, preparando-os para as tarefas do futuro. É da Lei que, onde esteja o devedor, aí se apresentem a dívida e o cobrador... Ora, o nosso irmão defraudado deverá retornar na família na qual se encontram aqueles que, conscientemente ou não, o martirizaram mais de uma vez... É justo que se reencarne no lar do Dr. Nicomedes e venha até você conduzido pelos impositivos da redenção. Não será melhor que ele viaje para a carne, enriquecido pela esperança e pela gratidão, modificado na forma de os aceitar e com perspectivas de ventura? Assim, apliquemos-lhe, desde hoje, a terapia preventiva, antes que mais se lhe fixem as matrizes da animosidade, agora em forma de frustração.

Fez um interregno para facilitar ao jovem maior entendimento, logo prosseguindo:

— A faculdade mediúnica é, de certo modo, um claustro materno que permite a fecundação de vidas em novos estados psíquicos. Melhor dizendo: o médium é sempre *mãe*, a receber *filhos* do sentimento, que *renascem* para o entendimento, quando o têm entorpecido, ou se facultam fecundar pelos Espíritos nobres que, por intermédio deles corporificam ideias, expressam realizações superiores, materializam, curam, ajudam. Não serão os livros psicografados, por

Expiação e reparação

exemplo, filhos do médium, submisso e nobre, com o amigo que os escreve por seu intermédio? Desta forma, você se colocará a serviço dessa fecunda maternidade pelo amor, dando sentido e direção correta à sua vida espiritual, sem qualquer prejuízo para a sua vida social, cultural, terrena. Suas energias genésicas encontrarão canalização edificante, plasmando existências que se erguerão para a paz e a felicidade, enquanto você próprio, compensado e tranquilo, seguirá adiante, amando, malgrado a aparente solidão, podendo optar pela edificação de uma família, caso isso lhe aprouver ou não. Enquanto isto ocorra, preencha as suas horas com trabalhos proveitosos, *queimando* os excessos gerados pelo organismo. Receitam-se muito a ginástica, os desportos, na Terra, e com razão. Sem desprestígio para essa terapêutica desalienante, compensadora, que desenvolve os músculos, que os relaxa, que acalma a mente, entre nós, em face da dor que grassa, alucinada, quanta ginástica se poderá fazer. Visitando enfermos, socorrendo necessitados, aplicando passes, ou bionergia, como se modernizou o labor, enfim, a caridade é um esporte da alma, pouco utilizado pelos candidatos à *musculação* moral e inteireza espiritual. As horas ociosas são anestésico para a dignidade e brechas morais contra o equilíbrio. Preenchê-las bem é procedimento de sabedoria, gerador de saúde mental.

"Outrossim, sugiro-lhe cultivar pensamentos edificantes e não usar palavras vãs, pois que estas 'corrompem o coração', na mente se inicia o processo perturbador, que se manifesta pelas palavras e domina a realidade do ser. A queixa, a lamentação, a autopiedade são lixo mental que deve ser atirado fora, antes que intoxique aquele que o conserva como resíduo danoso. As conversações vulgares, salpicadas de erotismo, de permissividade, produzem clima de promiscuidade emocional com os Espíritos perniciosos que se locupletam na vampirização e no comércio ignominioso com aqueles que lhes fazem parceria. O tratamento, portanto, das obsessões torna-se muito difícil, porque muito depende do *alienado*. Não lhe basta o afastamento do perseguidor, que o liberta, mas sim a reeducação pessoal, que lhe faculta a autolibertação, esta, sem dúvida, muito mais difícil.

"De certo modo, acostumado à preguiça mental e à aparente infelicidade, o homem não reage o suficiente para superar a situação, teimando em cultivar as ideias deprimentes a que se afeiçoara. Toda renovação exige esforço, sacrifício e disciplina da vontade, porquanto, é mais agradável ceder, acomodar-se, para logo depois queixar-se.

"A Doutrina de Jesus é toda baseada na revolução do amor, essa força motriz indispensável à vida, que dimana de Deus e pulsa na Criação. Porque os modernos cristãos não a vivem conforme seria de desejar, ei-los a braços com o sofrimento, experimentando desequilíbrios e aturdimentos que seriam evitáveis. É a ignorância acerca do amor e a sua má interpretação que dão origem aos males que se desenrolam nas vidas de conduta superficial ou vã. Quando se entenda que o crescimento pessoal e a felicidade somente serão possíveis por meio do amor e do esclarecimento das Leis de Deus, modificar-se-ão os quadros das existências humanas, alterando-se completamente as paisagens sociais do mundo. Portanto, meu filho, eu não conheço outros métodos, senão os que lhe acabo de apresentar, para a estruturação de uma conduta sadia, propiciadora de uma existência ditosa. Reconheço que entre os conceitos emitidos e a vivência deles medeia um pego, que você vencerá somente com persistência e decisão."

— E se eu não tiver forças, vindo a tombar em novos equívocos? — interrogou, Lício, comovido.

— Recomece mil vezes, que se façam necessárias. Inicialmente, não pense em termos de insucesso ou queda. Quando agasalhamos receios, partimos para o combate com parte dos equipamentos de luta apresentando falhas. Todavia, se o erro surgir, o delito vencer, retome o caminho, restaure a decisão e prossiga. A estrada percorrida pelo herói tem os

Expiação e reparação

sinais do cansaço e das pausas de quem lhe conquistou a distância, assim como a glória do santo guarda as marcas dos momentos difíceis que este atravessou. O importante, porém, não é a forma como foi atingida a vitória: se em frangalhos ou sem danos, pois que ela, em si mesma, é que vale, por propiciar a conquista almejada. O bem começa no primeiro pensamento de amor, tanto quanto a marcha mais larga se inicia no primeiro passo. Comece agora, avance a cada momento. O futuro é de Deus, que nos espera com paciência e amor.

Silenciando, deu por encerrada a entrevista, para a qual não necessitaria de adir mais nada, em face da programação correta e salutar como a apresentada.

O jovem levantou-se, sensibilizado como estava e, exultante, agradeceu com vibrações e propósitos elevados.

A força estimuladora que recebera, encontrara receptividade nos sentimentos, desejosos de reequilíbrio, e agora dele se irradiava, diáfana...

Não lhe identifiquei, na psicosfera, presenças perturbadoras, como nas vezes anteriores.

O abnegado Felinto, que me acompanhava as observações e o entusiasmo, comentou:

— Aí está o exemplo de que somos sempre o que melhor nos agrada. Lício é jovem e portador de beleza física, tendo os condimentos usuais para a perversão, especialmente na área emocional em que se movimenta por exigência reencarnatória. Ao querer adquirir a felicidade real, sacrifica o gozo de superfície, negociando a renúncia de hoje pela plenitude de amanhã. Mudando a direção mental, passou a sintonizar em outra diferente faixa vibratória, alterando, para melhor, o conteúdo das aspirações e, em consequência, interrompendo as comunicações voluptuosas que o atormentavam. O grande problema da conduta humana não é tanto o que se não faz de incorreto, por temor ou falta de oportunidade, mas sim o que se acalenta fazer e se pratica no campo mental, experimentando e mantendo conúbios emocionais do mais baixo teor, acobertados pela aparência que não deixa transparecer tais ocorrências... Assim, qualquer tentame de educação, dignidade, saúde ou qual seja, objetivando o bem do homem, deve iniciar-se na esfera psíquica, por meio da sua conscientização e constante vigilância mental, para se não derrapar nos devaneios, que são de funestas consequências.

Nele se instalavam os dispositivos para o êxito a que dava preferência. Os Espíritos diligentes e bondosos passariam a assisti-lo, zelando pelos seus propósitos e emulando-o ao avanço. Essa convivência far-lhe-ia bem, aumentando-lhe as resistências morais e propiciando-lhe diferentes experiências de prazer sem fastio, nem insatisfação, porque de ordem interna, demorado e plenificador.

O "homem velho" desmoronava-se, dando lugar ao "homem novo", da conceituação evangélica. Certamente que iria travar inúmeras batalhas, qual sucede com todos nós, contudo, não lhe faltariam os recursos para as vitórias que lhe consolidariam as conquistas nas diversas etapas do seu crescimento.

Terminadas as consultas, a amorosa amiga espiritual procedeu ao encerramento da atividade da noite, conservando o júbilo decorrente das conquistas a que Lício se propunha em relação ao futuro.

A ovelha tresmalhada, em perigo, deixava-se, docilmente, conduzir de volta ao rebanho.

Comprometi-me, intimamente, a acompanhar Lício, o seu progresso, nos constantes desafios, envolvendo-o em orações e visitando-o, quanto me permitissem as ocasiões.

Hoje, transcorridos vários anos, constato que lhe não têm sido fáceis os testemunhos, no entanto, ele persevera fiel, jovial, atendendo aos deveres a que se impôs, servindo e amando sob o beneplácito da veneranda irmã Emerenciana, que passou a ser-lhe mãe espiritual abnegada.

O antigo adversário, Fagundes Ribas, retornou ao corpo, no lar do tio, que lhe devota ignota antipatia, enquanto Lício

Expiação e reparação

se lhe tem revelado afetuoso companheiro, apesar da distância que medeia entre as duas residências.

Por meio de correspondência constante com o Dr. Nicomedes, tem logrado interessá-lo na investigação e estudo sobre a vida *post mortem*, sugerindo-lhe a análise dos livros espíritas, nos quais pode encontrar as respostas de que necessita para a realização pessoal, que o dinheiro ou a projeção social não podem dar. Por sua vez, em face dos vários convites à meditação, que a dor lhe tem trazido, o tio se iniciou no exame e na busca da fé racional, única portadora de resistência para a negação materialista e as dúvidas sistemáticas a que os homens se escravizam.

O amor, na sua feição legítima, vem logrando reunir na mesma identidade fraternal aqueles Espíritos endividados entre si, proporcionando-lhes a renovação que faculta as aspirações felizes, compatíveis com os anseios que todos agasalhamos na alma.

24 – O trágico desfecho

As atividades socorristas prosseguiam sem solução de continuidade.
Cada momento brindava-nos com experiências novas, ricas de ensinamentos, em convites constantes à reflexão.
O amorável Dr. Bezerra, sem prejuízo das múltiplas tarefas que desenvolvia, dedicara-se ao *caso* Carlos e, por extensão, a outros, dentre os quais aqui nos fixamos em alguns, com o amor e devotamento de pai vigilante quão abnegado.

Nesse interregno, ao cair da tarde, apresentando sinais de preocupação, convidou-nos a seguir ao necrotério da cidade, a fim de atender, em regime de urgência, um casal desolado.

Quando ali chegamos, o ambiente era tumultuado por entidades de variada procedência, entre as quais se destacavam as perversas e vampirizadoras, com fácies lupina, dependentes das viciações psíquicas a que se entregavam, altercando umas com as outras, em pandemônio assustador. Não obstante, percebíamos Espíritos afeiçoados ao bem, que se dedicavam à proteção dos recém-desencarnados que pudessem receber ajuda, tanto quanto aos seus despojos cadavéricos.

A agitação se apresentava, igualmente, entre os companheiros encarnados, vitimados pela desencarnação violenta dos familiares ou em expectativa pelo resultado das necropsias aclaratórias de *causa mortis* nebulosa...

Numa sala, atendida por gentil profissional, deparamo-nos com uma dama de meia-idade, em aturdimento, cuja cabeleira prateava, e um senhor, algo mais velho, visivelmente

O trágico desfecho

abatido, quase em estado de choque, segurando duas laudas de papel, escritas, a punho, que lhe pendiam sobre o colo.

Não tive dificuldade em identificar os combalidos. Tratava-se do amigo Joaquim Fernandes e sua senhora, afeiçoado médium receitista e trabalhador de respeitável agremiação espírita, que muito conhecíamos, em razão dos seus multifários misteres sob a luz esplendorosa do Espiritismo.

Ante a minha surpresa, o benfeitor sussurrou-me:

— É, sim, o nosso devotado médium, que experimenta o traspassar do punhal da aflição, difícil de ser superada. Um drama antigo tem, nesta hora, infausto desfecho nesse senhor, cujas consequências se arrastarão por muitos anos, qual vem acontecendo desde o eclodir das suas primeiras manifestações.

"A invigilância do homem sempre posterga as soluções que poderiam ser realizadas antes que se transformassem em dores acumuladas. Pensando na vida, apenas do ponto de vista material, deseja fruir hoje, e chorar, arrependido, num demorado amanhã, a renunciar agora, para beneficiar-se, largamente, depois... Leiamos a carta, embora eu já esteja informado da ocorrência ali narrada."

As técnicas de aquisição de conhecimento dos fatos e sucessos, nos quais não se encontrava presente, e de que dava mostra o mentor, conduziam-me a uma ideia aproximada do que deve ser a conquista superior da ubiquidade, de que são portadores os Espíritos puros.

Muitas delas me escapavam ao entendimento, como se o incansável Amigo fosse, em si mesmo, um *centro de computação* especial...

A missiva, grafada com letra irregular, traduzindo o estado nervoso de quem a escrevera, terminava em dura sentença com pedido comovedor de perdão.

Dirigida aos pais, após as palavras de amor profundo, ricas de ternura e dor, culminava, dizendo:

Loucura e obsessão

[...] Vocês me deram a vida corporal e sacrificaram-se por toda a existência, a fim de que sua filha fosse honrada e feliz. Nunca mediram esforços em favor da minha ventura primeiro, para, depois, a sua. Facultaram-me o título universitário e o excelente trabalho a que me tenho entregue com responsabilidade e consciência de dever. Devo-lhes tudo e amo-os com total empenho da alma... Todavia, sofro muito, experimentando, ignota, estranha dor que me macera revelar-lhes. Sou frágil nessa área que é a do amor. Apesar de jamais ele me haver faltado nos seus sentimentos a mim dirigidos, a adolescência e a idade da razão levaram-me a buscá-lo em expressão diferente. Há pouco, quando o encontrei, passei a viver, no mesmo momento, um céu e um inferno que agora alcança o seu estado máximo. O homem, a quem amo e que me diz amar, é, infelizmente, para mim, casado e pai generoso. O nosso, é um amor impossível na Terra, exceto se nos dispusermos a fruí-lo no mar das lágrimas dos outros, que não lhe merecem a deserção do lar... Fui forjada nos metais da dignidade que o carinho de pais modelou no meu caráter... Não é necessário minudenciar mais nada. Não podendo viver com ele, nem me sendo possível prosseguir sem ele, retiro-me de cena, preferindo sofrer e fazer os seus corações amantíssimos chorarem uma filha digna a permanecer, para desespero de muitos, inclusive de vocês, que pranteariam uma filha alucinada...

Perdoem-me, anjos da minha vida. Não pensem que ajo egoisticamente, esquecida do amor de vocês. Pelo contrário, atuo em homenagem ao seu amor e por amor também. Não avalio, em profundidade, a tragédia do suicídio. Tenho-o, na mente, há algum tempo, e não o posso adiar mais, ou optarei pelo *suicídio moral*, que culminará, certamente, mais tarde, nesta forma infeliz... Ele, o homem amado, ficará tão surpreso com o meu gesto tresvariado quanto vocês estarão ao ler esta carta.

Mais uma vez abençoem-me e intercedam à mãe de Jesus, que tanto sofreu, pela filha que os ama, porém, não suporta mais viver...

Despedindo-se com palavras assinaladas pela dor selvagem, assinava, trêmula, o nome.

O trágico desfecho

Vi lágrimas nos olhos do afetuoso Dr. Bezerra, que envolveu os pais desolados em energias calmantes, permitindo-se detectar pelo sofrido irmão Fernandes.

Parecendo despertar da hebetação em que se demorava, o nobre cavalheiro prorrompeu, por fim, em pranto volumoso, que buscava conter a custo.

Não obstante eu me encontrasse igualmente comovido, orando, procurei contribuir para que as agonias daquele momento se lhe fizessem atenuadas.

— O choro far-lhe-á bem — reportou-se Dr. Bezerra. — As lágrimas que nascem no coração diminuem as dores da alma e acalmam o sistema nervoso em tensão.

No momento próprio, o amigo espiritual passou a inspirar o médium, infundindo-lhe coragem para o prosseguimento da luta, recordando-lhe a esposa mais fraca e os necessitados que lhe pediam ajuda.

A indução poderosa do Espírito afável passou a levantar as forças do aflito, que se foi recompondo, interiormente, assim voltando à realidade dos deveres que permaneciam, dos compromissos por atender, que aguardariam... Todavia, vendo o guia bondoso e captando-lhe o pensamento, exclamou, sem palavras:

— O senhor estava com a razão, naquele já remoto dia! Antes houvesse sido naquela ocasião. Ó Deus meu!...

Ia retornar à depressão, quando o orientador, exortando-o à coragem, admoestou-o:

— Fernandes, a lamentação é tóxico destruidor que não podemos utilizar. A vida é mais sábia do que nós e deveremos aceitá-la conforme se nos apresenta. Nada de lamúrias. Onde o combustível da fé, a fim de que "brilhe a sua luz"? Este é um momento de reconstrução e não de abatimento. Sobre as ruínas, surgem as flores; da terra sulcada pela enxada, saem os trigais abençoados para o pão, e, na frincha da rocha, débil planta se sustenta, diminuindo a aspereza do mineral... Agora, levante-se e conforte a esposa abatida.

O alquebrado pai soergueu-se com dificuldade e, enquanto o rio das lágrimas lhe fluía dos olhos, ele falava à companheira, semidesfalecida:

— Aceitemos com humildade o irrecusável e trágico acontecimento, confiando em Deus e intercedendo pela filha infeliz...

— Não me revolto! — respondeu, com a voz embargada, a mãe combalida. — Dói-me a forma da evasão. Logo pelo suicídio é que a perdemos? Onde ela pôs a razão, Deus meu?! Não sei se suportarei carregar esta desdita. Ajuda-nos, Senhor da Vida!

O esculápio que atendera o casal no necrotério, acostumado aos dramas do cotidiano, deixou-se envolver, emocionalmente, e, telementalizado pelo mentor, disse a ambos os genitores de alma esfacelada:

— O suicídio é a culminância de um estado de alienação que se instala sutilmente. O candidato não pensa com equilíbrio, não se dá conta dos males que o seu gesto produz naqueles que o amam. Como perde a capacidade de discernimento, apega-se-lhe como única solução, esquecido de que o tempo equaciona sempre todos os problemas, não raro, melhor do que a precipitação. A pressa nervosa por fugir, o desespero que se instala no íntimo empurram o enfermo para a saída sem retorno...

"Recordem-se dela nos seus momentos juvenis, na felicidade, sobrepondo, a estas ocorrências, todos os dias de encantamento, que devem pesar mais do que os momentos atuais, na balança do amor... Religiosos, que são, considerem-lhe a alma e refugiem-se na fé."

À medida que a calma foi sendo restaurada, o amigo espiritual convidou-nos a visitar a sala de necropsia, onde se encontrava o cadáver.

Exposto e examinado, o patologista constataria a presença do veneno que, rapidamente, ceifara a vida orgânica da jovem.

O trágico desfecho

Atada aos despojos que se exauriam com vagar, apesar da brusca interrupção vital pelo suicídio, encontrava-se a pobre equivocada, somando às dores do tóxico corrosivo as dilacerações produzidas pela autópsia.

Vigilante e triunfal, aguardando-a e alegrando-se com o sofrimento da atormentada, encontrava-se cruel obsessor, que não escondia os sentimentos de impiedade, nem os propósitos que acalentava a respeito do prosseguimento da vil planificação.

— Aí está — referiu-se Dr. Bezerra, defrontando o algoz — o pobre corresponsável pelo trágico desfecho deste drama de larga duração. Assim, a pobre irmã conduz alguma atenuante. Ela retorna à nossa esfera como suicida-assassinada. Induzida à solução insolvável, é responsável por aceitar-lhe a inspiração infeliz e vitalizá-la, quando deveria reagir, valorizando os dons da vida e preservando-a a qualquer custo. Todavia, é igualmente vítima, por haver sido empurrada ao abismo por uma inteligência lúcida que lhe planejou a desdita e pôs-se vigilante, aguardando o momento para agir com impunidade. Agora, aguarda-a, antegozando a vitória e esperando prosseguir na intérmina vingança. A alucinação a que o ódio reduz o ser não tem limite...

"Oremos por ambos, a fim de os ajudarmos."

Concentrando-nos, profundamente, suplicamos a misericórdia paternal de Deus para todos nós, e, especialmente, para aqueles irmãos que o infortúnio ligava com vigorosos laços.

A sala inundou-se de tênue claridade, que decorria da vibração do amor e da prece, produzindo inesperado mal-estar no perseguidor e noutros ociosos e vampiros de vigília, que saíram blasfemando, iracundos.

Acercando-se mais do cadáver, junto ao qual, semiligada, a moça se debatia em irrefreável desespero, o benfeitor aplicava-lhe energias desimantadoras para o Espírito, enquanto

Loucura e obsessão

o induzia ao sono, que foi logrado, depois de extenuante esforço do agente hábil.

— Temos que deixá-la vinculada ao corpo por algum tempo... Ela preferiu este áspero caminho para aprender a ser feliz. Como não há exceção para ninguém, podemos atenuar-lhe as dores excruciantes, porém, a libertação é sempre conquista pessoal. Voltemos aos pais.

A este tempo havia já, neles, um melhor estado de alma.

Posteriormente, quando o cadáver foi liberado, em razão do laudo médico e do conveniente atestado de óbito, o genitor, ali mesmo, tomou providências junto a um agente funerário, que se encarregou das atividades compatíveis, removendo o corpo para o velório.

A notícia passou a ser veiculada, e os parentes e amigos da família, surpresos, foram chegando, oferecendo os préstimos e permanecendo solidários...

A noite, em festival de estrelas e de esperanças, contrastava com o ambiente fúnebre onde nos encontrávamos.

Desencarnados solícitos, incluindo familiares e beneficiários da generosidade cristã do irmão Fernandes, vieram, amorosos, igualmente participando do acontecimento lutuoso e contribuindo, em espírito, em favor da pobre suicida como dos seus pais.

Num momento, vimos chegar nobre senhora que, tomada de emoção resignada, ajoelhou-se diante do ataúde e orou com unção e beleza, aureolando-se de safirina luz.

— Trata-se da avó paterna — elucidou-me Dr. Bezerra —, que a precedeu no túmulo, há muitos anos, mas que a embalara nos braços durante a sua primeira infância e acaba de ser informada do transe que se abate sobre o lar do filho. Observemos!

A senhora, preservando hábitos da sua antiga religião, depois de orar e contemplar, desolada, a neta adormecida e fixada aos liames do envoltório material, vendo o mentor, acercou-se com respeito e indagou:

O trágico desfecho

— Pode-se fazer algo mais, amoroso guia?
— Não. O possível já está realizado. A nossa menina repousa, após a primeira refrega. Confiemos em Deus e aguardemos, orando.

A desencarnada aproximou-se do filho, e, tocando-lhe a testa, facultou-lhe vê-la e ouvi-la.

Com palavras repassadas de fé e irrestrita confiança no Senhor, exortou-o à coragem, informando que a filhinha, amparada, dormia, a fim de seguir o ritmo das leis.

Porque a afluência espiritual de amigos dedicados de ambos os lados fosse expressiva, fomos convidados a sair um pouco do recinto, aspirando o ar brando e levemente perfumado da noite, que se vestia de silêncio, em razão da hora avançada.

A minha curiosidade mal podia ser contida, ante o interesse de conhecer mais, para estudo e o próprio aprimoramento, alguns lances ou detalhes daquela vida interrompida bruscamente em razão da afetividade mal dirigida.

Respeitando, porém, o silêncio do bondoso, discreto e sábio mestre espiritual, aguardei o momento que se me fizesse oportuno.

Passei a meditar acerca das tramas que urde o destino programado por cada ser.

A impaciência, a irritação, as imperfeições morais respondem pelos danos de demorado curso, que se instalam nas criaturas. São eles agentes fecundos da morte, arrebatando mais vidas do que o câncer, a tuberculose e as enfermidades cardíacas somados, pois que são responsáveis pelo desencadeamento da maioria delas.

Fatores intoxicantes perturbam o equilíbrio emocional e orgânico, psíquico e físico, facultando a instalação de doenças graves conhecidas, quanto de outras de causa ignorada por ora...

Rebelde, por instinto, indomado, o homem prefere a reação imediata à ação cautelosa, toda vez que tem os seus interesses prejudicados e até mesmo nos momentos que considera felizes. Sem o hábito salutar de meditar antes de agir, complica situações fáceis, gerando futuras dificuldades para si mesmo e para aqueles que lhe privam das horas.

As disciplinas morais e espirituais são tão necessárias para o Espírito quanto o alimento e o ar o são para o corpo.

Aproximando-nos de um parque arborizado, o benfeitor convidou-me a que nos sentássemos um pouco.

A magia da noite dominava-me, acalmando-me as ansiedades e falando-me, sem palavras, da beleza da Vida que pulsa, majestosa, em toda parte.

25 – Socorro de emergência

Saindo da reflexão a que se entregara, o benfeitor, percebendo-me as indagações íntimas, considerou:
— As sábias Leis da Vida fundamentam-se em princípios de equilíbrio, que não podem ser derrogados sob pena de apresentarem aflições mais penosas para os seus infratores. Todas derivadas da Lei de Amor, são estatuídas com os objetivos superiores de dignificar e desenvolver os valores inatos da criatura, que traz o anjo dormente na sua estrutura profunda, aguardando o momento de despertar... Em razão disso, o determinismo é natural resultado das realizações em cada etapa do processo da evolução, ora absoluto — mediante a fatalidade do *nascer* e *morrer* no corpo transitório, em algumas expiações mutiladoras e dilacerantes, em vários tipos de injunção penosa, nas áreas do comportamento da sociedade, dos recursos financeiros —, ora relativo — que o livre-arbítrio altera conforme a eleição pessoal de realizações —, sempre, porém, objetivando o bem do Espírito, suas aquisições libertárias, sua ascensão. O livre-arbítrio é-lhe recurso que expressa o estado evolutivo, porquanto o seu uso deflui das aspirações elevadas ou egoístas que tipificam cada qual. Porque prefere determinada realização, investe em correspondente recurso, de cuja ação recolhe os frutos amargos ou apetecíveis, que passam a nutri-lo. O imediatismo, que é remanescência da *natureza animal* possuidora e egoísta, responde pelos insucessos que a escolha precipitada proporciona, impondo, o mecanismo redentor, de que necessitará amanhã para selecionar com

sabedoria aquilo que lhe é de útil, em detrimento do pernicioso. Assim, a dor é sempre a resposta que a ignorância conduz para os desatentos. É, também, de certo modo, a lapidadora das arestas morais, a estatuária do modelo precioso para a grandeza da vida que se exalta...

Fazendo uma pausa oportuna, para expressar as ideias, relatou:

— Há uma vintena de anos, o nosso caro Fernandes acompanhava, amargurado, grave enfermidade da filhinha Sara. Desenganada pelo médico, extenuada pela difteria, deveria ter, ali, encerrado o capítulo da atual reencarnação, em face de um suicídio anterior que a vitimou. Era o fenômeno natural da morte biológica, concluindo um ciclo para abrir-se outro, mais amplo e valioso.

"Colhido de surpresa com a palavra do facultativo, que prometeu retornar, na manhã seguinte, a fim de assinar o atestado de óbito da moribunda, cuja noite seria lancinante e sem paliativo possível, em razão da ausência de terapia conveniente, nosso Fernandes, angustiado, prosternou-se, entregando-se a profunda e desesperada oração dirigida à mãe de Jesus, cuja intercessão pela vida da filhinha solicitava, com quase absurda imposição.

"Nós acompanhávamos o processo aflitivo, e, ouvindo-lhe a súplica superlativa, aparecemos-lhe na penumbra do quarto e lhe informamos quanto à necessidade da submissão ao estabelecido... Sara resgatava o passado, e, retornando ao Mundo Espiritual, adquiriria mais amplos e seguros recursos para prosseguir mais tarde, na Terra, com possibilidades de triunfo. Na circunstância, a maior caridade que o Amor lhe podia conceder era a desencarnação. Todavia, obstinado, pedia à Maria que intercedesse ao Senhor Soberano da Vida, prolongando a existência da filha, seu tesouro, sua razão de luta no mundo. Não se dedicava, ele, ao atendimento da aflição alheia, à diminuição do sofrimento do próximo? Pelas suas mãos não escorriam os fluidos curadores, que aplicava,

Socorro de emergência

com devotamento, nos enfermos? Rogava, agora, pelo seu anjo filial. Ouvimo-lo, demoradamente, e o informamos de que tomaríamos providências, a fim de que o seu pedido fosse examinado. Minutos após, voltávamos, enquanto ele se abrasava na oração, e apresentamos-lhe a resposta: 'A senhora optava pelo retorno do Espírito, após terem sido cuidadosamente estudados os motivos da sua reencarnação. O passado, meirinho rigoroso, seguia-a, com exigências para as quais ela não teria forças. Conveniente anuir ao estabelecido, quando seriam providenciados recursos para diminuir a dor da sua ausência no lar, mediante a presença contínua dos *filhos do calvário* a atender.'

"Nosso irmão, em copioso pranto, prosseguiu, instando: 'Como auxiliar aos outros, se iria carregar no peito o coração estiolado? Como saciar a sede alheia, ardendo de necessidade de linfa? Como ter forças para diminuir o peso do fardo em seu irmão, conduzindo insuportável carga? Suplico-vos, mãe celeste, em favor da minha filha, como rogastes a Deus, na hora extrema, pelo vosso Filho. Peço ao Dr. Bezerra que retorne, fazendo chegar à mãe dos desafortunados e sem esperança a petição deste pai inconsolado.' Era tão pungente e veraz a sua rogativa que retornamos ao encaminhamento do pedido. Horas mais tarde, apresentamos-lhe o resultado, que frisava: 'Sara não possui resistências morais para enfrentar os insucessos que a aguardam. Debilitada, poderá cair, outra vez, no mesmo abismo donde está intentando sair. Já estão, na Terra, aqueles com os quais se encontra vinculada e faltam-lhe títulos de enobrecimento para sair-se bem do confronto. Todavia, se ficar, o seu calvário será mais vigoroso e fatal.'

"Sem medir a extensão do que desejava, o nosso amigo concordou, assinalando: 'Eu assumo a responsabilidade. Minha esposa e eu cumularemos de cuidados a filhinha idolatrada; vigiaremos as suas horas; preencheremos os seus vazios com a luz do amor; colocaremos a claridade da fé na mente e no coração; choraremos suas lágrimas e viveremos para ela...

Loucura e obsessão

A sua presença dará cor e luminosidade à nossa estrada; nela hauriremos forças para a prática do bem e nos desvelaremos no ministério do auxílio, que é porta de acesso à felicidade, porém, com ela, no mundo.'

"Celina, a mensageira de Maria, adentrou-se, então, na câmara onde estávamos, e trouxe a resposta: 'A mãe de Jesus concede moratória, um prolongamento de vida, para Sara, conforme solicitado. Ela viverá. Que Deus nos abençoe!'

"O júbilo do nosso irmão foi nova explosão de lágrimas, acompanhadas do sentimento da gratidão profunda. Levantou-se, exultante, e foi notificar à esposa, em vigília, ao lado da enferma."

O narrador voltou a silenciar, exteriorizando grande compaixão, para logo prosseguir:

— A partir desse momento, a menina, que contava cinco anos, adormeceu, diminuindo-lhe a dispneia, enquanto mensageiros espirituais especializados no setor da saúde lhe aplicaram energias próprias, restauradoras. Pela manhã, quando o médico retornou para assinar o documento do óbito, encontrou a paciente sem febre, iniciando uma *impossível* convalescença.

"O irmão Joaquim Fernandes, de fato, desdobrou-se, com a esposa, em cuidados e amor pela filha. Esmeraram-se na educação; selecionaram amigos para ela; infundiram-lhe a fé religiosa, que ela não conseguiu assimilar quanto deveria; encaminharam-na à Universidade; experimentaram mil venturas, seguindo-a no clima social de uma vida honrada e trabalhadora... Não puderam, no entanto, penetrar no imo da alma e auscultá-la, sentir os problemas da afetividade, na qual fracassara antes; não se deram conta de que a filha possuía anseios do coração, que os pais mais amorosos não podem atender; não lhe perceberam o emurchecer da alegria, nos últimos dias... A realidade agora esfacela a ilusão, e a dor superlativa chega sem anúncio prévio, colocando os valores em ordem para reparação, recomeço, submissão, aprendizagem.

Socorro de emergência

De fato, antes ela houvesse partido naquela ocasião, naquela contingência e mediante os fatores estabelecidos, porquanto se encontraria agora, novamente reencarnada, sem os perigos do desastre que acaba de acontecer. Ninguém foge à Lei, nem à consciência de si mesmo, pois que Deus aí escreveu os seus soberanos códigos."

Quando silenciou, notei-lhe lágrimas de piedade pela recém-desencarnada, pelos seus equivocados e amorosos pais.

Em verdade, ainda não aprendemos a pedir, ignorando o que é de melhor para nosso progresso, no curso do tempo, em vez daquilo que nos deleita por momento, em prejuízo dos resultados posteriores.

Não possuindo, ainda, uma clara visão da realidade, detectamos-lhe, apenas, algumas linhas imprecisas que não a configuram corretamente, em razão das sombras que a encobrem. Temo-la como as objetivações expressas no campo da forma exterior, impossibilitados, não raro, de lhe adentrarmos o imo, avaliando a qualidade do que nos seja de melhor para adquirir, a fim de empreendermos a grande e incansável luta a que nos devemos afeiçoar.

Desse modo, acompanhamos o esforço extenuante de pessoas que a enfermidade limitou, que os acidentes paralisaram, lutando tenazmente e sofrendo pela reconquista de parcos movimentos, que os alegram, enquanto outras, de aparência sadia, por acontecimento de pequena monta, ou paixão momentânea, dominadas pela rebeldia sistemática, atiram-se aos lôbregos sítios do suicídio, deixam-se arrastar pelos cipoais da mágoa, permitem-se percorrer os imensos corredores da loucura...

Paradoxalmente, ainda não sabemos eleger o melhor, não possuímos consciência correta de valores para a aquisição da paz. Por isso, a dor renteia com os nossos passos, vigilante e assídua, para que despertemos. Não obstante, todos sabemos quanto é breve o estágio no corpo, quão transitória é a vida física e como são rápidos os dias do prazer, da alegria...

Loucura e obsessão

Somente a lucidez a respeito do bem operante confere os requisitos para que nos habilitemos a vencer distâncias, preencher vazios, recuperar prejuízos, imolar-nos. O Espírito é tudo aquilo quanto anseia e produz, num somatório de experiências e realizações que lhe constituem a estrutura íntima da evolução.

Nesse labor, a fé religiosa exerce sobre ele uma preponderância que lhe define os rumos existenciais, lâmpada acesa que brilha à frente, apontando os rumos infinitos que lhe cumpre percorrer. Negar esse contributo superior sob alegações de superfície é candidatar-se a prolongada escuridão, embora os fogos-fátuos que surjam na falsa cultura, no elitismo acadêmico, na presunção intelectual, que se esfumam céleres.

Respeitável, portanto, toda expressão de fé dignificadora em qualquer campo do comportamento humano. No que tange ao espiritual, o apoio religioso à vida futura, à Justiça de Deus, ao amor indiscriminado e atuante, à renovação moral para melhor, é de relevante importância para a felicidade do homem.

Não me pude permitir alongamento de reflexões, porquanto o tempo urgia e o benfeitor concitou-nos a retornar ao velório.

Àquela hora fazia-se reduzido o número de pessoas na câmara-ardente. O cansaço decorrente do extenuamento nervoso assinalava os rostos dos genitores sofridos.

Havia movimentação espiritual expressiva. Muitos beneficiados pelo médium caridoso, cientificados da ocorrência infausta, apressaram-se a trazer-lhe solidariedade e sustentação, intercedendo por Sara, presa de terríveis angústias, tais que a imaginação humana, limitada, não pode conceber, embora estivesse adormecida pela indução de Dr. Bezerra.

Percebi que o irmão Fernandes, apesar da exaustão que o dominava, insistia numa tônica mental perigosa, que era o conflito de culpa.

Socorro de emergência

Interrogava-se quanto à responsabilidade que lhe dizia respeito, no desfecho do processo de libertação da filha.

Afirmara-se responsável pelo que a ela viesse a acontecer, e agora pensava como poderia tê-lo evitado. "Jamais supusera que isto sucedesse. Não havia agido, no passado, por capricho de pai imaturo, por egoísmo irresponsável?" — perguntava-se.

À medida que mais se conscientizava das recordações, repassando aquela outra noite de agonia, mais se atormentava, considerando o atrevimento de então, que procurou interferir nas determinações da Justiça reta.

Num crescendo de angústia, estava a ponto de desequilibrar-se, quando o mentor, que lhe acompanhava a onda mental de pessimismo, envolveu-o em vibrações de simpatia, acalmando-o com palavras esclarecedoras:

— A concessão da moratória — afirmou-lhe, persuasivo — fez-se independente de quaisquer protestos de vigilância e responsabilidade da tua parte. Como poderias penetrar o insondável das leis e responder pelas ocorrências imprevisíveis da vida? Com certeza, a tua intercessão de pai constituiu quesito importante para a revisão do processo estabelecido, pois que o amor é força viva de Deus em toda parte, possuindo os recursos especiais para mover e fomentar os sucessos propiciadores do progresso, que gera a felicidade. Todavia, devemos considerar que as programações reencarnacionistas obedecem aos códigos da Justiça, não se descartando os contributos da Misericórdia Divina. Foi a Misericórdia do Amor que facultou o prolongamento da existência planetária da nossa querida Sara. Se o epílogo ocorreu trágico, o transcurso da jornada foi-lhe de aquisições abençoadas e enriquecido de realizações benéficas para muitas vidas que dela se aproximaram. Na contabilidade do bem todos os valores são considerados e computados.

— Não desconheço a misericórdia de Deus — ripostou o agoniado genitor. — O suicídio, porém, é crime supremo contra a vida. Ela o sabia, por haver-lhe falado mil vezes sobre a sua adaga fatal, ceifadora de todas as alegrias, destruidora de todas as bênçãos.

— Indubitavelmente, o autocídio é agressão terrível que se perpetra contra si mesmo, dirigida à Divindade, geradora de tudo... No entanto, ante a impossibilidade de remontar-se--lhe às causas profundas, cumpre-nos aceitar o irremediado e lutar por minimizar-lhe os efeitos danosos, em vez de bombardear com cargas mentais de inconformação a desatinada, que já lhe sofre os efeitos de demorado curso. Saber é diferente de aceitar. Sara sabia dos perigos e gravames do suicídio, porém, alucinada, foi empurrada a vivenciar o conhecimento, que a armará de resistências morais para os futuros embates. Não adiciones ressentimentos inconscientes e culpas ao fardo que lhe pesará na consciência, na sucessão dos dias porvindouros, quando ela adquirirá dimensão a respeito da fuga para o pior... Deus o permitiu, portanto, como poderias impedi-lo, tu. A Lei de Liberdade funciona para os homens, dentro de limites que se lhes fazem necessários, a fim de que, exercendo-a, aprendam a ser livres e não libertinos; independentes, sem prepotência; liberais, mas não permissivos... A liberdade por excelência é adquirida pela consciência do bem no reto culto do dever. Agora, retifica a postura mental e ajuda a filhinha, sem lamentar o passado nem antecipar o futuro.

Observei que o amigo Fernandes enxugou as lágrimas, saiu, por um pouco, do ambiente saturado de energias de vário teor vibratório e aspirou o ar puro do amanhecer, do lado de fora da sala mortuária.

Quando percebi que o mentor estava receptivo, abordei-o com honestidade:

— Também pensei que a moratória concedida a Sara fora decorrência da intervenção do pai e que as consequências disso iriam pesar-lhe na economia da responsabilidade. Além disso, excogitei se não era do conhecimento da

Socorro de emergência

Divindade o que sucederia, anuindo ao pedido, e, em caso positivo, por que a concessão?

O amável guia sorriu, simpático, e elucidou-me:

— O caro Miranda ainda raciocina em termos apressados e humanos, isto é, conforme os hábitos terrestres. Deus tudo sabe, não nos iludamos. No entanto, suas leis não nos coarctam às experiências fomentadoras da evolução pessoal. Como progredir sem agir, sem acertar e errar, nunca o experimentando? Como adquirir consciência do correto e do equivocado, do útil e do prejudicial sem o contributo da eleição pela sua vivência que ajuda a discernir? Examinando-se as aquisições de Sara, os Espíritos superiores poderiam prever o que lhe sucederia, não, porém, em caráter absoluto, pois que não há destinação, como sabemos, para o insucesso, a desgraça, num fatalismo irreversível. Cada momento oferta oportunidade que leva a mudanças de comportamento. Se uma fagulha ateia um incêndio, uma palavra feliz e oportuna igualmente muda os rumos e toda uma existência.

"Sara vem de um suicídio moral anterior, com a natural compulsão para repetir o ato desolador. Fracassando, no amor que não soube respeitar, desertou, naquela época... Aquele que a induziu à delinquência moral, ela o reencontrou agora, não repetindo a desfortuna de destruir-lhe o lar, conforme ele lhe fizera, mas não teve forças para superar a impossibilidade da convivência anelada. A vítima de ambos, que conhecemos horas atrás e trabalhou pelo êxito do macabro desforço, não os perdoou e prossegue insaciado. Assim estava armado o esquema que, se fora o amor dela mais santificado, poderia haver superado..."

— E o nosso irmão Fernandes — indaguei, interrompendo-o —, como comparece no quadro afetivo?

— Na condição de filho do passado — esclareceu, paciente — que ela levou quando se evadiu do lar a quem amava com extremada doação. Antes da reencarnação, ele pediu para ajudá-la, razão por que veio na investidura de pai zeloso e abnegado, socorrendo-a quanto pôde, não além disso. Nunca esqueçamos que aquele que faz quanto lhe está ao alcance, realiza *tudo*, porque só fazemos o que nos é possível, embora nem sempre este nos seja lícito executar.

E Sara — interroguei, pensando no seu sofrimento — será hospitalizada após o sepultamento do cadáver?

— Não o creio possível nem justo — explicitou tranquilo. — Ela infringiu a "Lei de Conservação" da vida. Lúcida e culta, não obstante induzida a fazê-lo, optou pela decisão corrosiva, predispondo-se a sofrer os inevitáveis efeitos da opção. Receberá apoio e socorro compatíveis com as suas necessidades, não, porém, fruirá de privilégios, que ninguém os merece em nosso campo de ação. Os fenômenos do desgaste e transformações biológicas serão vivenciados, a fim de que, em definitivo, se envolva na couraça da resistência para vencer futuras tentações de fuga ao dever que nunca fica sem atendimento. Visitá-la-emos, serão tomadas providências para evitar-se a vampirização e outras ocorrências mais afligentes. As orações daqueles que a amam luarizarão a noite da sua demorada agonia, e a bondade de Maria Santíssima derramará sobre ela a misericórdia do amor, resgatando-a, oportunamente, de si mesma...

Silenciando, aquietei-me igualmente.

Só após o féretro e o retorno da família ao lar, depois de algumas providências diligenciadas pelo Amigo paternal, nos retiramos para outros misteres.

26 – Experiências finais

Fazia um mês que chegáramos, eu pela primeira vez, à Casa da Caridade, sob a tutela do Dr. Bezerra de Menezes. Naquela noite concluíamos o pequeno curso de observações e aprendizagem espirituais para o qual fora convidado. Carlos, que havia sido o motivo primeiro da presença do benfeitor, interessado em acompanhá-lo no processo de recuperação, tornara-se frequentador assíduo, após registrada a sua gradual melhora de saúde mental e física. No momento, iniciava-se numa terapia de trabalho, por sugestão da irmã Emerenciana, que a propusera num dos encontros anteriores. Tudo marchava sob controle seguro. Os seus adversários espirituais haviam recebido o necessário amparo e dispunham-se a perdoá-lo, auxiliando-o na reabilitação conforme do nosso conhecimento. Alguns outros seriam atendidos na sucessão dos dias porvindouros. O genitor, exultante, trabalhava afanosamente em favor da felicidade no lar, mediante a relativa recuperação que o filho ia logrando, agora disposto a uma mudança íntima, do que resultariam os outros efeitos morais. Era aguardado pela amorosa trabalhadora desencarnada, que se lhe tornara afetuosa mãezinha espiritual.

Aderson, desde a excelente catarse no Plano Espiritual, tomando consciência dos crimes perpetrados, veio de encontro à realidade objetiva da reencarnação. Ficaram-lhe impressas as lembranças do acontecimento, com tal vitalidade que, ao despertar, gritando, foi acudido pelos genitores vigilantes, que o defrontaram com os olhos de pavor, todavia, logo depois, com brilho de lucidez. As palavras lhe brotaram, desconexas, dos lábios, tartamudeadas, a princípio, e logo depois, mais compreensíveis. Não retornou mais ao letargo, à ausência em que fugia da consciência culpada. O longo processo autista cedia lugar à adaptação lenta, porém, sem recuo ao abismo da hibernação mental.

Nas reuniões de que participava, as reações, em normalização, demonstravam a reconquista da saúde, também, regular, que se esperava iria gozar.

Sucede que, no cômputo das dívidas, algumas há, de tal gravidade, que não permitem a liberação total do fraudador, constituindo-lhe esta providência uma verdadeira bênção.

A saúde é compromisso de alta relevância e responsabilidade ainda malconduzida por aqueles que a desfrutam e, menoscabando-a, perdem-na, a fim de se afadigarem pela sua recuperação mais demorada e mais difícil.

Eis por que, sabiamente, os muito endividados são propelidos à expiação das penas, não experimentando liberação plena, porquanto as suas recordações mais vivas são de irresponsabilidade e malversação de valores, correndo o perigo de retornar-lhes às origens perniciosas, já que lhes faltam os hábitos salutares, as disciplinas educativas, os contingentes de renúncia e dignidade.

Em todo e qualquer processo de alienação, seja qual for a sua etiopatogenia, é de bom alvitre que se não acenem esperanças exageradas, o que se deve ter em mente ao defrontar-se qualquer tipo de doença ou aflição, de problema ou necessidade. A prudência e o equilíbrio são medidas de boa conduta, jamais dispensáveis no relacionamento humano, aliás, muito escassas.

Salta-se de um vão entusiasmo para outro, sob estímulos momentâneos, assumindo-se compromissos e responsabilidades para sempre, que perecem amanhã, ou acenando-se

Experiências finais

com promessas impossíveis de realizar-se, que também ficam esquecidas, logo depois, dando lugar a mágoas e rancores, decepções e desgostos graves, que poderiam ser evitados.

Os amigos Felinto, Anita e outros, com os quais conviveramos mais amiúde, cercaram-nos de carinho espontâneo e ofereceram-nos novos esclarecimentos acerca dos seus labores respeitáveis, mediante os quais estavam, ao lado de todos os agentes do progresso, trabalhando pela conquista de um mundo mais feliz, em favor da edificação do homem melhor e consciente.

A saudade da convivência salutar e instrutiva dos amigos, não se falando a respeito do amor dedicado à veneranda mentora, aninhava-se-me no sentimento, levando-me a absorver ao máximo as lições ali ministradas, especialmente de abnegação, renúncia e humildade, que me seriam de incomparável proveito para as realizações íntimas, na condição de Espírito imperfeito que ainda me reconheço ser.

Não havia, no entanto, tempo disponível para ser desperdiçado com as emoções pessoais, porquanto, na sala de consultas, entre outros necessitados que vinham pela primeira vez, encontravam-se Carlos e D. Catarina, tutelados pelo amigo Empédocles, Aderson e seus pais otimistas, Lício, renovado, com os genitores, Sr. Ânzio e D. Constância, todos, no entanto, assistidos pelos vigilantes que haviam sido destacados anteriormente para ampará-los, auxiliando-os na batalha da redenção.

Apesar das angústias estampadas nas faces e as inquietações mentais que se somavam aos problemas dos clientes novos, que iriam pedir ajuda à mentora, os nossos conhecidos respiravam júbilo e a paz de quem desperta para o bem e a verdade.

Os passos iniciais haviam sido dados e os resultados eram positivos. O futuro da caminhada dependeria do investimento que cada qual se dispusesse a fazer.

Loucura e obsessão

O ritual já conhecido teve o seu início. Entidades, ruidosas umas, necessitadas outras, diversas em perturbação, agressivas algumas, movimentavam-se sob direção especial.

Os clientes, mesmo sem o perceberem, enquanto se desenrolava a parte inicial dos trabalhos, de que eles não tomavam parte, recebiam ajuda de obreiros experientes, destacados para este primeiro mister, a fim de que, em se adentrando na sala das consultas, já se encontrassem beneficiados pela psicosfera da Casa.

Incorporando Antenor, a benfeitora solícita ministrou as instruções próprias para a noite, retirando-se para o lugar habitual de atendimento afetuoso.

Acompanhando a primeira consulente, recordei-me da experiência inicial e postei-me aguardando o diálogo.

Dr. Bezerra atendia mais ampla área de serviços, cooperando, com a sua elevação, em socorros mais complexos.

A paciente, que denotava boa educação, gesticulando e falando com esmero, provinha da classe alta, socialmente.

Foi direta ao assunto, falando com clareza:

— Por incrível que pareça, creio *nestas coisas*, razão por que estou aqui. Falaram-me da excelência dos trabalhos da Casa, e por isso recorro à ajuda espiritual, em face de um grave problema que me aflige. Não desejo, porém, voltar aqui muitas vezes, e, considerando a urgência do meu drama, indago se serei convenientemente atendida.

Havia petulância e agressão no apelo, que contrastava com a aparência inicial.

A mentora sábia sorriu, humílima, e indagou, bondosa:

— E qual é o seu problema, que se lhe transforma num drama?

— Uma herança... uma fortuna expressiva... Papai está idoso e nega-se a fornecer-me o que mereço. Estou amando um homem que ele detesta. Sou filha única. Ele está demorando a morrer...

Não se animou a prosseguir. Tossiu e silenciou.

Experiências finais

— Prossigamos, minha filha — estimulou-a a entidade.

— Bem — mediu as palavras —, não é que eu deseje a morte de papai... Todavia, somos levados, às vezes, a situações-encruzilhadas em que, infelizmente, temos que escolher: o outro ou nós, jamais ambos. Gostaria de saber se poderia ser provindenciado um *trabalho* que facilitasse a partida dele, sem sofrimento, porém, com segurança... Eu o amo a *meu modo*... Ele é egoísta e orgulhoso, chegando às raias da maldade, o que me leva a esta decisão. Concretizando-se este desejo, cujo compromisso morrerá em segredo, no silêncio deste cubículo, saberei ser generosa, e quando receber os bens a que tenho direito, sendo feliz com o homem amado dos meus sonhos, retribuirei, largamente, o favor que pleiteio.

No silêncio largo, nascido em espontaneidade, a consulente inquiriu:

— Sou muito franca, portanto seja-o comigo também. Que me diz?

A mentora reflexionou com cuidado, e porque lhe conhecesse o ser empedernido, respondeu com serena franqueza:

— É a primeira vez que sou convidada a participar de um parricídio, oferecendo meios para que o egoísmo e a ambição desenfreados assassinem, sem disfarce, o genitor probo, equilibrado, cujo crime a ser punido é o zelo pela filha ingrata, para quem só deseja toda a felicidade, inclusive tentando evitar que ela tombe na hipnose de um homem sem escrúpulos, que a explora, qual ave invigilante que cai no bote da serpente sutil e traiçoeira...

Ante o meu assombro e a surpresa da indelicada apelante, que não reagiu, ela deu curso à resposta:

— Estamos certamente em um cubículo humilde onde se demora o crime, mas luz a caridade, sem tapetes nem adornos, porém, assinalado pelas claridades do respeito à vida e ao bem, em que são consideradas as criaturas sem distinção das quinquilharias que as tentam. O crer *nestas coisas* é sempre melhor para quem as aceita, que as deve ter na conta e no respeito que merecem os valores espirituais e eternos do ser imortal, de cuja fatalidade para o amor nenhum fugirá, assumindo responsabilidades inadiáveis, das quais resultam a paz íntima e a inteireza moral, respostas do esforço dirigido para o progresso e a perfeição.

"Você, filha, está doente, necessitando de urgente concurso médico especializado e terapia espiritual de modo a encontrar, para seguir, o roteiro que deve imprimir à sua existência. A nossa função é a de fomentar a vida para que alcance os cimos elevados. A morte não resolve problemas, especialmente deste porte. As moedas para a perdição têm o valor que lhes dão os que delas dependem para o uso maléfico das paixões. Transformadas em leite e pão, medicamento e agasalho, casa e abrigo para os necessitados, tornam-se bênção da vida para a dignificação humana. Não resolvem, porém, todos os problemas, pois que alguns são da alma, que somente por meios próprios logra solucioná-los. Aqui, você encontrará ajuda para que o paizinho tenha os dias prolongados e felizes, você adquira um estado saudável e liberte-se da tentação que a perturba.

"Fazemos os *trabalhos* que o amor opera no coração, tornando-o afável e gentil, caridoso e amigo. Outros, desconhecemos, e se alguém lhe forneceu informações diferentes, enganou-se e enganou-a."

Fazendo uma pausa para que a moça pudesse responder o que lhe fosse do agrado, mudou a tônica da resposta, aconselhando-a e encaminhando-a, por fim, ao passe de socorro espiritual.

A autoridade da irmã Emerenciana, rica de elevação e nobreza, ali se exteriorizara com a força do bem, fazendo-se respeitar no justo lugar em que se situa. A humildade não prescindia da energia sem violência, da sinceridade sem rudeza, elementos de que necessitava a enferma presunçosa, a fim de que despertasse, mudando o comportamento ou, pelo menos, ficando inteirada de que, embora a dubiedade

Experiências finais

melíflua com que vestisse suas palavras, não ocultava as intenções criminosas que objetivava, a serviço da insensatez.

Encerrada a singular entrevista, de desfecho inesperado para a cliente, a nobre entidade continuou o ministério da caridade, sem pruridos desagradáveis, nem afetação de falsa abnegação.

Tais eram, na maioria, os consulentes que a buscavam, constituindo o áspero material para ser trabalhado e transformado em conquista de superior qualidade.

Pessoas que talvez discordem dos seus métodos, apoiadas em conceituações puritanas, certamente se negariam ao labor necessário em campo vitimado por tal aridez ou em solo pantanoso carente de drenagem e correção.

Ela permanecia, estoicamente ali, devotada, entregue à terapia do amor, de acordo com as exigências que o amor impunha e conforme os recursos do amor para cada pessoa.

A fila das urgências teve curso, sem pressa, sem falta, com a consideração que merecem todas as criaturas, segundo o estado intelecto-moral de cada uma, envolvendo-as em esperança e fé no futuro para o qual todos avançamos.

O diálogo com Lício e seus pais foi comovedor.

O jovem, em recuperação, confessara aos genitores a felicidade que o invadia, a transformação interior que nele se operava, as disposições positivas para o futuro, ora vigentes no seu imo, e onde haurira tais recursos, fazendo-o com tal sinceridade que eles desejaram conhecer a fonte generosa donde jorrava a linfa do entusiasmo e do bem-estar que o filho apresentava nas duas últimas semanas.

A mentora cativou-os de imediato pela justeza dos conceitos estribados no bom senso e no conhecimento da vida, demonstrando conhecê-los, de certo modo familiarizada com os seus problemas cotidianos.

Para eles abria-se a oportunidade feliz, que aproveitariam em benefício de si mesmos e dos demais familiares.

Loucura e obsessão

Aderson e os pais foram acolhidos com gáudio e receberam estímulos e encorajamento para o prosseguimento da luta em que se empenhavam com ardor e sacrifício.

Carlos e D. Catarina foram recepcionados com igual estímulo e afeição. O paciente em recuperação foi abraçado com demonstração de carinho confortador, recebendo orientação segura para o reequilíbrio e uma vida moderada, que lhe facultaria a reconquista dos valores malbaratados anteriormente.

Encerrada a tarefa de benemerência, como de hábito, foi procedido o labor final do culto.

Vimos o médium Antenor recuperar a lucidez, aureolado de safirina luz que o trabalho de renúncia e afeição ao bem lhe concedia, despedindo dos companheiros e rumando ao lar, acompanhado por gentis e reconhecidos Amigos da nossa esfera, que lhe prestavam assistência protetora e fraternal.

Lentamente, concluídos os comentários sadios pelos remanescentes do grupo, a Casa ficou em silêncio, do ponto de vista físico, embora continuassem as atividades em outra faixa vibratória...

Dr. Bezerra de Menezes aproximou-se da irmã Emerenciana, informando-a do encerramento do seu compromisso firmado com o amigo Empédocles, que se encontrava presente, tomado de grande emotividade, e agradeceu-lhe a dedicação e a caridade cristã. Pediu-lhe licença para orar, dando por concluído o dever a que se vinculara, e o fez com indefinível vibração de amor:

Senhor dos Mundos!

"Vós, que velais pelas galáxias e cuidais dos animálculos mais insignificantes, que sustentais os sistemas siderais e o hálito da vida em toda parte, sem separardes as vossas criaturas pela aparência, e conheceis o insondável dos seres, abençoai-nos, servos imperfeitos que reconhecemos ser, colocados à disposição do vosso infinito amor.

"Concedei-nos permanentes oportunidades de serviço, a fim de que cresçamos na vossa direção de Pai amantíssimo,

Experiências finais

que nos aguardais na sucessão dos milênios com o mesmo e invariável afeto, enquanto vos defraudamos pela negligência e rebeldia.

"Não nos permitais o repouso que não merecemos, nem a felicidade, a que ainda não fazemos jus, enquanto a ignorância das vossas leis junjam as criaturas ao sofrimento reparador, por considerarmos que descanso e júbilo pessoal diante da aflição do próximo torna-se desrespeito às necessidades deles.

"Não vos rogamos tal bênção, se não soubéssemos do imenso abismo que nos separa da vossa magnanimidade, que nos anima a suplicar serviço e amor, que nos constituem alavanca propulsionadora na direção dos cimos da Vida.

"Dignai-vos abençoar os vossos dedicados servidores que se encarregam das tarefas mais humildes, as recusadas, tornando-se serviçais dos servos com alegria e unção. São eles os edificadores dos alicerces do edifício do progresso, que ficarão ignorados, porém, sobre cujas doações se erguerão as construções de felicidade para a Humanidade do futuro.

"Despedi-nos e recebei a nossa perene gratidão, por enquanto débil vagido da emoção luarizada pela vossa mercê.

"Sede sempre conosco!"

Quando concluiu, havia-se transfigurado. Fulgurações diamantinas adornavam-no, enquanto música suave e doce pairava no ambiente bordado de luz.

Todos os presentes, trabalhadores do bem, ali fixados, choravam discretamente.

Beijei as mãos da querida mentora, abracei os irmãos Felinto, Anita, Empédocles, acenei despedidas aos demais amigos, e, com peito túmido de saudade e gratidão, acompanhei o médico dos pobres e desafortunados, irmão da caridade e do bem, seguindo na direção de novas tarefas.

Nas sombras da noite terrestre, a distância, eu podia notar a luminosidade da Casa da Caridade, discreta e até ignorada no mundo, derramando, porém, claridades abençoadas nas sombras espessas.

LOUCURA E OBSESSÃO

EDIÇÃO	IMPRESSÃO	ANO	TIRAGEM	FORMATO
1	1	1990	10.200	13x18
2	1	1990	10.200	13x18
3	1	1990	51.000	13x18
4	1	1991	10.000	13x18
5	1	1992	10000	13x18
6	1	1994	10.000	13x18
7	1	1997	10.000	13x18
8	1	1998	8.500	13x18
9	1	2003	5.000	12,5x17,5
10	1	2006	3000	12,5x17,5
11	1	2007	2.000	12,5x17,5
11	2	2008	2.000	12,5x17,5
11	3	2010	2.000	12,5x17,5
11	4	2010	2.000	12,5x17,5
12	1	2011	5.000	14x21
12	2	2013	3.000	14x21
12	3	2013	2.000	14x21
12	4	2014	3.000	14x21
12	5	2015	1.500	14x21
12	6	2016	4.000	14x21
12	7	2018	2.700	14x21
12	8	2019	1.000	14x21
12	9	2020	1.500	14x21
12	10	2022	1.000	14x21
12	11	2023	1.000	14x21

LOUCURA E OBSESSÃO

EDIÇÃO	IMPRESSÃO	ANO	TIRAGEM	FORMATO
12	12	2023	800	14x21
12	13	2024	1.200	14x21
12	14	2024	1.000	14x21
12	IPT	2025	300	14x21

*Impressão pequenas tiragens

O EVANGELHO NO LAR

Quando o ensinamento do Mestre vibra entre quatro paredes de um templo doméstico, os pequeninos sacrifícios tecem a felicidade comum.*

Quando entendemos a importância do estudo do Evangelho de Jesus, como diretriz ao aprimoramento moral, compreendemos que o primeiro local para esse estudo e vivência de seus ensinos é o próprio lar.

É no reduto doméstico, assim como fazia Jesus, no lar que o acolhia, a casa de Pedro, que as primeiras lições do Evangelho devem ser lidas, sentidas e vivenciadas.

O espírita compreende que sua missão no mundo principia no reduto doméstico, em sua casa, por meio do estudo do Evangelho de Jesus no Lar.

Então, como fazer?

Converse com todos que residem com você sobre a importância desse estudo, para que, em família, possam compreender melhor os ensinamentos cristãos, a partir de um momento de união fraterna, que se desenvolverá de maneira harmônica e respeitosa. Explique que as reflexões conjuntas acerca do Evangelho permitirão manter o ambiente da casa espiritualmente saneado, por meio de sentimentos e pensamentos elevados, favorecendo a presença e a influência de Mensageiros do Bem; explique, também, que esse momento facilitará, em sua residência, a recepção do amparo espiritual, já que auxilia na manutenção de elevado padrão vibratório no ambiente e em cada um que ali vive.

Convide sua família, quem mora com você, para participar. Se mora sozinho, defina para você esse momento precioso de estudo e reflexões. Lembre-se de que, espiritualmente, sempre estamos acompanhados.

Escolha, na semana, um dia e horário em que todos possam estar presentes.

O tempo médio para a realização do Evangelho no Lar costuma ser de trinta minutos.

As crianças são bem-vindas e, se houver visitantes em casa, eles também podem ser convidados a participar. Se não forem espíritas, apenas explique a eles a finalidade e importância daquele momento.

O seguinte roteiro pode ser utilizado como sugestão:

Preparação: leitura de mensagem breve, sem comentários;

Início: prece simples e espontânea;

Leitura: *O evangelho segundo o espiritismo* (um ou dois itens, por estudo, desde o prefácio);

Comentários: breves, com a participação dos presentes, evidenciando o ensino moral aplicado às situações do dia a dia;

Vibrações: pela fraternidade, paz e pelo equilíbrio entre os povos; pelos governantes; pela vivência do Evangelho de Jesus em todos os lares; pelo próprio lar...

Pedidos: por amigos, parentes, pessoas que estão necessitando de ajuda...

Encerramento: prece simples, sincera, agradecendo a Deus, a Jesus, aos amigos espirituais.

As seguintes obras podem ser utilizadas nesse momento tão especial:

O evangelho segundo o espiritismo, como obra básica;

Caminho, verdade e vida; Pão nosso; Vinha de luz; Fonte viva; Agenda cristã.

Esse momento no lar não se trata de reunião mediúnica e, portanto, qualquer ideia advinda pela via da intuição deve permanecer como comentário geral, a ser dito de maneira simples, no momento oportuno.

No estudo do Evangelho de Jesus no Lar, a fé e a perseverança são diretrizes ao aprimoramento moral de todos os envolvidos.

CARIDADE: AMOR EM AÇÃO

Sede bons e caridosos: essa a chave que tendes em vossas mãos. Toda a eterna felicidade se contém nesse preceito: "Amai-vos uns aos outros". KARDEC, Allan. *O evangelho segundo o espiritismo*, cap. 13, it. 12.

A Federação Espírita Brasileira (FEB), em 20 de abril de 1890, iniciou sua *Assistência aos Necessitados* após sugestão de Polidoro Olavo de S. Thiago ao então presidente Francisco Dias da Cruz. Durante oitenta e sete anos, esse atendimento representava o trabalho de auxílio espiritual e material às pessoas que o buscavam na Instituição. Em 1977, esse serviço passou a chamar-se Departamento de Assistência Social (DAS), cujas atividades assistenciais nunca se interromperam.

Desde então, a FEB, por seu DAS, desenvolve ações socioassistenciais de proteção básica às famílias em situação de vulnerabilidade e risco socioeconômico. Fortalece os vínculos familiares por meio de auxílio material e orientação moral-doutrinária com vistas à promoção social e crescimento espiritual de crianças, jovens, adultos e idosos.

Seu trabalho alcança centenas de famílias. Doa enxovais para recém-nascidos, oferece refeições, cestas de alimentos, cursos para jovens, serviços de convivência e fortalecimento de vínculos para idosos e organiza doações de itens que são recebidos na Instituição e repassados a quem necessitar.

Essas atividades são organizadas pelas equipes do DAS e apoiadas com recursos financeiros da Instituição, dos frequentadores da Casa e por meio de doações recebidas, num grande exemplo de união e solidariedade.

Seja sócio-contribuinte da FEB, adquira suas obras e estará colaborando com o seu Departamento de Assistência Social.

O QUE É ESPIRITISMO?

O Espiritismo é um conjunto de princípios e leis revelados por Espíritos Superiores ao educador francês Allan Kardec, que compilou o material em cinco obras que ficariam conhecidas posteriormente como a Codificação: *O livro dos espíritos*, *O livro dos médiuns*, *O evangelho segundo o espiritismo*, *O céu e o inferno* e *A gênese*.

Como uma nova ciência, o Espiritismo veio apresentar à Humanidade, com provas indiscutíveis, a existência e a natureza do Mundo Espiritual, além de suas relações com o mundo físico. A partir dessas evidências, o Mundo Espiritual deixa de ser algo sobrenatural e passa a ser considerado como inesgotável força da Natureza, fonte viva de inúmeros fenômenos até hoje incompreendidos e, por esse motivo, são tidos como fantasiosos e extraordinários.

Jesus Cristo ressaltou a relação entre homem e Espírito por várias vezes durante sua jornada na Terra, e talvez alguns de seus ensinamentos pareçam incompreensíveis ou sejam erroneamente interpretados por não se perceber essa associação. O Espiritismo surge então como uma chave, que esclarece e explica as palavras do Mestre.

A Doutrina Espírita revela novos e profundos conceitos sobre Deus, o Universo, a Humanidade, os Espíritos e as leis que regem a vida. Ela merece ser estudada, analisada e praticada todos os dias de nossa existência, pois o seu valioso conteúdo servirá de grande impulso à nossa evolução.

FEB editora
Livro espírita para um novo mundo
www.febeditora.com.br
@febeditoraoficial
@febeditora

Conselho Editorial:
Carlos Roberto Campetti
Cirne Ferreira de Araújo
Evandro Noleto Bezerra
Geraldo Campetti Sobrinho – Coord. Editorial
Jorge Godinho Barreto Nery – Presidente
Maria de Lourdes Pereira de Oliveira
Miriam Lúcia Herrera Masotti Dusi

Produção Editorial:
Elizabete de Jesus Moreira

Revisão:
Maria Flavia dos Reis
Paula Lopes

Capa, Projeto Gráfico e Diagramação:
Paulo Márcio Moreira

Normalização Técnica:
Biblioteca de Obras Raras e Documentos Patrimoniais do Livro

Esta edição foi impressa pela no sistema de FM Impressos Personalizados LTDA., Barueri, SP, com tiragem de 1 mil exemplares, todos em formato fechado, em formato fechado de 140x210 mm e com mancha de 100x170 mm. Os papéis utilizados foram o Off white bulk 58 g/m² para o miolo e o Cartão 250 g/m² para a capa. O texto principal foi composto em fonte ITC Bookman Light 9,5/13,9 e os títulos em BakerSignet BT 26/28. Impresso no Brasil. *Presita in Brazilo.*